suhrkamp taschenbuch 419

Max Frisch, am 15. Mai 1911 in Zürich geboren, lebt heute in seiner Geburtsstadt und in Berzona. Seine wichtigsten Prosaveröffentlichungen: *Tagebuch 1946–1949* (1950), *Stiller* (1954), *Homo faber* (1957), *Mein Name sei Gantenbein* (1964), *Tagebuch 1966–1971* (1972), *Dienstbüchlein* (1974), *Montauk* (1975). Stücke u. a.: *Graf Öderland* (1951), *Don Juan* oder *Die Liebe zur Geometrie* (1953), *Biedermann und die Brandstifter* (1958), *Andorra* (1961), *Biografie: Ein Spiel* (1967) und *Triptychon.* Drei szenische Bilder (1978). Sein Werk, vielfach ausgezeichnet, erscheint im Suhrkamp Verlag.
Frischs *Stiller,* nach Erscheinen als erster großer deutschsprachiger Nachkriegsroman begrüßt, von vielen heute noch zum Hauptwerk dieses Autors erklärt, hat nicht nur die Germanistik immer wieder zu Auseinandersetzungen herausgefordert. Der Materialienband dokumentiert die Argumente dieser Diskussion mit den Schwerpunkten: Erzähltechnik, Bildnisproblematik, Gesellschaftsbezug. Die Entstehungsgeschichte des Romans wird mit bisher unveröffentlichtem Material nachgezeichnet; Auszüge aus Frischs publizistischen Arbeiten, aber auch aus seinem früheren Roman *Die Schwierigen* bilden den werkgeschichtlichen Hintergrund, vor dem sich die Leistung des *Stiller* abhebt. Die wichtigsten Vertreter der damaligen Literaturkritik kommen mit ihren, keineswegs immer zustimmenden, Stellungnahmen ebenso zu Wort wie der Autor selbst mit seinen bisher nur schwer greifbaren veröffentlichten Äußerungen und einem Originalbeitrag. Neben die Bemühungen um Einzelaspekte (Motivik, vergleichende Interpretation) treten die Versuche, eine Gesamtdeutung des Romans zu erarbeiten. Der Band wendet sich nicht nur an die Leser Frischs, sondern ist auch für den Gebrauch im Unterricht an Schulen und Universitäten gedacht.
»Über die Autoren« am Schluß des 2. Bandes.

Materialien zu Max Frisch ›Stiller‹

Herausgegeben von
Walter Schmitz

Zweiter Band

Suhrkamp

suhrkamp taschenbuch 419
Erste Auflage 1978

Drucknachweise für die einzelnen Texte
am Schluß des 2. Bandes
Suhrkamp Taschenbuch Verlag

Satz: Otto Gutfreund & Sohn, Darmstadt
Druck: Ebner, Ulm · Printed in Germany
Umschlag nach Entwürfen
von Willy Fleckhaus und Rolf Staudt.

Inhalt

Erster Band

7
Antworten der Literaturkritik

[1] Siegfried Unseld
Ein neuer Roman von Max Frisch

> Wir leben in einem Zeitalter der Reproduktion. Das allermeiste in unserem persönlichen Weltbild haben wir nie mit eigenen Augen erfahren... Wir sind Fernseher, Fernhörer, Fernwisser... Was für ein Zeitalter! Es heißt überhaupt nichts mehr, Schwertfische gesehen zu haben, eine Mulattin geliebt zu haben... und nicht einmal unsere Erzählungen von der sichtbaren Welt heißen etwas; es gibt für uns heutzutage keine Terra incognita mehr. Wozu also die Erzählerei?

– So argumentiert, hadert und fragt in Max Frischs neuem Roman *Stiller* der sechs Jahre lang verschollene, dann in seine Schweizer Heimat zurückgekehrte Bildhauer Anatol Ludwig Stiller. Der Autor könnte ihm sagen, daß man sich, indem man Erfahrungen oder Gedanken aufschreibt, zum eigenen Denken bekennt. Schreiben heißt für Frisch sich selber lesen. Schreiben heißt nicht Übereinstimmung mit dem Leser oder mit einer Absicht, sondern Übereinstimmung mit der Wirklichkeit, die den Schreiber bewegt und bedrängt.

Wirklichkeit – die Aufgabe jeder epischen Dichtung ist es, Wirklichkeit zu gestalten. Seit der ältesten Dichtung, seit Homer, bemühen sich die Dichter, das Leben so wie es ist einzufangen und darzustellen. Doch während der Dichter der Alten noch einen festgegründeten Standpunkt hatte, von dem aus er seine Welt überschaute und entwarf, ist der moderne Romandichter von keiner festen Ordnung mehr gehalten. Für ihn ist kein Gott mehr sichtbar, der eindeutig die Menschen und Dinge auf sich versammelt und aus solcher Versammlung Geschick und Dasein fügt. Woran hält sich der moderne Romancier, da ihm heute, nach Hegels Wort, der ursprüngliche poetische Weltzustand fehlt, was ist ihm Wirklichkeit? Ist unsere Zeit zu arm an wirklichen Erlebnissen und Erschütterungen?

Es schien lange Zeit, als sei die Erzählkunst unserer Tage an ein Ende gekommen. Bis deutlich wurde, daß ihre beiden größten Vertreter, Joyce und Proust, doch kein Ende, sondern einen Anfang bedeuten. Das ist besonders bei Proust evident, in seiner

Wirkung auf die (außerdeutsche) Literatur seiner Zeit. André Gide, der sich selbst ein Leben lang um die Problematik und um die Ausdrucksformen des modernen Romans mühte, bekannte von Prousts Werk, es käme seiner Auffassung vom Wesen des Romans im zwanzigsten Jahrhundert am nächsten, Prousts Œuvre enthält keine Summe, keine Quintessenz vorangegangener Werke, sondern etwas, das man durch vollkommenes Assimilieren früherer Werke nicht finden kann. Die Sonde Prousts durchstößt gewohnte Oberflächenzusammenhänge. Die Wirklichkeit, die verlorene Zeit, die verlorene Lebenszeit wird nicht entschleiert, sondern dank einer genialen Erinnerungskraft und Erinnerungsmechanik Bild um Bild er-innert. In dem tief differenzierten Kosmos Prousts berühren sich Sphären in einer Welt von Verknüpfungen und Bezügen. Dem Aufheben des raumgebundenen Erlebens stellt Proust eine neue Dimension gegenüber, *seine* Wirklichkeit, die »innere Zeit«.

Der Amerikaner Thomas Wolfe folgt Proust in seinem »Traum von Zeit«, seiner Strom-Zeit, in der sich Simultaneität von Raum und Zeit vollzieht. Es folgen Proust die Engländerin Virginia Woolf, die Westschweizerin Monique Saint-Hélier, der französisch schreibende Ire Samuel Beckett. Im Deutschen waren auf diesem Weg Döblins *Alexanderplatz*, Brochs *Schlafwandler* und Musils *Mann ohne Eigenschaften*, episch noch nicht vollkommen gelöste Versuche. – Die Wirklichkeit in der Zeit als Zeit zu erfahren: das scheint die neue Form der epischen Kunst zu sein.

Max Frisch spricht in seiner Erzählung *Bin oder Die Reise nach Peking* davon, daß wir nicht wissen, wie die Dinge des Lebens zusammenhängen. Der Ort im Kalender, die Zeit unserer Uhr, sie sind ohne seelische Wirklichkeit. Während in dieser Erzählung der Uhrzeiger den Halbkreis einer halben Stunde beschreibt, drängt sich im Ort des Herzens das Erleben eines ganzen menschlichen Daseins zusammen. In der Realität dieses Bewußtseins mischen sich Traum und Wachen, Vergangenes und Künftiges, Erinnerung und Erwartung auf wunderbare Weise, nur ihr Schnittpunkt, die Gegenwart, scheint nicht erlebbar. Die imaginäre Reise Bins führt in ein imaginäres Peking, in ein Land, das immer ersehnt und nie erreicht wird, in ein Land weit hinter der chinesischen Mauer, hinter der Mauer der Konvention, der Umstände wie Familie, Beruf, Gesellschaft und Staat. Die unerfahrene Welt hinter der Mauer der Konvention ist Frischs epischer Raum, seine epische Eroberung, seine Terra incognita. Es ist die »andere Seite«, der er seine Stimme gibt. In der Farce *Die chinesische Mauer* spricht Columbus, der erfährt, daß man sein Amerika Indien nennt, davon, das Abenteuer der Wahrhaftigkeit könne nur noch nach innen, nach dem Kontinent der Seele hin gelebt werden.

Der Roman *Stiller* ist nach bestimmten Gesetzen aufgebaut; und eines dieser Gesetze ist die Kompensation.

Der Bildhauer Stiller, ein Mann unserer Tage, der plötzlich, von der Unstimmigkeit seiner Existenz erschreckt, vor sich selbst aus allem geflohen ist, aus Ehe, Freundschaft und Heimat, dieser seit sechs Jahren verschollene Stiller kehrt unter falschem Namen wieder zurück, wird verhaftet und muß in der Untersuchungshaft sein Urteil abwarten. Da der Zurückgekehrte die Identität mit dem früheren Stiller nicht zugeben will, erhält er die Aufgabe, die schlichte und pure Wahrheit seines Lebens aufzuzeichnen. Er notiert: Ich sitze in meiner Zelle, Blick gegen die Mauer und sehe die Wüste. Beispielsweise die Wüste von Chihuahua... Er sieht mit offenen Augen, betroffen von der Unwahrscheinlichkeit seiner Wahrnehmung, ihre Öde voll blühender Farben. – Der nächste Eintrag: Ich sitze in meiner Zelle, Blick gegen die Mauer, und sehe Mexiko, die schwimmenden Gärten von Mexiko, Gondeln auf bräunlichem Wasser mit blinkenden Spiegelungen der Bläue... – Der Kerker macht ihn empfänglich für eine farbenfrohe Wüste und für einen Korso des mexikanischen Volkes; die Imagination, die das kompensiert, entspricht seiner Sehnsucht.

Ein anderes Beispiel: Um Stiller zum Eingeständnis seiner Identität zu zwingen, wird er mit allem konfrontiert, was er hinter sich gelassen hat: mit seinen Plastiken, seinem Atelier, seinen Freunden, seinem Bruder, seiner Frau. Die Tragödie seiner Ehe, eine menschliche Komödie unserer Zeit, enthüllt sich. Frau Julika Tschudy-Stiller erwirkt Hafterleichterungen; wieder wehrt sich Stiller, das tote Bildnis zu sein, das seine Frau von ihm trägt. Er fühlt sich schuldig an dieser Frau, die krank ist, fühlt fast die Schuld eines Mordes. Im Augenblick, da wieder Liebe zu erwachen scheint und da er sich mit Julika freier bewegen kann – da fabuliert er eine greuliche mexikanische Höhlengeschichte: in einer beklemmenden, gefährlichen Grotte, einem nachtschwarzen, pfadlosen Labyrinth stößt er auf ein Skelett; gerade noch kann er sich retten. Er notiert: Das Gefühl, in eine Falle gegangen zu sein und wie dieser Vorgänger nie wieder herauszukommen... Und später: Aber was ich selber erlebt habe, das war genau das gleiche. – Ein Augenblick erwachender Fröhlichkeit macht ihn empfänglich für Tod und Grauen; die Imagination, die das kompensiert, entspringt seiner Angst. – In dieser Weise ist im Roman *Stiller* das Gesetz der Kompensation wirksam, das Widerspiel von Wahrnehmung und Imagination.

Ein zweites Gesetz ist bestimmt durch Frischs Auffassung der Zeit. Äußerlich gesehen läuft in den Aufzeichnungen alles zeitlich nacheinander ab. Aber der zeitliche Ablauf wird immer wieder durchbrochen; durch Erinnerungen, die oft durch Witz und Fabuliererei getarnt sind, durch Gespräche, durch Verhöre, durch Lokaltermine. Das Leben wird hier nicht in seiner zeitlichen Entfaltung, sondern im Zusammenklang von Vergangenem und Gegenwärtigem, in der Simultaneität von gewesenem Leben und ersehntem Leben begriffen. Gewesenes Leben war für Stiller seine mißliche Ehe, seine ihn nicht befriedigende künstlerische Leistung, die beklemmende Hinlänglichkeit seines Heimatlandes. Ersehntes Leben war das freie Leben in Mexiko, seine Liebe zur Mulattin Florence, zur Geliebten Sibylle. Es ist große Kunst, wie hier Frisch Uhrzeit und Kalenderzeit aufhebt, zugunsten der »inneren Zeit«, zugunsten des »temps vécu«.

Ein drittes Gesetz ist die Sprache. Im klassischen Roman hat die Zeit der Vergangenheit ihr eigenes Pathos. Die Zeit in Frischs Roman ist freideutig, nicht entschieden, Wechsel von Imperfekt und Präsens. Dieser Wechsel schafft eine Intensität fast dramatischer Form, eine Dialektik von Tat und Traum, eine Art sokratischen Dialog unserer Zeit. Durch den Zeitenwechsel befindet sich der Erzähler beständig in der Schwebe, bald Distanz, bald Identifikation mit der Rolle. Frisch hat seinen eigenen Stil vom *Tagebuch 1946-1949* her weiterentwickelt und vervollkommnet: Das scheinbar absichtslose fragmentarische Skizzieren im *Tagebuch* ist zu einer klar gebauten, überaus bildhaften Sprache geworden (es ist nicht überflüssig zu wissen, daß Frisch »von Beruf« Architekt ist). Entsprechend des temps vécu wird die Kurve des menschlichen Schicksals nicht mehr im Gesamtverlauf gezeichnet. Sie wird punktiert. Die Auslassung entspricht jeweils der »weißen Stelle« in einer Zeichnung. Das Wort wird schwerelos. Es umzirkt das Erleben und bringt es in leichte ironische Distanz.

Das formale Prinzip der Kompensation, das Widerspiel von

Wahrnehmung und Imagination, die zeitliche Simultaneität von gewesenem und ersehntem Leben, die durch die wechselnde Zeitform bedingte Schwebe in der Erzählhaltung des Autors, sein aussparender Stil: diese äußeren Formen sind Äußerungen des Inneren. Das Problem des Romans, die Unstimmigkeit von Stillers (und unsere!) Existenz wird durch eine kontinuierliche Selbstüberforderung verursacht. Unser Bewußtsein hat sich im Laufe der letzten Jahrzehnte gewaltig gewandelt, unser Gefühlsleben viel weniger. Daher rührt die Diskrepanz von Intellekt und Emotion. Stiller – und wir alle haben Gefühle, die wir von unserem intellektuellen Niveau aus nicht wahrhaben wollen. Das führt zur Selbstentfremdung, zur Zerstörungswut, weil es uns nicht gelingt, uns selbst anzunehmen und ein wirkliches Leben zu führen, ein Leben, in dem wir mit uns selbst identisch sein können.

Es kann nicht Aufgabe des Dichters sein, die Aporien der Gegenwart zu lösen, aber es kann ihm aufgegeben sein, auf sie durch die Gestaltung einer stringenten Figur hinzuweisen. Dies ist Max Frisch mit dem Roman *Stiller* geglückt. Während Graf Öderland ein bloßer Zerstörer bleibt, nimmt Stiller die Realität seines Lebens auf sich. Nach dem Freispruch erlebt er den Tod seiner Frau und übernimmt die Schuld, die seine Wirklichkeit ist. Er weiß, es gibt keine Flucht, wir können uns nicht entfliehen, wir haben nur dies eine Leben. So *wählte* er dies Leben, wählte sich selbst, seine Wirklichkeit, nach dem Wort Kierkegaards: »... indem die Leidenschaft der Freiheit in ihm erwacht (und sie erwacht in der Wahl, wie sie sich in der Wahl selber voraussetzt), wählt er sich selbst und kämpft um diesen Besitz als um seine Seligkeit, und das ist seine Seligkeit.«

Alle Kassandrarufe über den Untergang des Romans als Kunstform, über die Armut unserer geistig und geistlich enterbten Zeit werden von diesem Roman Max Frischs widerlegt. Die Form des Romans wird lebendig bleiben, solange es produktive Erzähler gibt, die eine elementare Auffassung von der poetischen Idee des Romans haben.

Morgenblatt für Freunde der Literatur
v. 23. 9. 1951

[2] Karl Korn
Ein Mann, der sich selbst sucht

Nach sieben Jahren der Abwesenheit unter falschem Namen und mit einem amerikanischen Paß kehrt der Züricher Bildhauer Stiller in die heimatliche Schweiz zurück. Er hatte nicht die Absicht, sich zu erkennen zu geben, wird aber von einem gediegenen Zoll- und Grenzwächter erkannt und in ein Gefängnis eingeliefert. Stiller, alias White, soll sich zur Identität seiner Person bekennen. Seine Aufzeichnungen im Gefängnis, die den Hauptteil des Romans ausmachen, notieren die umfangreichen Konfrontationen mit der eigenen Vergangenheit, denen Stiller durch die Justiz systematisch unterworfen wird, dazu Protokolle, die der Häftling nach Berichten Dritter anfertigt, die, um ihn zu erinnern, ihr eigenes Leben vor ihm ausbreiten, außerdem Flunkereien, die der Häftling über sein Leben in Kalifornien den Wärtern und seinem Verteidiger zum besten gibt, und schließlich unmittelbare Tagebuchreflexionen des sich konstant weigernden Häftlings, der nicht Stiller sein, noch gewesen sein will. Die Ironie dieses ungemein intelligent komponierten Buches besteht darin, daß der Leser bald aus den verschiedensten Indizien merkt, es tatsächlich mit Stiller zu tun zu haben, während dieser verblüffend hartnäkkig bei seinem Leugnen bleibt, obwohl ihn Frau, Bruder, Freund, eine ehemalige Geliebte – und nicht zuletzt sein eigener Vorteil dazu einladen, sich endlich zu sich selbst zu bekennen. Erst gegen Ende des Romans erfährt der Leser, daß Frisch das Motiv vom »Reisenden ohne Gepäck« (man wird sich an Anouilhs Drama vom hirnverletzten Heimkehrer aus dem Krieg erinnern) abwandelt. Freilich ohne alles Pathos abwandelt. Stillers Fall ist ganz unheroisch. Vielleicht ist er daher um so erschreckender. Das Buch ist bedeutend, weil es mit dem konkreten Fall eine Unsumme anderer, eigentlich unser aller Fall mit meint. Wie das zu verstehen sei, zeigt ein Zitat aus Kierkegaards *Entweder-Oder* an, das der Autor dem Roman vorangestellt hat. Es heißt:

> Sieh, darum ist es so schwer, sich selbst zu wählen, weil... durch diese Wahl jede Möglichkeit, etwas anderes zu werden, vielmehr sich in etwas anderes umzudichten, unbedingt ausgeschlossen wird.

Der Bildhauer Stiller ist nicht ein individuell kurioser Fall. Das Leiden seines verpfuschten Lebens, dem er vor sieben Jahren entfloh, insbesondere seine gescheiterte Ehe stammen aus dem falschen Bewußtsein von sich selbst. Stillers gesamtes Umweltverhalten kommt aus einer zwanghaften Neurose, sich beständig in einen Menschen umzudichten, der er nicht ist und nicht sein kann. So war er einmal als junger Mensch Kommunist und nahm am Spanienkrieg teil, bis er in der Entscheidung versagte. So wurde er Künstler und blieb ein modernistischer Dilettant, so heiratete er, der schwache, sensible, neurotisch belastete Mann, eine sensible, kühle, zarte Frau. Die Ehe scheiterte nicht nur, sie scheitert sogar ein zweites Mal, als Stiller sich gefunden hat, als er seine Schwäche erkannt und »wirklich« geworden ist.

Zur nicht geringen Überraschung des Lesers gerät Stiller, als ihm die Frau, die eine Tänzerin war, an Lungenschwindsucht stirbt, ganz am Ende, geleitet durch seinen Freund, den Staatsanwalt des vorangegangenen Verfahrens – das von Ironien blitzende Buch läßt den Staatsanwalt weit menschlicher sein als den spießigen Verteidiger –, an die Grenze der Einsicht, daß es auch damit noch nicht getan sei, daß einer »sich selbst wähle«. Auch wenn er das erreicht hat, sei ihm, so der Staatsanwalt, den Frisch ein wenig forciert in die Rolle des »Unbekannten Gastes« aus Eliots *Cocktail Party* hineinbugsiert, noch nicht der Ausweg ins Freie offen. Nur, wenn einer gelernt habe, Gott anzunehmen, habe er sich selbst angenommen in all seiner Schwäche, das heißt in seiner Wirklichkeit.

Aber dies ist der allerletzte Schluß des Romans – und man bekäme einen ganz falschen Eindruck, wenn man glaubte, der Schriftsteller und Architekt Frisch sei auch noch ins pastorale Fach übergewechselt. Im Gegenteil, möchte man da sagen. Der Roman verdient endlich wieder einmal im hohen und vollen Sinne des Wortes das Beiwort »interessant«. Er ist sogar amüsant. Der unglückliche Stiller ist nicht nur ein Kauz, sondern auch ein Schalk und ein kritischer Kopf, der mit der bürgerlichen Wohlanständigkeit und Selbstgerechtigkeit seiner Landsleute ins Gericht geht, daß man als Nichtschweizer Leser aufatmend ganze Regale voller Schweizer Traktätchenliteratur Marke 1945 und folgende vergißt.

Das Wesentliche des Romans aber ist die Konfrontation eines Menschen mit sich selbst. Da heißt es einmal in den Gefängnisaufzeichnungen: »Wie soll einer denn beweisen können, wer er in Wirklichkeit ist!« Es ist nicht nur Stiller allein, der seine Wirklichkeit sucht. In den Ehekonflikten, die das Buch so typisch zu sehen weiß, daß gleichsam alle Ehen unsrer sogenannten westlichen Welt davon mitbetroffen werden, wird klar, wie sich Schablonen vor die Wirklichkeit des Empfindens und Tuns schieben, so daß alles falsch und verdorben wird. Aber Frisch psychologisiert nicht. Er vermeidet es, Konflikte, die aus dem falschen Bewußtsein stammen, im Stil einer unserer Situation nicht mehr entsprechenden Romantik zu entwickeln. Die Selbstentfremdung des modernen Menschen mit sich selbst spiegelt sich in Stillers Doppelleben: Er ist der flüchtige Schweizer – und zugleich der Abenteurer in den Vereinigten Staaten. Die Vergangenheit, die Stiller nicht wiederfinden will, ist zugleich das alte verrottete Europa. Diese Vergangenheit wird von einem kinohaft abenteuerlichen Herumtreiberleben zwischen Neuyork und Kalifornien überblendet. Beide Leben sind unwirklich, wenn auch nicht ohne Gefährdung und Leiden.

Die beständige Überblendung ist aber nur ein Darstellungsmittel unter andern, dessen sich Frisch bedient, der ja ein moderner Autor ist, als den ihn sein Œuvre seit 1945 ausgewiesen hat. Um der gescheiterten und eigentlich recht trübseligen Existenz seines »Helden« die richtigen Proportionen zu geben, hat der Autor die Vorteile, die ihm die Fiktion der Aufzeichnungen im Gefängnis gibt, trefflich genutzt. Die Rekonstruktion von Stillers Vergangenheit erfolgt bruchstückweise, je nachdem, wer sich gerade einstellt, um dem Manne, der seinen Namen verleugnet, gegenübergestellt zu werden. So wird die unglückliche Ehegeschichte aufs amüsanteste von der Geschichte unterbrochen, welche die zurückliegenden Seitensprünge der Frau Staatsanwalt berichtet, Seitensprünge, deren wichtigster ausgerechnet mit Herrn Stiller spielte. Und auch sonst hat Frisch mit dem Mittel der Ironie nicht gespart, so daß sein Buch einmal den leicht schwebenden, das aber heißt den unpathetisch modernen Ton bekam, und daß es zum zweiten eine stellenweise ungemein heitere und genußreiche Lektüre wurde. Was da an Figuren auftritt, von dem eifersüchtigen Staatsanwalt und seiner eselhaften Reise nach Genua über den zu Unrecht verdächtigten Architekten Sturzenegger und den mit Gottfried Kellerscher Bissigkeit geschilderten, banale Phrasen verzapfenden Züricher Rechtsanwalt bis zum Wärter Knobel, ergibt ein Panoptikum der bürgerlichen Welt der Schweiz, an deren Adresse Frisch einige bemerkenswert offene Kühnheiten zu richten sich nicht scheut, so, was die Bereitschaft der Bourgeoisie zum Faschismus betrifft, sobald die Geschäfte in Gefahr geraten, und ähnliches.

Man darf gespannt sein, wie gewisse Gralshüter abendländischer Couleur auf solche Stellen reagieren werden. Dabei ist Frisch ein durch und durch westlicher Mensch. Er ist weitgereist, gescheit, ironisch, elegant im Geistigen und vor allem – er vertritt eine Auffassung des Eros, wie sie nur in alten, überfeinerten Kulturländern heimisch sein kann. Die Porträts der beiden Damen des Romans gehören zum Erlesensten in neuerer deutschsprachiger Literatur. Nicht minder die unsern bundesdeutschen Provinzialismus beschämenden Amerikaschilderungen. Die Grenze freilich solcher Schriftstellerei aus Intelligenz und Kultur wird da deutlich, wo der Autor seine überlegene Ironie ablegt und gallig wird. Wie recht hat er, wenn er einmal eine jener Typen intellektueller Verräter unter uns bitter geißelt, die er auf die Kennmarke »fidele Resignation« festlegt. Die gutverdienenden Erfolgsmenschen mit dem schlechten Gewissen und dem intellektuellen Alibi – streng vertraulich, versteht sich – sind gemeint. Gut gesehen, sagt sich der Leser – doch wer von uns, Herr Frisch, gehörte nicht dazu? Mag sein, daß wir nicht alle »fidel« sind. Aber die Resignation ist doch so ziemlich allgemein.

Diese Einschränkung mindert nicht die hohe Qualität des Romans. Er ist weltläufig, gescheit und geht jeden an.

Frankfurter Allgemeine Zeitung v. 16. 11. 1954

[3] Werner Weber
Der neue Roman von Max Frisch

Der neue Roman des Schweizer Dichters Max Frisch trägt den Titel *Stiller*. So heißt auch die Hauptgestalt des Buches. Wer sie, äußerlich gesehen, ist, steht zusammengefaßt im Urteil, das ein Gericht gegen Ende des Buches über den merkwürdigen Mann ausspricht: »Ich bin«, so resümiert der Erzähler, »für sie identisch mit dem seit sechs Jahren, neun Monaten und einundzwanzig Tagen verschollenen Anatol Ludwig Stiller, Bürger von Zürich, Bildhauer, zuletzt wohnhaft Steingartengasse 11, Zürich, verheiratet mit Frau Julika Stiller-Tschudy.« Aus diesen Angaben kann man das Gerüst der Geschichte holen. Stiller steht vor Gericht; er hat eine Untersuchungshaft hinter sich. Warum beides? Worin besteht sein Verschulden? Er hat sich seinerzeit aus der Schweiz davon gemacht, ließ Frau, Freunde, Bekannte, bürgerliche Bindungen hinter sich und kehrte erst nach Jahren wieder von seinem befremdlichen Ausflug in die Schweiz zurück. Aber jetzt nicht mehr als Herr Stiller, sondern als Herr White. Es ergibt sich also die vorderhand groteske Situation, daß alle bürgerlichen Papiere, die in der Heimat über diesen Mann vorliegen, und daß des weitern alle Erinnerungen der Menschen, die einst mit dem gleichen Mann in nahe oder zufälligere Berührung gekommen sind, etwas behaupten, was dieser Mann bestreitet – nämlich: daß er Anatol Ludwig Stiller, der Bildhauer, sei. Er leugnet; die Umgebung behauptet. Eine Untersuchung wird nötig. Demnach treten die in solchen Fällen üblichen Hauptfiguren auf: der Angeklagte Herr Stiller; der Verteidiger, der Staatsanwalt; und Zeugen sind die Menschen aus Stillers früherer Umgebung, unter ihnen seine Frau, sein Bruder. Wer solcherart das Gerüst des Romans in dürrer Vereinfachung herausstellt, löst nicht so sehr ein Befremden aus, er erweckt wohl eher den Eindruck, daß man es bei diesem neuen Werk von Max Frisch mit einer Farce, mit einer Art von kolossalem literarischem Spaß zu tun habe, mit einer Schelmengeschichte voller Flunkerei, voller Laune, Frechheit und Mutwillen. Wer sich so stimmen läßt, ist für den Anfang nicht schlecht gestimmt. Ich möchte behaupten, daß man über den Spaß am gemäßesten zum großen Ernst dieses Buches gelangt. Vielleicht gar wollte Max Frisch die Erzählung viel weniger beschwert, humorvoller, als sie es ihm unter der Hand geworden ist. An mancher Stelle ist die Sprache voll heimlichem Lachen, und manchmal kommt gar das reine Gelächter heraus. Beispielsweise dort, wo Herr Stiller, der nicht mehr Stiller sein will, beim Neffen seines ehemaligen Zahnarztes erscheint. Darüber steht in diesen Aufzeichnungen unter anderem das folgende zu lesen:

> ... Nur mit hilflosen Blicken kann ich den jungen Mann bitten, meine Kronen nicht als das Werk des verstorbenen Onkels zu betrachten, meine Zähne nicht als die Zähne des verschollenen Stiller. Er ruft: »Fräulein – geben Sie mir nochmals den Röntgen-Status von Herrn Stiller!« All dies, wie gesagt, verdanke ich meinem Verteidiger. Man glaubt mir nicht; jedesmal, wenn seine Pinzette eine gewisse Stelle berührt, quellen mir ein paar unwillkürliche Tränen aus den Augen, und

es ist nicht einzusehen, was es immer und immer wieder an dieser Stelle zu stochern gibt, endlich sagt er: »Doch, doch – der lebt!«

Man darf in dieser heiteren Szene das Beispiel für Stillers Leiden überhaupt sehen. Die Umgebung stochert an ihm herum, um herauszubringen, daß er lebt. Aber wie will sie, daß er für sie lebe? Er soll *für sie* leben, wie sie es sich vorstellt. Und genau daran leidet er: daß er nur als eine Vorstellung der andern vorhanden ist. Er lehnt sich dagegen auf, daß er nur eine Rolle lebt, die man ihm aufgehalst hat. So fällt man unerwartet durch die Oberfläche der Aufzeichnungen hindurch auf den Kern. Und hier geht es nun nicht mehr um die persönliche Sache Max Frischs. Hier wird eine Lebensfrage aufgeworfen, die zum Menschengeschäft gehört, die althergebracht ist, die aber niemals alt wird. Es geht um die Frage: Wie wird ein Mensch mit sich selbst identisch? Wie lebt er, was er ist, und nicht, was die andern wollen, daß er sei. In bohrender Unablässigkeit legt sich Max Frisch den Weg zu einem möglichen Läuterungsgrad frei. Dabei sind drei bedeutende Stufen zu bemerken. Auf der ersten steht die Selbsterkenntnis; auf der zweiten steht die Selbstannahme; auf der dritten wartet das Schwerste, aber auch das Schönste, Befreiendste: der Verzicht auf die Anerkennung durch die Umwelt. Im Nachwort des Staatsanwaltes, das den Schluß des Romans ausmacht, stehen darüber alle wünschbaren Aufschlüsse. Dort wird Stiller in seiner Verwandlung zu sich selbst noch einmal dargestellt, und das Kindische der Stiller-Existenz wird noch einmal darin erkannt, daß ein Mensch seine Umgebung von seiner unwiederholbaren Daseinsart und also seiner Daseinswahrheit überzeugen möchte. »Wie aber sollen wir darauf verzichten können«, fragt der Staatsanwalt, »wenigstens von unseren Nächsten erkannt zu werden in unserer Wirklichkeit, die wir selbst nicht kennen, sondern bestenfalls nur leben können? Es wird nie möglich sein ohne die Gewißheit, daß unser Leben von einer übermenschlichen Instanz gerichtet wird, ohne wenigstens die leidenschaftliche Hoffnung, daß es diese Instanz gebe. Stiller kam sehr spät dazu. Kam er dazu?« Mit dieser Frage steht man am Anfang einer Metaphysik, die Max Frisch weder auswalzt noch durch knappes Behaupten strapaziert. Und es wäre gewiß dem Werk nicht angemessen, nun gerade darauf mit besonderem Nachdruck zu verweilen. Nur soviel scheint erlaubt zu sagen: die große Stille am Ende des Werkes steht unter dem erhabenen Zeichen jener Metaphysik. Nach solchen Skizzierungen ist man nun möglicherweise geradezu feierlich auf die neue Dichtung Max Frischs hin gestimmt. Man wird das Buch öffnen – und wird schon nach wenigen Seiten, geschweige denn im Fortgang der Geschichte die Feierlichkeit solcher Vorausstimmung kaum behaupten können gegen den Ärger, der sich meldet, gegen den Zauber, der da und dort mächtig aufkommt, gegen das Jungenhafte, das man zu leicht befindet. Max Frisch sagt viel Saures über die Schweiz, den Schweizer, Zürich und über vieles, das man nicht gern sauer betrachtet sehen möchte. Er sagt es, wie das jeder aufgeweckte Maturand einmal in seinem Leben sagte. Das sieht alles böse aus, ist aber, genauer betrachtet, von ganz banaler Statur. Es ist so leicht angreifbar und widerlegbar, daß der Angriff und das Widerlegen sich selbst aufheben in unserem Lächeln über den Kistelnköpfer, der seinen nahen Landsleuten ein so entzückendes Freiluftbad [Freibad »Letzigraben« in Zürich. – W. S.] gebaut hat. Das sind Schlacken in einem bedeutenden Kunstwerk. Wir sagen Schlacken – nicht weil sie Kritik enthalten, sondern weil sie schlechte, oberflächliche Kritik enthalten. Wir haben, nach einigen Gesprächen, Grund anzunehmen, daß besonders deutsche Leser an diesen Schlacken neue Kunst, Schweizer Kunst im besondern zu wittern geneigt sind. Sollen sie – es ist so verkehrt und geht so lächerlich radikal am wahren großen Werk vorbei, wie wenn schweizerische Leser auf Grund dieser Schlacken einer ungemeinen Dichtung den Prozeß machen wollten. Einer Dichtung, die einen begabten Mann auf dem Weg zur menschlichen und (was damit zusammenhängt) künstlerischen Bereinigung aufweist. Wir träumen uns jetzt einen gelösten, vom Ressentiment ganz befreiten Dichter Max Frisch, der so zum Ernst wie zum Lächeln gekommen sein wird – das Recht zu diesem Traum gibt uns *Stiller*, dieses bedeutende Werk, in dem der Satz steht: »Zuweilen habe ich das Gefühl, man gehe aus dem Geschriebenen hervor wie eine Schlange aus ihrer Haut.« Max Frisch gab Häutung um Häutung. Und wo es mit so aufregendem dichterischem Vermögen geleistet wird wie bei ihm, da sind wir wohl oft schockiert, aber immer mit Teilnahme und Ernst dabei.

Schweizerische Rundfunkgesellschaft.
Sendung v. 16. 11. 1954.

[4] Emil Staiger
»Stiller«
Zu dem neuen Roman von Max Frisch

Max Frisch hat nach dem noch etwas unsicheren Roman *J'adore ce qui me brûle* und der bezaubernden Traumerzählung *Bin oder die Reise nach Peking* eine Reihe von Theaterstücken verfaßt, die in der Schweiz und im Ausland gespielt und lebhaft diskutiert worden sind. Sogar die beredtesten Bewunderer dürften aber schwerlich behaupten, daß *Nun singen sie wieder, Graf Oederland, Don Juan oder die Liebe zur Geometrie* und *Als der Krieg zu Ende war* ganz überzeugende, bühnengerechte, vollendete Schöpfungen seien. Andere werden entschieden erklären, daß es sich überall zwar um ein echtes Anliegen handle, daß aber die Bühne den Dichter zu grellen Farben verleite, die ihm eigentlich gar nicht liegen, und daß es ihm nur selten gelinge, schaubare Handlungen zu erfinden und sich über die Rampe hinweg unmißverständlich mitzuteilen. Wenn er nun zur Erzählung zurückkehrt, wird man dem Ergebnis gewiß mit einiger Neugier entgegensehen. »*Einige Neugier*« erweist sich aber bald als unzulängliche Haltung. *Stiller*, ein Roman von beträchtlichem Umfang, erinnert in seiner Thematik wohl an die Bühnenstücke Frischs und an die frühere tastende Epik. Unverkennbar ist derselbe Mensch mit seinen alten Heimsuchungen und Schwierigkeiten am Werk. Aber wie verwandelt tritt der gleiche nun an die Öffentlichkeit, mit welch überlegener Autorität, wie frei und gültig und, bei aller quälerischen Problematik, belebend durch eine vielleicht unter Mühsal errungene, doch völlig mühelos, ja beinahe spielerisch wirkende Meisterschaft! Es ist, als hätte sich das durch die Anforderungen der Bühne beirrte Talent nun plötzlich Bahn gebrochen und ströme in unaufhaltsamer Fülle dahin.

Ein wahrhaft grandioser Einfall schließt das weitverzweigte Geschehen zu einer gediegenen Einheit zusammen. Stiller, ein etwas fragwürdiger Mann, Künstler von zweifelhafter Begabung und Liebender, der immer wieder versagt, hat eines Tages die Schweiz verlassen, sich in Amerika aufgehalten, kehrt in die Heimat zurück und behauptet, nicht der verschollene Stiller zu sein. Er wird verhaftet und zur Abklärung seiner Identität mit den Gestalten aus seinem früheren Leben, seiner Gattin, seiner Geliebten, Bekannten und Freunden konfrontiert. Sie erzählen ihm seine Vergangenheit. Er nimmt sie als eine fremde zur Kenntnis. Der Leser ist einigermaßen verwirrt. Was soll das alles? Die leichtfertigen, oft betont lieblosen oder sogar frivol-gleichgültigen Reden über zarte menschliche Dinge, die doch die intimsten dessen sind, der da als Erzähler eingeführt wird? Was soll die spöttische Kritik der Zustände in der Schweiz und ihrer unausrottbaren Verlogenheit aus dem Munde eines Menschen, der selber doch mit eiserner Stirn auf der unverfrorensten Lüge besteht? Es wäre denkbar, daß das Buch gerade damit Anstoß erregt. Man wird sich fragen, ob Frisch sein oft nur allzu fühlbares Ressentiment noch immer nicht überwunden habe, ob ihm wohl gar darum zu tun sei, es einmal auf die Spitze zu treiben. Aber wie falsch wäre solche Kritik! Der Leser, der das Recht hat, irgendeinen Ernst, irgendeine Begründung des verwegenen Spiels zu fordern, findet sich keineswegs enttäuscht. In den Aufzeichnungen über die Gattin Stillers, der der Heimgekehrte sich mehr und mehr zuwendet, klingen allmählich Töne von einer kaum mehr verleugneten Innigkeit auf und kann der neue Mensch sich schon dem alten nicht mehr ganz entziehen. Doch erst nach dem großen Gespräch mit dem Staatsanwalt wissen wir klar, woran wir sind. Wir müssen es leider gekürzt mitteilen:

»Stiller«, lächelt er, »in aller Freundschaft gesprochen: ersparen Sie es uns, daß wir Sie am nächsten Freitag öffentlich dazu verurteilen müssen, Sie selbst zu sein, und ersparen Sie es doch vor allem sich selbst. Ein gerichtliches Urteil wird es Ihnen nur schwerer machen, fortan den Namen des Verschollenen zu tragen, und daß Sie zumindest als äußere Person niemand anders als der Verschollene sind, darüber brauchen wir ja im Ernst nicht mehr zu reden. Geben Sie es freiwillig zu! Das ist mein Rat, Stiller, ein Rat aus aufrichtiger Freundschaft, glaube ich«...
... »Ich kann nicht zugeben, was nicht wahr ist.«...
... »Und wieso ist es nicht wahr?«...
... »Ich bin glücklich«, sage ich, »daß Sie mir Ihre Freundschaft schenken. Ich habe hier keine Freunde. Aber wenn es Ihr Ernst ist, daß Sie nicht mein Staatsanwalt sein wollen... dann, sehen Sie, darf ich auch von Ihnen erwarten, was man von einem Freund erwarten muß: daß Sie mir glauben, was ich nicht erklären, geschweige denn beweisen kann. Nur darauf kommt es jetzt an! Wenn Sie mein Freund sind, dann müssen Sie auch meinen Engel in Kauf nehmen... Ich kann kein Geständnis machen, das mein Engel mir verboten hat.«
Das hätte ich nicht sagen sollen.

»Engel –?« fragt er. »Was meinen Sie damit?«...

»Davon kann man nicht reden... Sobald ich ihn zu schildern versuche, verläßt er mich, dann sehe ich ihn selber nicht mehr. Es ist ganz komisch: je genauer ich ihn mir vorstellen kann, je näher ich dazu komme, ihn schildern zu können, um so weniger glaube ich an ihn und an alles, was ich erlebt habe.«

Es liegt also weder Betrug vor noch, wie bei Giraudoux' *Siegfried*, Gedächtnisverlust. Stiller ist auch kein Geisteskranker, oder, wenn er schon etwas gestört ist, so ist er es doch auf eine Art, die uns eigentümlich interessiert und einen symbolischen Sinn gewinnt, der weit über seine oder seines Schöpfers Persönlichkeit hinausreicht. Stiller leidet an seiner Identität; und das bedeutet zugleich, er leidet an den andern wie an sich selbst. Er leidet an jeder Gewöhnung, am Alltag, am Bekannten und Durchschauten, zumal an seinem eigenen durchschauten, als nichtiges erfahrenen Ich. Und er versucht, sich aus der Gefangenschaft in seiner Welt zu befreien, indem er seinen Namen verleugnet. Diese Lüge ist jedoch wieder in einem höheren Sinne Wahrheit, da er als ein Verwandelter heimkehrt und ein Recht hat, den ehemaligen Stiller als Fremden zu betrachten.

Unschwer erkennt man, wie dieser Gedanke sich aus Frischs früheren Werken entwickelt. Es steckt noch immer etwas Jugendlich-Allzujugendliches darin, eine Romantik, auf die man gemeinhin im dritten Jahrzehnt des Lebens, wenn nicht schon einige Jahre früher, verzichtet. Doch was uns sonst als eine fast zu private Angelegenheit, ja oft als peinlichstes Malaise berührte – und auch jetzt noch zum Teil so berührt –, das wird auf einmal höchst denkwürdig. Die Frage nach dem Wesen der Wahrheit drängt sich auf jeder Seite auf und verdichtet sich gegen den Schluß des Romans zu einem bedeutungsvollen Problem. Inwiefern dürfen wir überhaupt sagen, Lebendig-Werdendes bleibe sich gleich? Zeugt eine solche Behauptung nicht von Vorurteil und Mangel an Liebe? Hütet sich nicht gerade der Liebende, mit dem Urteil »*So bist du!*« der unendlichen Seele Unrecht zu tun? Gibt es eine allgemeingültige, dem Wandel der Zeit entrückte Wahrheit, die nicht eine völlig gleichgültige wäre, so gleichgültig wie die polizeiliche Feststellung der Identität, deren Stiller schließlich um eines Alibis willen doch bedarf? Es wäre möglich, diese Fragen bis auf die Ebene der modernen Ontologie emporzusteigern. Denn auch die Dinge verwandeln sich unablässig, indem wir uns selber verwandeln. Und ein Beharrliches ist in ihnen so schwer zu benennen wie in uns, es sei denn, man blende sie auf tote naturwissenschaftliche Objekte ab.

Doch kehren wir zu der Dichtung zurück, zu jenem Engel, der Stiller gebietet, ein ständig erneuertes Leben zu führen und in jedem Augenblick die Fülle der ersten Begegnung zu finden. Darin gründet die Ironie gegen Stillers frühere Schicksalsläufte, die scheinbar frivole Leichtfertigkeit, mit der er die Not seines Lebens behandelt, die überbetonte Kritik an der Schweiz, der Schwindel, den er bewußt in die Schilderung seiner jüngeren Vergangenheit, der amerikanischen Jahre, einmischt, und all das Befremdliche, das den Leser so oft in der ersten Hälfte bedrängt. Es will in gewissem Sinne ernst und wieder nicht ernst genommen sein. Es sind Aussagen jetzt und hier, Akte der Notwehr außerdem, Schutzmaßnahmen gegen das Ich. Und nicht zu den geringsten Verdiensten des Autors gehört die Kunst, mit der er diesen äußerst schwierigen, schwebenden Ton durchzuhalten vermag, wie heimlicher Schmerz, Humor und Spott sich vereinigen zu einem Prosakonzert, dem wir nichts Ähnliches in unserem Schrifttum zur Seite zu stellen wüßten. Ebenso erstaunlich ist, wie die Technik des modernen Romans, Rückblende, Simultanbericht (und wie die Kniffe alle heißen, die meistens nichts als Kniffe sind) hier sinnvoll, ja notwendig werden. Die für einen gewissen Geist unserer Tage repräsentative Gestalt, Stiller, scheint wie von selber die moderne Form aus sich zu erzeugen und eigentlich erst zu legitimieren. Nun spiegelt sich eins im anderen, und nichts bleibt *»wahr«* als die Spiegelung selbst. Es ist erregend, dies zu verfolgen und die Geschicklichkeit wahrzunehmen, mit der Max Frisch die Zeiten und Räume verwechselt und ineinanderschiebt. Und wenn uns dabei ein Schwindel ergreift, so sorgt im rechten Augenblick das »Nachwort des Staatsanwalts« dafür, daß wir wieder auf einen Gott sei Dank minder interessanten, doch einigermaßen festen Boden gelangen.

Es wäre noch sehr viel zu sagen. Die schweizerischen und amerikanischen Landschaften wären hervorzuheben, diese duftigen Gemälde, die Variabilität der Sprache, im Dialog wie im schlichten Bericht; die Konzentration des Geschehens auf die Szene im Atelier, wo buchstäblich die Zertrümmerung des Vergangenen durchgeführt wird; die wohlerwogene Fügung des Ganzen, die Bezüglichkeit aller Teile, die das Rhapsodische der im Gefängnis geschriebenen Biographie so wohltuend ausbalanciert. Doch wir suchen nach einem abschließenden Wort.

Es wird wohl nicht gerade Liebe sein, was dieses Buch in den Herzen seiner Lesergemeinde weckt. Die Skepsis, die darin waltet, schließt eindeutige Gefühle aus. Die katastrophale Gesinnung des Helden, die Absurdität seines bis zum Zerbrechen durchgehaltenen Lebensstils nimmt man wohl eher mit Schauder zur Kenntnis. Doch der Verfasser selber ist sich dieser Absurdität bewußt. Und so gelingt es ihm, das schleichende Leiden eines Geschlechts, das keiner großen Ergriffenheit und also auch keiner Entscheidung fähig ist, das nur noch äußere, aber keine innere Notwendigkeit mehr erfährt, so unbarmherzig bloßzulegen, daß aller blasierte Spaß aufhört und jeder Zweifel über den Ernst der lange genug mit frevler Neugier umspielten Lage schwinden muß. *Neue Zürcher Zeitung* v. 17. 11. 1954

[5] Hermann Hesse
Max Frisch »Stiller«

Es sei gleich zu Anfang gesagt: meine Worte zu diesem Buch können und wollen keine Kritik, keine Analyse sein. Das müssen andere leisten, haben es vielleicht schon getan, denn vorübergehen darf man an einem solchen Werk nicht. Es wird Kritik erfahren, anerkennende und ablehnende, freundliche und feindselige. Ich, der ich aus einer anderen Generation und Welt stamme, stehe den Problemen dieses bemerkenswerten Romans eher etwas fremd gegenüber. Viele der Dinge, die dem sein Leben erzählenden Stiller wichtig sind, sind es mir nicht, ja ich muß sagen, mir scheint es ein Fehler dieser breit ausgesponnenen Erzählung zu sein, daß sie sich als eine Art Roman des modernen Eheproblems zu geben scheint. Die beiden Ehen nämlich, von denen die Geschichte handelt, eine mißglückte und eine nach längerer Krankheit erfolgreich geheilte, scheint mir das wenigst Interessante darin zu sein. Das Buch erzählt von vier Personen, zwei Ehepaaren, aber wirklich und ernstlich angesprochen hat mich nur eine einzige von den vieren: die Person Stillers. Die drei andern sind gut gezeichnete Romanfiguren, die man mit hundert andern vermutlich bald wieder vergißt. Den Stiller aber, die

Hauptperson, vergißt man nicht wieder, er ist keine Romanfigur, sondern ein Individuum, ein in jedem Zug erlebter und überzeugender Charakter: unbedeutender Bildhauer, aber für alles Künstlerische voll und rein empfänglich, unfähiger Ehemann, aber Ehemann einer frigiden Frau, vergrämter Rückkehrer nach langen Auslandsjahren und glücklicherweise ein hochbegabter Schilderer, Erzähler und Fabulant. Aber nicht nur die geistvolle und auf schöne Art spielerische Kunst im Darstellen und Erzählen ist es, die den einsamen Kauz Stiller uns wichtig macht, sondern wir empfinden seine Nöte und seine beinah tödliche Problematik auch als über-individuell, als typisch, als stellvertretend für zahllose. Gerade daß er seine schwere Malaise nicht nach einem existentialistischen Schema darstellt, sondern ganz und gar individuell, gibt ihm diesen Mehrwert über das Literarische hinaus. Dieser Stiller, über den man sich gelegentlich auch recht wohl ärgern kann, ist hinter seinen Masken und Fabulierkünsten ein sehr liebenswerter Mensch, dem man wünscht, es möge ihm Verständnis und Liebe auch aus seiner eigenen Generation und Umwelt entgegenkommen.

Die Weltwoche (Zürich) v. 19.11.1954

[6] Franz Schonauer
Die Aufzeichnungen des Herrn Stiller

Max Frisch ist auch in Deutschland mit seinem Tagebuch, seinen Bühnenstücken, vor allem *Don Juan oder die Liebe zur Geometrie,* und *Bin oder die Reise nach Peking* bekannt geworden. Daß der soeben erschienene Roman *Stiller* zum Teil an die vorangegangene Produktion *Tagebuch* und *Bin* anknüpft, aber darüber hinaus dem epischen Kunstwerk neue Möglichkeiten eröffnet, wird vielleicht an einer Bemerkung des Dichters zur deutschen Lyrik der Gegenwart deutlich:

> Das Banale der modernen Welt (jeder Welt) wird nicht durchstoßen, nur vermieden und ängstlich umgangen. Ihre Poesie liegt immer vor dem Banalen, nicht hinter dem Banalen. Keine Überwindung, nur Ausflucht – in eine Welt nämlich, die schon gereimt ist, und was seither in die Welt gekommen ist, was sie zu unserer Welt macht, bleibt einfach außerhalb ihrer Metaphorik...

Dagegen fordert Frisch von den Dichtern, »nicht zu dichten, was die Vorfahren gemäß ihrem Bewußtsein zur Poesie gebracht haben, sondern wirklich zu dichten, unsere Welt zu dichten«. – Das Neue an diesem Roman des Schweizer Autors ist, daß hier der übrigens geglückte Versuch gemacht wird, »unsere Welt zu dichten« in einer sprachlichen und metaphorischen Entsprechung unserer Bewußtseinslage. Dem paradoxen Zustand, daß mit zunehmendem Wissen und einer sich steigernden Differenzierung des Erkenntnisvermögens die Umwelt nicht vertrauter, sondern zweideutiger, feindlicher wird, ist hier Ausdruck verliehen worden.

Dem ersten Teil des Romans hat der Autor ein Wort Kierkegaards vorangestellt, als Hinweis für den Leser, was es mit den »Aufzeichnungen Stillers im Gefängnis« auf sich hat:

> Sieh, darum ist es so schwer, sich selbst zu wählen, weil in dieser Wahl die absolute Isolation mit der tiefsten Kontinuität identisch ist, weil durch sie jede Möglichkeit, etwas anderes zu werden, vielmehr sich in etwas umzudichten, unbedingt ausgeschlossen wird – und: indem die Leidenschaft der Freiheit in ihm erwacht (und sie erwacht in der Wahl, wie sie sich in der Wahl selber voraussetzt), wählt er sich selbst und kämpft um diesen Besitz als um seine Seligkeit, und das ist seine Seligkeit.

Das sind Probleme, um die es in der modernen Literatur unausgesetzt geht. Der charakteristische Zug des modernen Menschen ist, daß er zu sich selbst Abstand gewinnen kann. Daraus resultieren aber Unsicherheit und die Neigung des Individuums, die Leere mit Leitbildern, mit Reproduktionen auszufüllen. »Wir leben in einem Zeitalter der Reproduktion. Das allermeiste in unserem persönlichen Weltbild haben wir nie mit eigenen Augen erfahren«, sagt Stiller an einer Stelle des Romans. Max Frisch rückt diese Verfremdung der Individuen untereinander und vor sich selbst in den Mittelpunkt seines Buches. Eines Tages verschwindet der Bildhauer Stiller aus seiner Heimatstadt, verläßt Frau und Freunde. Nach sechsjähriger Abwesenheit kehrt er unter dem Namen White zurück und wird, unter Verdacht, mit dem Bildhauer Stiller identisch zu sein, an der Schweizer Grenze verhaftet und gefangengesetzt. Symbolisch soll hier verdeutlicht werden: Stiller will nicht mehr Stiller sein, er will sich in ein anderes »umdichten«. Der Name White ist für ihn Mimikry, eine Makse, die ihm erlauben soll, der Mensch zu sein, der er in Wahrheit ist. Mit diesem festen Vorsatz beginnen die Aufzeichnungen, die nichts anderes sind als Versuche, die Vergangenheit mit der Gegenwart zu verknüpfen, das scheinbar Abgelebte, schon Fixierte zu erinnern, es zurückzuholen in das Hier und Jetzt. Das damit angegangene Problem der Chronologie, die Ambivalenz von objektiver und subjektiver Zeit deutet auf Proust, Joyce und Musil hin, ohne deren Vorbild Frischs Roman nicht gedacht werden kann. Diese Aufzeichnungen sind nicht an die Mitwelt gerichtet, sie gelten nur ihm, weil sie Stiller zuweilen das Gefühl vermitteln, aus dem Geschriebenen hervorzugehen.

> Schreiben ist nicht Kommunikation mit Lesern, auch nicht Kommunikation mit sich selbst, sondern Kommunikation mit dem Unaussprechlichen. Je genauer man sich auszusprechen vermöchte, um so reiner erschiene das Unaussprechliche, das heißt die Wirklichkeit, die den Schreiber bedrängt und bewegt.

Diese Wirklichkeit zu finden, sie zu erfassen, die Scheinwelt aus Reproduktion und Klischee zu durchstoßen, darüber entscheidet sich das Schicksal dieses Helden; Stiller kämpft gegen Stiller, gegen ein Bild, gegen ein Schema. Daß er den Kampf nicht besteht, offenbart die Tragik des modernen Menschen, dessen Symbol er ist.

So kommt denn dem Gerichtsentscheid, der Stiller zur Identität mit dem Verschollenen verurteilt, nur noch bestätigende Wirkung zu. Die Akten haben sich über seinem Fall geschlossen; das »Nachwort des Staatsanwaltes« ist eine Art Grabrede, ein Nachruf zu Lebzeiten. Stiller fügt sich ins Unabänderliche, sein Leben sinkt ab, alles fließt zurück in die Banalität determinierten Schicksals, in die Neurose, in die Einsamkeit. – Dieser Roman ist ein großes Werk, groß, weil das moderne Bewußtsein sprachlich hier seinen Ausdruck gefunden hat, weil – bei aller Rationalität – das Buch nicht im literarischen, im zeitkritischen Essay stecken bleibt, sondern wahre Dichtung ist.

Deutsche Zeitung v. 20. 11. 1954

[7] Friedrich Luft
Gelesen – wiedergelesen

Ein Mann, durch Paß ausgewiesen als der amerikanische Staatsbürger White, schlägt beim Grenzübertritt in die Schweiz dem Kontrollbeamten ins Gesicht. Der Mann ist trunken. Als er festgesetzt wird, kommt Verdacht auf, ob er in Wahrheit der sei, für den sein Paß ihn ausgibt. Man meint, in ihm einen gewissen Stiller zu erkennen, der vor Jahren, nach einer zerbröckelnden Existenz als Bildhauer, heimlich verschwand, und dem verbotene Zusammenarbeit mit sowjetischen Emissären nachgesagt wurde. Er wird einbehalten. Ist er jener Stiller? Ist er White, wie sein Paß bescheinigt? Er sitzt in Haft. Er wird konfrontiert mit den Menschen, die er damals kannte – oder die doch jener Stiller kannte und deren Schicksal er wurde.

Max Frisch, der Schweizer Dramatiker, dessen *Nun singen sie wieder...,* dessen *Öderland,* dessen *Don Juan* ihn als einen der lebendigsten, zeitgenössischen Dramatiker auswiesen, dessen *Tagebuch* zudem seine Fähigkeit zur verantwortungsvollen Prosa bezeugte – Frisch läßt diesen Stiller, alias White, im Züricher Untersuchungsgefängnis die Aufzeichnungen seines hanebüchenen Lebens machen. White – und White *ist* Stiller, stellt sich heraus – tastet in seiner Zelle anhand der Evidenzen, die ihm die sonderbaren Gegenüberstellungen aus dem Vorleben seiner Doppelgestalt ergeben, der sonderbaren und verpfuschten Existenz eben jenes Mannes Stiller nach. Frisch, der Autor, hat damit seinerseits die Möglichkeit, die verhärtete Form des reinen Romans doppelt zu brechen. Was jener undurchsichtige Untersuchungsgefangene dort in seiner Zelle aufschreibt, wird Tagebuch. Und während es noch Tagebuch ist, wird es schon Erzählung. Die spielt in zwei Zeit-Dimensionen: im Gefängnis und in dem rückgeblendeten Leben jenes rätselhaften Stiller. Gegenwart wird faßbar. Und Vergangenheit wird anhand der Gegenwart aufgeräufelt. Das macht einen formalen Reiz, der das Interesse immer wieder stimuliert.

Zum anderen legt der Autor mit der eingehaltenen Spaltung der sich darstellenden Person, heiße sie nun Stiller oder White, einen kriminalistischen Reiz über den Vorgang, der seiner Lesbarkeit sehr zugute kommt. Immer wieder kann der Schreibende in das lose und erregende Tagebuch eines Angeklagten Zeitbetrachtungen einfließen lassen. Die Aufzeichnung wird zur Anklage, wird zum Kommentar der Gegenwart überhaupt. Die Lebensform der Schweiz wird mit einer sorgenden Haß-Liebe immer wieder umkreist. Politische Lügen der Tage werden fixiert. Es drängen sich mit einem zwanglosen Zwang anhand der erschrekkenden Schicksale, die Frisch durch seinen inhaftierten Autobiographen beobachten läßt, die Miseren des Zeitalters überhaupt auf.

Frisch spielt gescheit mit den darstellenden Möglichkeiten, die er sich formal geschaffen hat. Es wird ein Buch, das eine große, anrührende Handlung hat. Sie spielt zwischen Stiller und der Frau, die er ausgeruhten Herzens nicht zu lieben imstande war; das ist die tragische Grundmelodie des Buches. Und die Handlung wird mühelos und erregend behängt, abgelenkt und erweitert immer wieder durch Ausblicke auf unsere verworrenen oder schönen oder erschreckenden, verbiesterten oder rührenden Zeiterfahrungen überhaupt. Das Buch ist auf eine sehr intelligente und sympathische Weise »engagiert«, Frisch läßt seinen Tagebüchler sagen, was er selber zu sagen für notwendig hält.

Dabei hat es bei aller sympathischen Vernünftigkeit eine schöne Lebenszugewandtheit; es verlockt, es treibt, während es diese Zeit und dieses Leben in ihr immer wieder in Frage stellt, doch eben dieser Zeit und diesem Dasein in ihr zu. Frischs Buch ist ebenso anregend wie augenöffnend wie schön zu lesen.

Stiller (*Suhrkamp-Verlag,* Frankfurt, 567 S.) ist für den Autor selbst zudem das Testat eines Fortschrittes. Wenn früher seine Prosa zuweilen unter einer gelegentlichen, lyrisierenden Weichheit litt – jetzt fehlt das völlig. Beschreibungen finden sich hier, die das volle Maß an Leben und Schönheit haben. Wie er Mexiko, beispielsweise, in einigen der erzählerischen Rückblenden fixiert. Oder wie er die wehende, staubige, vorsätzlich schönlügnerische Welt des Theaters in einigen Abschnitten festhält. Oder wie er nur eine harte Beschreibung der Bowery in New York gibt. Oder wie er die weibliche Figur jener ungeliebt geliebten Frau sofort etabliert und dann reizvoll entwickelt, daß der Leser sich im Laufe der Bekanntschaft – gleich dem Manne Stiller, dessen Schuld die Mutlosigkeit zur Liebe war – ihr immer stärker zugeneigt fühlt. Oder wie er die keimfreie, human-störrische Atmosphäre des Schweizer Untersuchungsgefängnisses in den Zwischenkapiteln jeweils mit einer halbkomischen Beleuchtung einschaltet – all das zeigt, wie hier ein Autor an sich und seinem Stil gearbeitet hat.

Das Buch ist gescheit. Es ist mutig, denn es läßt heiße Eisen unserer Gegenwart nicht beiseite. Es ist lebendig, denn es erzählt in einem – man möchte sagen – schlanken, jugendlichen, erregbaren Stil. Es benutzt die Mittel der gehobenen Kolportage wohlweislich, um den Leser behende am Ball des exemplarischen Vorganges zu halten. Und es läßt am Ende – neu ausgesprochen – die alte Ermahnung zurück: wesentlich zu leben, über Träumen und den täglichen Irritationen das Nächste, den Nächsten nicht zu vergessen.

Man kann nicht sagen, daß Frisch sich bei diesem Buche ausgeruht hätte. Aber unsere Hoffnung wird nach diesem Fortschritt sein nächstes Stück sein. Das Theater braucht seine Begabung fast notwendiger als die Epik, um die sich genügend schon mühen.

Die Neue Zeitung (München) v. 21. 11. 1954

[8] Heinz Beckmann
Die eigene Wirklichkeit
Zu dem Roman »Stiller« von Max Frisch

Die Mordgeschichten, die der Bildhauer Ludwig Stiller seinem Gefängniswärter Knobel vorflunkert, lesen sich prachtvoll, und man hat sogar ein gutes Gewissen dabei, denn diese abenteuerlichen Geschichten stehen in einem sehr ernsthaften Roman. Wie ernst sie letzten Endes gemeint sind, das merkt man freilich erst später und fühlt sich dann, seines unverhohlenen Vergnügens an den Mordgeschichten wegen, recht unsanft ertappt, einem Manne gleich, der dem wenig behaglichen Anblick seines Spiegelbildes immerfort auszuweichen trachtete:

> Haben Sie sich nie überlegt, mein guter Knobel, warum die allermeisten Leute so viel Interesse haben an einem richtigen, an einem sichtbaren und nachweisbaren Mord? Das ist doch ganz klar: weil wir für gewöhnlich unsre täglichen Morde nicht sehen. Da ist es doch eine Erleichterung, wenn es einmal knallt, wenn Blut rinnt oder wenn einer an richtigem Gift verendet, nicht bloß am Schweigen seiner Frau...

Diese geflunkerten Mordgeschichten haben also Falltüren, doch liest man sie trotzdem mit barem Vergnügen. Was immer nämlich an doppelten Böden, Abgründen, vertrackten Spiegelungen, Komplexen, Verschlüsselungen und Selbstentfremdungen durch die Romane der letzten Jahrzehnte geisterte, das alles zusammen, und eine Messerspitze voll ironisch gepfefferter Heiterkeit dazu, erzählt Max Frisch in seinem Roman *Stiller* mit einer höchst intelligenten, welthaltigen und gesellschaftsfähigen Liebenswürdigkeit, getrost auch auf äußere Spannung erpicht, ohne darüber auch nur ein Gran tieferer Bedeutung einzubüßen – ganz im Gegenteil: je mehr man nämlich diesen Roman nur an seiner beglückenden Oberfläche zu lesen versucht, desto unausweichlicher verstrickt man sich in die tiefere Bedeutung, in sich selbst demnach, denn Max Frisch hat die Personen seines Romans nur soweit charakterisiert, daß auch wir noch in ihren Anzug passen, in ihre ganze Malesche, die sie für Leben hielten, bis dann unversehens einer von ihnen in sein mißratenes Leben zurückverhaftet wird, »weil man nicht einfach, wenn's schiefgeht, auf ein anderes Leben hinüberwechseln kann... Es ist ja doch unser Leben, was da schiefgegangen ist –«.

Deshalb flunkert Ludwig Stiller seine Mordgeschichten. Er will um keinen Preis wieder Ludwig Stiller sein müssen, nachdem er vor Jahren in Amerika untergetaucht war und jetzt daheim in Zürich mit seinem gefälschten Paß als Jim White verhaftet wurde. Jeden Mord möchte er gerne gestehen, aber zu der Identität mit sich selbst, mit dem unglücklichen, nichtigen, unwesentlichen Menschen Ludwig Stiller also, muß ihn erst das hartnäckig zurückkehrende Leben zwingen.

Dieser Roman schildert in einer grandiosen Verkantung zwischen Vergangenheit und Gegenwart den leibhaftigen Ringkampf eines Mannes, der *alles außer er selbst* sein wollte, mit seiner eigenen Wirklichkeit, und kein Thema könnte uns im Augenblick härter am Genick packen als unsre ständige Ausflucht aus der eigenen Wirklichkeit.

Wie mühsam das ist, mit sich selbst identisch zu werden, das erfährt man in dem Roman von Max Frisch: »Wenn ich beten könnte, so würde ich darum beten müssen, daß ich aller Hoffnung, mir zu entgehen, beraubt werde!« Die Demut vor unseren begrenzten Möglichkeiten zu lehren, dazu ist Max Frisch in die farbigen Innenwälder seines Romans ausgezogen. Aber er lehrt nicht in den absichtsvoll finsteren Verließen zeitgenössischer Romane, sondern in offner, lichter Landschaft, in einer Landschaft, durch die auch Gottfried Keller des Weges kam, mit dem sicheren Instinkt des echten Erzählers, der genau weiß, wann und wie oft er uns bei der vortrefflich verwobenen Abendunterhaltung einen bitteren Vermouth anbieten darf. Da ist Julika, die schwindsüchtige Tänzerin, die ihre mißglückte Ehe mit Ludwig Stiller wieder aufnimmt und unentrinnbar daran stirbt, weil Stiller zu spät merkt, daß es Sünde ist, sich ein Bildnis zu machen von seinem Nächsten – da ist der köstliche Staatsanwalt und dessen Frau Sibylle, deren Ehe beinahe schon an Stiller gescheitert war (»Du bist frei – ich bin frei... und dabei ist alles so jämmerlich...«, sagt Sibylle zu ihrem Mann) – da sind Menschen denen ihr Leben nur mäßig gelingt, wie uns allen, aber sie setzen ihre Lebenskraft ein, um sich selbst anzunehmen.

Während Julika stirbt, sagt der Staatsanwalt zu Stiller: »Immer wieder hast du versucht, dich selbst anzunehmen, ohne so etwas wie Gott anzunehmen. Und nun erweist sich das als Unmöglichkeit.« Schon einmal klang dieser Ton an, als Ludwig Stiller während seiner Haft im Gefängnis notierte: »Der Schritt in die Freiheit ist immerdar ein ungeheurer Schritt... nämlich es ist der Schritt in den Glauben, alles andere ist nicht Freiheit, sondern Geschwätz!« Aber haarscharf an diesem Rande verstummt der Roman, und man wird Max Frisch für die saubere Ehrlichkeit solchen Verstummens am äußersten Rande dankbar sein. Er hat das schwere Thema von der Identität des Menschen mit sich selbst in einem vergleichsweise »leichten« Roman ausgeschöpft, hat es zur Fabel gekeltert, einer höchst facettenreichen Fabel, die sich hundertfältig in sich selbst spiegelt, hat diese Fabel in Mordgeschichten verpuppt, Geschichten von lauter Morden des Menschen an seiner Wirklichkeit, und hat alles in allem endlich einmal wieder einen Roman vorgelegt, von dem man sagen darf, daß man ihn gelesen haben muß.

Rheinischer Merkur v. 26. 11. 1954

[9] Max Rychner
»Stiller«
Zum neuen Roman von Max Frisch

Einen sehr umfangreichen Roman von fast 600 Seiten legt uns Max Frisch mit seinem *Stiller* vor, dessen Thema denkbar zeitgemäß ist, nämlich das Scheitern, das Scheitern der Ehe des Bildhauers Stiller. Aufrichtig bis zur Schonungslosigkeit sich selbst gegenüber schreibt Stiller auf: »Das Versagen in unserem Leben läßt sich nicht begraben, und solange ich's versuche, komme ich aus dem Versagen nicht heraus, es gibt keine Flucht.« Er wollte entfliehen, aber nach sechs Jahren Amerika kehrte er heim mit falschem Paß; in Untersuchungshaft schrieb er seine Erinnerungen und Tagebuchaufzeichnungen – zwei Zeitebenen, Vergangenheit und Gegenwart überschneiden sich, wie im *Doktor Faustus*, was seit der *Odyssee* beständig als eine moderne Technik durchschaut wird.

Als Verwandelter, Wiedergeborener, glaubt er heimgekehrt zu sein, doch bis zur Qual erfährt er sich als Gefangener, eingesenkt in das Aktgefüge seines Ichs, seiner wenigen menschlichen Beziehungen, in die sture Verwaltungswelt des Staates, in die minderwertigen Schichten des Landes, in denen er hängen bleibt, als wären es die einzigen. Er gehört seinem Wesen nach zu Pankraz dem Schmoller, aber er ist zerfaserter, vielspältiger mit sich und der Umwelt verfeindet, und er gelangt nicht, wie dieser, auf eine höhere Stufe. Über ihn heißt es: »Hat Stiller irgendein Ziel in die Zukunft hinaus? Um lebendig zu sein, braucht man ja auch ein Ziel in die Zukunft hinaus. Welches ist dieses Ziel, dieses Unerreichte, was Stiller kühn macht, was ihn beseelt, dieses Zukünftige, was ihn gegenwärtig macht? Was will er gestalten? Was ist sein Entwurf? Hat er eine schöpferische Hoffnung?«

Diese Fragen sind für Stiller alle negativ zu beantworten. Seine Kunst spielt nur eine verschwindende Rolle; er hat auch kein Talent von Belang. Er geht nahezu auf in seinen Konflikten mit Julika; die Liebe zu einer andern führt zu kläglichem Scheitern. Andere Menschen treten nur schattenhaft und vorübergehend in seinen Daseinskreis. Die einschneidenden Fragen, die ich oben zitierte, beziehen sich mit ihrem mannhaften Brustklang gar nicht auf ihn. Stiller, der für sein Leben und seine Statuen keine gültige Form findet, stellt diese Fragen in bezug auf die Schweiz: dort, wo *Stiller* und *er* steht, heißt es bei Frisch *die Schweiz* und *sie*. Der Held verlangt also vom Land, was er als Person nicht zu leisten vermag, ja er sieht an der Heimat ausschließlich jene Seiten, die seinem Ungenügen an sich selbst entsprechen, also die ungenügenden. »Nichts ist schwerer als sich selbst anzunehmen«, schreibt er in sein Wachstuchheft. Ebenso schwer hat er es, einen andern Menschen anzunehmen, selbst wo er liebt, denn er lebt in Ambivalenzen, und sein leidenssüchtiges Herz reißt mit der Liebe auch den Haß an sich und den Zweifel an Liebe und Haß. Er sieht die Schönheit der Geliebten, aber auch häßliche Momente der Schönheit – es peinigt ihn, aber es ist so, weil *er* so ist.

Seine Aktualität ist, in dem kleinsten Kreis – *Zwei Menschen* – Schmerz zu erfahren und zuzufügen. Der Erfahrungsbereich seines Lebens ist gering, darum schickt ihn der Autor nach Amerika, ihm die Gelegenheit verschaffend, eine Schilderung mexikanischer Landschaft und Volkslebens niederzuschreiben, welche zu den dichterisch angehauchten Reportagen eines mehr als andere teilnehmenden, aber doch ins Mitleben nicht verflochtenen Beobachters gehört. (Andere Einschübe, wie die Erzählung Rip van Winkles, könnten wegfallen, ohne daß der Bau litte.) Es gibt indessen eine Szene, die wahrhaft dichterischen Griff bezeugt, jene, wo Stiller mit dem Staatsanwalt in ein Landwirtshaus überm See einkehrt: die an sich bezaubernde Landschaft wird in ihm noch erhöht durch Erinnerung an einen Gang zu zweien – das nachfallende Licht gelebten Glücks trifft ihn noch einmal, während zwischen ihm und dem Mann an seiner Seite Freude und Zartheit einer entstehenden Freundschaft zittern; dieser schwebende Augenblick findet Antwort aus Tiefen der Sprache, die aus dem Hier und Jetzt den Reigen der Jahreszeiten steigen läßt. Dem Beseligten offenbart sich da der Augenblick als Ewigkeit.

Ein Augenblick, in dem sich Harmonie offenbarte. Stillers Wirklichkeit jedoch ist der Konflikt, ja dieser ist ihm einzige Garantie einer »Lebendigkeit«, die zu verfehlen er Angst hat, die aber Ursache seines Verfehlens ist. Es ist eine aufgewühlte, jagende Lebendigkeit, deren Äußerungen sich oft wiederholen oder sich ähnlich sehen, wo er doch gerade die Wiederholung fürchtet, »die alles Lebendige sofort verunmöglicht«. Alles Ritual, auch in den menschlichen Beziehungen, ist indessen Anruf und Formung, nicht Ertötung des Lebendigen. Der Autor wandelt seinen Helden in einen anspruchslosen Einsiedler: als Töpfer lebt Stiller schließlich am Genfer See, wie erloschen.

Oder wird er wiederkehren? Trotz seinem überstreckten Umfang könnte der stellenweis reißend erzählte Roman erst eine Vorgeschichte sein, könnte dieser Stiller in der Fortsetzung herausgeholt werden aus einer Bescheidung, wie er sie bisher verdammt hat, könnte er an der Vielfalt der Wirklichkeit *seine* Wirklichkeit erfüllen, die er vergeblich im Zauber- und Dämonenkreis des Erotischen gesucht hat, könnte er von seinen oft etwas wehleidigen Ansprüchen an andere zu eigenen Leistungen geführt werden, zu sich, den er ersehnt, könnte aus dem Empfindenden ein Wollender werden, aus dem Einsamen ein den Menschen Mitverbundener... Aber ich schreibe da noch *Stiller* und meine bereits die Möglichkeiten, an denen Max Frisch reich ist, und mit denen für ihn und uns noch vieles vorgesehen ist!

Die Tat (Zürich) v. 27. 11. 1954

[10] Thilo Koch
Auf den Spuren Dostojewskijs

Der Esel ist ein störrisches Tier. Darum kamen pfiffige Leute darauf, eine lange Stange zu erfinden, an die ein Bündel Heu befestigt wird, das dann dem unwilligen Langohr immer verlockend vor der Nase hängt, ohne daß es mit einem Happs zu erreichen wäre; bestenfalls kann der Esel hin und wieder einen einzelnen Heuhalm ergattern, wenn er den Hals sehr reckt. – An dieses Beispiel vom Heubündel muß man denken während der Lektüre von:

Max Frisch: »Stiller«, Roman.

Stiller, das ist der Name eines Mannes, der etwa 450 von 500 Seiten Text darauf verwendet, zu erklären, daß er nicht Stiller heißt und alles andere ist als dieser Mann, um schließlich überraschend doch die Identifizierung mit sich selbst vorzunehmen. Gerade diese scheinbare Verwechslung aber – mit ihrem kriminellen Einschlag – soll die Leser bei der Stange halten, und Max Frisch versteht das Heubündel der Bewußtseinsspaltung seines Stiller so geschickt und verlockend vor unserer Nase aufzuhängen, daß wir uns willig von der psychologischen Poesie durch die poetische Psychologie des Autors mitten hineinziehen lassen in das große alte Lied von Angst, Einsamkeit und Selbstentfremdung des Menschen.

Da sage einer, der psychologische Roman wäre tot! Frischweg beweist unser Dichter mit diesem dickleibigen Werk, daß Dostojewskijs frühe Klassik alles andere als Abschluß in der Vollendung war. Immerhin glaubt er Rücksicht nehmen zu müssen auf die zahlreichen Todesanzeigen, die über diese Romangattung erschienen: darum der Trick mit der Stange und dem Heu. Aber der zum Esel gehaltene Leser ist durchaus nicht böse am Ende, und das ist der beste Beweis für die Qualität der Roman-Reise.

Sie ist unterhaltsam genug arrangiert, erschöpft sich nicht in Seelenzergliederung, ist prall von Anschauung, und sie betrifft uns. Was wir von Frisch über sein Heimatland, die Schweiz, erfahren, über Mexiko und New York, das ist interessant, ist schön und klug gesagt, aber eben auch »bloß« interessant, »bloß« schön und klug. Was uns der dreiundvierzigjährige Max Frisch mitzuteilen weiß über die Liebe, über die Freundschaft, über die Verzweiflung in der Schuld, das ist mehr, das ist verstandesklar und herzensklug, erfahren und erlitten, zumindest im Geiste. Die Geschichte von dem Mann, der sich selbst entfliehen wollte, sich widerstrebend doch wieder auf sich nimmt, endet dennoch unerlöst mit dem Tode der geliebten, aber liebesunfähigen Frau, der Verlassenheit und letzten Ratlosigkeit des Mannes, endet in Alkohol und Melancholie.

Wie kommt soviel Russisches in die Eidgenossenschaft, fragt sich der deutsche Leser verblüfft, der nicht ohne Beifall Frischs außerordentlich bissige, höhnische Satiren auf alles Schweizerische lesen kann, besonders auf die Selbstgerechtigkeit, den bürgerlich-wohlanständigen Hochmut, die zivilisierte Unlust und keimfreie Unproduktivität schweizerischer Geisteshaltung. Solch Beifall von außen ist aber erst erlaubt, wenn genauso viel Selbstkritik, genauso zündende Satire auf das eigene Volk vorausgegangen ist, wie Frisch es hier, zweifellos zum Undank seines Vaterlandes, für die Schweiz leistet. Wo aber ist heute der deutsche Schriftsteller, der unsere Nationaluntugenden einmal rücksichtslos geißelte? Niemand kann strenger sein in diesem Punkte als Frisch, der sich sein Leben lang im Geschirr des konföderiert helvetischen Komments wundgetrottet haben muß, denn es spricht kaum noch Liebe aus seiner Strenge. Niemand als ein Schweizer selbst aber hätte auch das Recht, so sarkastisch über die Schweiz zu reden.

Max Frisch ist ein Dichter, das hat er schon mit seinen Dramen und seinen Tagebüchern bewiesen. Dieser Roman ist sein erstes Meisterwerk. Er hat jetzt Sprache, Proportionen, seine Figuren erregen Teilnahme, sie leben; leben noch lange in der Phantasie des Lesers, beschäftigen und bedrängen ihn mit den neugestellten alten Menschheitsfragen – soweit er eben der Esel nicht ist, für den man ihn heute gern hält.

Die Zeit v. 2. 12. 1954

[11] Claude R. Stange
»Stiller«
Zu einem Buch von Max Frisch

Das dieser Tage im Suhrkamp Verlag Frankfurt am Main erschienene Buch *Stiller* von Max Frisch ist ein Eheroman von nahezu 600 Seiten. Die Literatur des »Scheiterns«, um einen Begriff der Jasperschen Philosophie zu gebrauchen, ist bereits unabsehbar geworden. Frisch hat diesem Meer einen weiteren Tropfen hinzugefügt.

Es geht hier um zwei Ehen, um diejenige des jungen Bildhauers Anatol Ludwig Stiller und der Tänzerin Julika, geborene Tschudy. Diese Ehe scheitert völlig, und Julika stirbt. Die andere Ehe ist die eines Staatsanwaltes und seiner Frau Sibylle. Dieses Paar macht die übliche Krise durch und rettet sich mittels Kinder. Frisch vereinigt in seinem Buch alle wichtigen Grundelemente der modernen schweizerischen Literatur. Da ist der Ausbruch aus dem Alltag, da ist die Unmöglichkeit sich selbst anzunehmen. Da ist die Rückkehr aus Schuldgefühl, die Kritik an der Schweiz, und schließlich ist da die Sehnsucht, eigene Wirklichkeit zu verspüren und die Resignation vor diesem Unternehmen. Mit einem Wort: es ist alles da, was es braucht, um einen modernen Schweizer Roman zu schreiben. Das Problem der Ehe wird hier also zum Stoff und zum Vorwand, Selbstverwirklichung des Menschen zu vollziehen, was nicht gelingt. Dies ist *Stiller* und Stiller.

Stiller ist einer jener jungen und modernen Menschen in Zürich, die sich eines Tages der Kunst ergeben, hier der Bildhauerei, und inmitten einer bürgerlichen, das heißt finanziellen Misere mit unerhörtem Fleiß und Ausdauer und mit dem dumpf pochenden Gefühl der Unmöglichkeit zu arbeiten beginnen. Auch Stiller ist kein wirklicher Künstler, denn er hat keine zusätzlichen Organe, die ihn im zähen und unerbittlichen Kampf der Entfaltung allmählich über das Ungenügen und über die Öde hinaustragen würden; er ist bloß ein netter Kerl. Er ist sensibel, verantwortungsvoll, überernst, ungenügend in mehr als einer Hinsicht, aber voller Charme, Schwermut und Sehnsucht. Er gerät an Julika, die eine grazile und vielversprechende Tänzerin aus gutem Hause und anfällig für Tuberkulose ist. Die beiden heiraten und werden todunglücklich. Schon vor der Ehe hatte Stiller den für ihn bezeichnenden Einfall gehabt, nach Spanien zu gehen, in den Bürgerkrieg, eine möglichst extreme Situation aufzusuchen, um herauszubekommen, wieviel er tauge. Natürlich versagt er in dem Augenblick, wo es sich darum handeln würde, sechs Frankisten zu erschießen und kommt ein lebenlang nicht über diese Situation hinaus. Bald nach der Heirat wird Julika krank, die Ehe zerfällt, Stiller trifft auf die Frau Staatsanwalt, geht dann nach Paris, läßt Julika allein in Davos, besucht sie nur einmal flüchtig, bricht dann mit ihr, geht nach Amerika, gilt als verschollen und kommt nach Jahren als Mister White zurück.

Hier setzt das Buch ein. Mr. White wird an der Schweizer Grenze verhaftet, weil man in ihm den lange verschollenen Stiller zu erkennen glaubt, kommt in Untersuchungshaft, und es beginnt ein ebenso offizieller wie intimer Kampf um Stillers Identität. Stiller will nicht Stiller, sondern White sein. Frisch sucht der Wirklichkeit seiner Gestalten dadurch habhaft zu werden, daß er sie von verschiedenen Seiten anleuchtet. Der Staatsanwalt und der Verteidiger schildern nun den Gefangenen White Stiller, wie sie ihn aus den Akten kennen. White alias Stiller erzählt seine Erinnerungen an das Leben mit Julika, Sibylle schildert ihre Erlebnisse mit Stiller, und nach der Haftentlassung erzählt der Staatsanwalt, der mittlerweile Stillers Freund geworden ist, das Ende der Ehe von Stiller und Julika. Alle diese Erinnerungen, Schilderungen, Beschreibungen, Reflexionen und Anmerkungen, dazu die Aperçus aus Mexiko und USA, die Frisch seinem dortigen Aufenthalt entnimmt, sind ungeheuer lang ausgesponnen und geben Details, die nie zu dem zusammenschießen, was Frisch andeutet durch das Motto, das er seinem Buch vorangestellt hat und auf das wir noch zurückkommen.

Der Staatsanwalt und seine Frau Sibylle sind uninteressant, und als Leser hofft man, sie seien Kontrastgestalten zu dem eigentlichen Paar. Aber auch Stiller und Julika sind unbeweglich. Stiller ist ein ebenso netter wie unglückseliger raté, Julika hingegen ist erst eine aparte Balletteuse, dann eine frigide und kranke Frau, dann immer mehr ein unentwickelbares alterndes Mädchen und schließlich ein völlig entleertes Wesen, in dem der Tod tickt.

Mit viel Anteilnahme habe ich dieses Buch gelesen und von Seite zu Seite habe ich gehofft, es würde nun zwischen Stiller und Julika und dann in einem von beiden oder gar – welche Erfüllung! – beiden etwas davon aufglimmen, was Kierkegaard in jener zum Motto erhobenen Stelle sagt: »Sieh, darum ist es so schwer, sich selbst zu wählen, weil in dieser Wahl die absolute Isolation mit der tiefsten Kontinuität identisch ist, weil durch sie jede Möglichkeit, etwas anderes zu werden, vielmehr sich in etwas anderes umzudichten, unbedingt ausgeschlossen wird« und »–: indem die Leidenschaft der Freiheit in ihm erwacht (und sie erwacht in der Wahl, wie sie sich in der Wahl selber voraussetzt), wählt er sich selbst und kämpft um diesen Besitz als um seine Seligkeit, und das ist seine Seligkeit«. (Aus *Entweder-Oder*). Allerdings hat Frisch hier eine Stelle aufgegriffen, in der Kierkegaard mit der ihm eigenen Rasanz auf das eigentliche Geheimnis des modernen Menschen hinweist, es ausspricht. Doch im *Stiller* ist davon kaum ein Hauch zu verspüren. *Stiller* ist ein Fabulierbuch der modernen Verzweiflung des Menschen an sich selber geworden, und der Held Stiller kommt nie soweit, auch nur von ferne etwas vom geheimen Umschlagen der Isolation in die Kontinuität zu ahnen.

Was *Stiller* fehlt, ist die künstlerische Konsequenz. Welch großartige Idee liegt doch diesem Buch zugrunde: Stiller, den Menschen des Ungenügens und der völligen Unrast durch die eigenen Erfahrungen hindurch zum eigenen Zugriff führen und aus der eigenen Asche erstehen zu lassen! Doch Frisch sieht das nicht. Er fabuliert, erzählt Geschichten, macht Anmerkungen und läßt seine Gestalt ängstlich links liegen. Bezeichnend für diese etwas ängstliche Haltung ist seine Kritik an der Schweiz. Diese ist einmal die Kritik eines Fünfundzwanzigjährigen, der von der Umwelt noch alles erhofft und sich selbst noch nicht genügen kann. Die Klage darüber, die Umwelt halse uns eine Wirklichkeit auf, die gar nicht die unsrige, eigene ist, eine Rolle, die wir gar nicht spielen wollen… »Was sie mir anbieten, ist Flucht, nicht Freiheit«, diese Klage gehört einer Lebensphilosophie an, die doch noch sehr unausgekocht ist.

Der guten Schweiz werden nun im *Stiller* sehr massive Dinge vorgeworfen. Sie ist verlogen und auch fascistisch, ihre vielgepriesene Freiheit ist nichts anderes als die im eigenen Fett erstarrte Unfreiheit vor der Wirklichkeit, das Bedürfnis nach Größe wird in der Schweiz »schlechterdings« verpönt, daher dann die schweizerische Impotenz, die bedrohlich zunimmt. In der Architektur geht alles auf das museale Erhalten alter Dinge aus, und was an Modernem gebaut wird, ist gräßlich. Die Eidgenossen sind penetrant, selbstgerecht und haben Angst vor den eigenen Gedanken. Doch diese vielfältige Kritik findet ihren eigentlichen Brennpunkt in dieser Einsicht: Die moderne Schweiz lebt vom Heimweh nach dem Vorgestern. Ich habe diesen Aspekt von *Stiller* nicht vorgebracht, um ihn zu widerlegen. Daß das nicht einfach aus der Luft gegriffen ist, was Frisch hier angreift, liegt wohl auf der Hand. Aber darum geht es nicht. Meiner Meinung nach geht es hier um etwas ganz anderes, was viel wichtiger ist.

Wenn Frisch als Schweizer so hart betroffen wird von der Wirklichkeit der modernen Schweiz und er schreibt ein Buch, das in der Schweiz spielt und zum Helden einen Schweizer hat, weshalb schreitet dann der Dichter Max Frisch in diesem Buch nicht über diese klägliche Wirklichkeit der Schweiz hinaus? Was hindert ihn, in diesem Anatol Ludwig Stiller endlich jenen modernen Schweizer zu schildern, dem es unter Blut, Schweiß und Tränen endlich gelingt – sich selbst anzunehmen, Mensch eigener Zentrierung zu sein, ein spontanes, das heißt eigenes Leben zu führen? Wer hindert den Dichter Max Frisch daran, diese geistige und künstlerische Befreiungstat zu vollziehen? Die moderne Schweiz? – Kaum. Er sich selber? – Das ist es.

Herr, du meine Güte, was soll denn diese höchst konventionelle Schweizer Kritik in jedem Schweizer Buch jedes besseren Schweizer Autors? Selbstredend gibt es heutzutage Eidgenossen, für die das letzte Großereignis unseres Landes etwa der Rückzug bei Marignano war. Diese regen sich dann immer ganz furchtbar auf, wenn ihre geheiligten Vorurteile angetastet werden. Gut. Und was dann?

Dieser Anatol Ludwig Stiller und die Dame Julika gehen aber nun ihrerseits keinen Pfiff über die angegriffene Schweizer Wirklichkeit hinaus. »Ils subissent sans comprendre«, das ist alles. Stiller wird mehr und mehr ein alternder Jüngling, den die eigenen Erfahrungen nur noch kopfscheuer gemacht haben, so daß er am Schluß seine Hoffnungen auf eine doch schon sehr schal gewordene Transzendenz setzt. Und Julika, nun, an der war ja nie viel dran gewesen. Und so kommt es, daß Frischs Kritik an der Schweiz auf ihn selbst zurückknallt. Was eine sehr beklemmende und wenig fruchtbare Tatsache ist, denn Frisch hat es sich etwas kosten lassen, dieses Buch zu schreiben.

Eines hingegen geht wie ein starker Hauch durch diese sechshundert Seiten hindurch, eine Erfahrung, die Frisch wohl bis zum Übermaß gemacht haben dürfte, das Erleben der ungeheuren und grotesken Lieblosigkeit, die überall in der modernen

Welt die menschlichen Beziehungen durchpulst und ablähmt.

Stiller und Julika, zwei zarte Menschen, die kein eigener Impuls erwärmt, die ahnungsvoll und ahnungslos zugleich einen Fuß vor den anderen setzen, und denen nie die Sonne im eigenen Innern aufgeht, tötend und zeugend zugleich, haben keine Chance, eine Wirklichkeit hinter sich zu lassen, die sie hervorgebracht hat.

Zu Beginn von *Stiller* findet sich der Satz: »Man fragt sich schlechthin, was der Mensch auf dieser Erde eigentlich macht.« Diese Frage aufgeworfen zu haben, ist das Verdienst dieses neuen Buches von Max Frisch.

Basler Nachrichten v. 3. 12. 1954

[12] Heinz Rode
Stiller oder: Die Flucht vor sich selbst

»Ich bin nicht Stiller, ich heiße White«, ruft empört der Reisende, der nach langen Jahren des Herumstreunens in der Welt die schweizerische Grenze wieder überschreitet und von den eidgenössischen Beamten festgenommen wird. Böswilliges Verlassen seiner Ehefrau, Schulden, Steuerhinterziehung, Flucht vor der Wehrpflicht und andere Vergehen zieren des Bildhauers Anatol Stiller Steckbrief. Alle Proteste helfen Mister White nichts, er muß in Untersuchungshaft und soll nun dort, da kein Verhör, keine Konfrontation ein Geständnis erzwingt, die Wahrheit über sein Leben aufzeichnen.

Diese Notizen aus dem Kerker bilden das Hauptstück des Romans. Mit großartigen Visionen aus der zauberischen und dämonischen Welt des indianischen Mexiko heben sie an. Aber auch auf dem Papier wird aus White kein Stiller, von dessen bewegter Lebensgeschichte der Memoirenschreiber mit der Gelassenheit eines unbeteiligten Chronisten erzählt. Man stellt ihn der von Stiller verlassenen Frau, seiner Geliebten, seinem Bruder, seinen Freunden gegenüber, man führt den Halsstarrigen in sein altes Atelier –, vergeblich, um keinen Preis will der Mann sich mit dem (für ihn) toten Bild gleichsetzen, dessen sich alle Gefährten einer von ihm weggeworfenen Vergangenheit nur allzu genau erinnern. Denn natürlich hat auch der naivste Leser längst gemerkt, daß es der gesuchte, geliebte und gehaßte Stiller in Person ist, der hier in die Kreuzverhöre des Gewissens genommen wird. Als dann endlich das sehr milde Urteil gefällt ist, brechen die verwirrenden Aufzeichnungen des Arrestanten ab. Im sachlich berichtenden Nachwort des Staatsanwalts, der inzwischen aus dem Ankläger zu einem intimen Freund wurde, präsentiert sich dann der scheinbar so zwielichtige Flüchtling vor sich selbst vergleichsweise durchaus »normal«, Flunkereien zwar auch weiterhin nicht abhold, doch seiner sterbenden Frau, in die er sich von neuem verliebt hat, auf das treuherzigste verbunden.

Dem Buch des bekannten Dramatikers (und diplomierten Architekten) Max Frisch sind schon vor seinem Erscheinen allerlei Lorbeeren gespendet worden. Kafka, Musil, Joyce und Proust wurden, der literarischen Mode entsprechend, als Vorläufer und Nährväter zitiert, die Flucht in die Anonymität, die Aufhebung von Kalender- und Uhrzeit, der ständige Wechsel von Präsens und Imperfekt, von Distanzierung und Identifikation als Kennzeichen der neuen Form des Romans gefeiert. Mag richtig sein, aber man tut sich schwer bei der Lektüre, und der ein bißchen überanstrengte Leser fragt sich zuweilen, ob das alles nicht weniger kompliziert hätte dargestellt werden können. Viele Seiten indessen, auf denen nicht psychologisch spekuliert, sondern nur bunt fabuliert wird, sind bestrickend schön und erregend interessant. Sie weisen den Autor von *Nun singen sie wieder* auch als Epiker und (was wir schon aus seinen Tagebüchern wissen) als einen skeptisch hellsichtigen Beobachter und Deuter unserer Zeit aus (mit seiner schweizerischen Heimat geht er besonders streng ins Gericht). Im übrigen scheint *Stiller*, dieser neu konzipierte *Mann ohne Eigenschaften*, dieser Mensch »K« redivivus, nur die epische Vorform einer neuen Dramenfigur von Max Frisch zu sein, die möglicherweise auf der Bühne eine größere Überzeugungskraft erweisen könnte.

Rheinische Post v. 4. 12. 1954

[13] Paul Schallück
Der Roman ist tot – es lebe der Roman

Da passiert ein Mann, dessen Paß ihn als Mr. White aus Amerika legitimiert, die Schweizer Grenze und wird verhaftet, weil man in ihm jenen Bildhauer Anatol Stiller zu erkennen glaubt, der vor sechs Jahren aus Zürich verschwand und einer politischen Sache wegen gesucht wird. Mr. White aber behauptet: »Ich bin nicht euer Stiller.« Man konfrontiert ihn mit Stillers Frau, Julika, mit Stillers Freunden, mit seinem Atelier, seinen Plastiken, seinem Bruder, seinem Vater: mit der ganzen, sich langsam entschleiernden Vergangenheit eines Mannes, der sich nie mit seinem Leben zufrieden geben und immer ein anderer sein wollte als der, der er wirklich war. Aber Mr. White wiederholt beharrlich: »Ich bin nicht euer Stiller«, wenngleich ihm keiner Glauben schenkt, weder Frau Julika, noch der Verteidiger, noch der Staatsanwalt.

Und auch der Leser will ihm nicht recht glauben oder besser, er weiß bereits, daß Mr. White mit Stiller identisch ist, und es macht einen Reiz besonderer Art aus, Stillers Vergangenheit mit den Augen des hartnäckig Leugnenden Revue passieren zu sehen. Der Reiz steigert sich ungemein, wenn Stiller in seinem Gefängnistagebuch bekennt, daß er, Mr. White, sich in die kühle, jedoch außerordentlich bestrickende Tänzerin Julika zu verlieben beginnt, in seine eigene Frau also, die er, bevor er sich auf die Flucht vor sich selbst und den Unstimmigkeiten seiner Existenz begab, verkannt, falsch, ja schändlich behandelt hatte, weil er sich, statt ihr Wesen hinzunehmen, ein Wunschbild von ihr gemacht hatte. Die tragischen Züge dieser vielfach gebrochenen, durchaus alltäglichen Ehe verdeutlichen sich, da Stiller endlich zugibt, Stiller zu sein, da er mit seiner kranken Frau ein neues Leben beginnt, da dieses neue Leben trotz aller Bemühungen doch wieder das alte ist.

Konkret stellt sich diese Flucht vor sich selbst auch als Mutlosigkeit zur Liebe, zur Selbstaufgabe dar, als eine Schuld also. Und die phantastischen Träume, die Stiller in seinen Bericht hineinflicht, die abenteuerlichen Liebschaften in Mexiko, die selbstherrlichen Phantasie-Morde, fügen dem tatsächlich Gewesenen und Gegenwärtigen im Entschädigungsverfahren die Imagination, die Sehnsucht hinzu, und so erst ergibt sich ein vollständiges Bild der Wirklichkeit dieses Menschen, und wohl auch jedes Menschen.

Denn es ist unverkennbar, daß mit Stiller auch wir gemeint sind, unsere Angst, Zaghaftigkeit oder unser Unvermögen, uns selbst hinzunehmen, zu den Möglichkeiten unseres Wesens und denen des Nächsten ja zu sagen.

Großartig, wie der Schweizer Dramatiker (*Nun singen sie wieder*) und Romancier Max Frisch (1911 in Zürich geboren) die Idee der Flucht konkretisiert, wie in seinem Buch Handlung und Idee kongruieren. Er durchbricht den chronologischen Zeitablauf, fängt Vergangenes ein, konfrontiert in ebenso ironischer wie tragischer Gleichberechtigung Wahrnehmung und Einbildung, Tat und Traum, Vergangenheit und Gegenwart zu lebendigem Widerspiel, schiebt Schilderungen des Gefängnislebens ein, wirft seinen Landsleuten mutig Brocken massiver Kritik an politischen, bürgerlichen, allgemeinen Verhaltensweisen vor die Füße und erzeugt mit den verschiedensten Mitteln souverän eine anhaltende Spannung: ein flott und elegant geschriebenes, ein gescheites, modernes und weltläufiges Buch.

Es wird seine Leser finden, schon deshalb, weil Frisch ärgerliche Wahrheiten und die Tragödie des modernen Menschen, der bei allem guten Willen nicht weiß, wie er sich im Gestrüpp der notwendig organisierten Zivilisation verwirklichen soll, charmant, kühn und geschmackvoll darzureichen weiß, wenngleich mit keinem Rezept den Konfliktstoff zu immunisieren versucht wird. Und das endlich weist (unter anderem) diesen Roman als ein Kunstwerk aus. Le roman est mort-vive le roman.

Hamburger Anzeiger v. 5.12.1954

[14] Erich Franzen
Der gescheiterte Traum vom neuen Ich

Max Frisch, Dichter und Architekt, hat die großen Hoffnungen, die man nach seinem fromm-häretischen *Don Juan oder Die Liebe zur Geometrie* auf ihn setzen durfte, schnell erfüllt. Der gerade erschienene Roman *Stiller* des 43jährigen Schweizer Autors übertrifft an sprachlicher Virtuosität, Reichtum der Phantasie und Kraft der Gestaltung die besten deutschen Erzählungen der letzten Jahre.

Das Thema des Buchs, das zum größten Teil aus Aufzeichnungen eines Untersuchungsgefangenen namens Stiller besteht, ist an sich nicht neu. Stiller möchte nicht er selber sein – und erst recht nicht der, für den man ihn hält. Die Geschichte eines solchen Mannes ist schon Pirandello und Georg Kaiser reizvoll erschienen, und zuletzt hat Ugo Betti den Stoff zu einem Bühnenstück *Il Giocatore (Der Spieler)* verarbeitet. Frisch legt seiner Erzählung ein ähnliches Handlungsschema zugrunde wie Betti, aber er vertieft und erweitert es mit so souveräner Beherrschung der epischen Mittel, daß an der künstlerischen Originalität seines Werks kein Zweifel bestehen kann. In beiden Dichtungen wird ein Reisender, der unter falschem Namen in die Heimat zurückkehrt, aus unklaren Gründen verhaftet. Jeder kennt ihn als den, der er ist und nicht sein will, aber er hält an seiner neuen Identität fest. Erst als man ihn seiner verleugneten Frau gegenüberstellt, die durch ihn, wie er meint, zugrunde geht, zwingt ihn das Schuldgefühl, zwischen den Masken seines Ichs und seinem wahren Selbst zu wählen. Das ist die Grundsituation. Betti macht daraus ein intellektuelles Spiel, für Frisch aber bedeutet die Wahl, die er seinem Stiller auferlegt, eine existentielle Entscheidung. Dadurch ändern sich Motiv und Charakter der Geschichte vollständig. Persönliches dringt ein, und die Gestalten, genährt vom Blut ihres Dichters, erwachen zum Leben.

Frisch ist ein radikaler Moralist und daher ein subtiler Ironiker. Er versteckt die Frage, um die es geht, anfangs hinter lauter prachtvoll erdichteten, scheinbar willkürlich eingestreuten Histörchen, die Stiller als Beweis seines anderen wirklichen Ichs dem neugierigen Gefängniswärter, dem entrüsteten Verteidiger und dem freundlich-verständnisvollen Staatsanwalt erzählt. Stiller bei einem Vulkanausbruch in Mexiko, Stiller in einer Tropfsteinhöhle oder bei einer Negerhochzeit in New York; Stiller als Liebhaber einer Mulattin, als fünffacher Vater und fünffacher Mörder – doch nie als er selbst, nie als der egoistische Ehemann einer todkranken Frau und frühere Geliebte der Gattin des Staatsanwalts. Er braucht wohl, wie wir alle, ein »gewisses Maß von Verstellung«. Trotzdem spürt man sofort, daß Stiller kein gewöhnlicher Aufschneider ist. Etwas, das stärker ist als er, zwingt ihn, sich mit seinen wunderbar monströsen Flunkereien selbst einzukreisen. Er glaubt zwar, hinter den Kerkermauern die schwimmenden Gärten Mexikos zu erblicken, aber gerade diese Sehnsucht, sich selbst zu entgehen, hält ihn gefangen. Die phantasierten Geschichten unterbrechen die Handlung nicht, sondern laufen ihr parallel. Jede von ihnen nimmt wie ein selbständiges Kunstwerk das eigentliche Motiv in veränderter Form wieder auf, und alle zusammen enthalten die Wahrheit, die Stiller sich nicht eingestehen will. Ein meisterhafter Kunstgriff, der nur in der Epik möglich ist. Mit seiner Hilfe kann Frisch, wie ein Kirchenbaumeister das innere Gerüst durch in Stein gehauene Legenden verdeckt, das abstrakte Thema durch eine Fülle höchst einprägsamer Figuren dem Blick fast entziehen und eben damit »das Unaussprechliche des Lebens«, an dessen Wiedergabe Stiller verzweifelt, in Worten einfangen.

Allmählich zeichnen sich im Laufe der Erzählung die Konturen der Umwelt ab, mit der Stiller, der große Weltreisende, nicht fertig geworden ist. Die bürgerlich-rechtschaffene Atmosphäre der Schweiz mit ihrer nachbarlichen Enge, die politische Reaktion, der Geschäftsgeist und die doppelte Moral der »Tüchtigen« – alledem hat er nichts entgegensetzen können als seinen Traum von ungebundenem Dasein und freiem Schaffen. Noch immer möchte er an diesem Traum festhalten, aber tief in ihm nistet ein böser Zweifel an der eigenen Kraft, gegen den er nicht ankämpfen kann. Auch nützt es ihm nichts, daß er die verlassene Gattin nicht erkennen will, seine ohnmächtige Liebe zu der frigiden Frau bricht aufs neue hervor, alles wiederholt sich, er leidet unter dem eigenen Versagen und kann doch nichts an sich ändern, er bleibt der Egoist, der er war. Als er sich endlich entscheidet, seine eigene schwache Natur als sein wahres Ich anzunehmen, ist es zu spät. Die Frau stirbt, und alles, was von Stillers Lebenstraum übrigbleibt, ist eine unauslöschliche Schuld. Doch jetzt, da er eins mit sich geworden ist, wird er sie tragen. Es gibt keine Flucht, darum versucht er nicht mehr, sich zu entfliehen.

Die perspektivische Weite dieser Dichtung ist erstaunlich. Nur eine ungewöhnliche Sprachkunst kann den ständigen Wechsel des Blickfeldes, den Übergang vom anschaulichen Bild zur Meditation, das Ineinander von Ironie und schwermütiger Empfindung sinnvoll gestalten. Der Sprache wird hier nicht weniger zugemutet, als daß sie den Einklang herstelle in einer Welt, die mit sich selbst nie in Einklang ist. Mit Dialektik läßt eine solche Aufgabe sich nicht lösen. Daß Frisch dieses Kunststück gelingt, ist der beste Beweis für seine poetische Kraft.

Süddeutsche Zeitung v. 11./12. 12. 1954

[15] [Anonym]
Flucht vor sich selbst

»Ich bin nicht Stiller!« schreibt Stiller, Bildhauer und eidgenössischer Zeitgenosse, in Max Frischs neuem Roman *Stiller* auf die erste Seite seines vom Staatsanwalt erbetenen Gefängnistagebuchs. Auf Seite [728] der gleichen Aufzeichnungen findet sich der Vermerk:

> Das Urteil, das gerichtliche, wie erwartet: Ich bin (für sie) identisch mit dem seit sechs Jahren, neun Monaten und einundzwanzig Tagen verschollenen Anatol Ludwig Stiller... und verurteilt zu einer Reihe von Bußen betreffend die Ohrfeige gegenüber einem eidgenössischen Zollbeamten...

Diese Ohrfeige bekam der junge Zöllner, als Stiller mit gültigem Paß auf den Namen White, USA, in die Schweiz einreisen wollte, dabei als der verschollene Stiller erkannt wurde, aber nicht Stiller zu sein wünschte. Man sperrt ihn in ein sauberes Schweizer Gefängnis (Schweizer Autor Frisch: »Alles in diesem Land hat eine beklemmende Hinlänglichkeit«), gibt ihm einen Verteidiger, der ihm ebensowenig glaubt wie die anderen, und läßt ihn erst einmal schmoren.

So verlangt er denn nach Whisky (den er nicht bekommt) und schreibt. Er schreibt auf, was ihm gerade einfällt: seine Gespräche mit dem Wärter, eine Erinnerung an die mexikanische Wüste, ein bißchen Tageslauf, Gedanken, Plaudereien mit dem Staatsanwalt – aber Stiller sei er nicht, der Teufel solle es holen! Unvermittelt erzählt er seinem Verteidiger das amerikanisch-holländische Märchen von Rip van Winkle: vom Mann, der in die Wälder ging und mit den Unterirdischen zechte, und als er zurückkam, waren zwanzig Jahre vergangen, und niemand glaubte dem Manne, daß er Rip van Winkle sei.

»Und?« fragt der Verteidiger. »Was hat das wieder mit unserer Sache zu tun? Gegen Ende September steigt die große Verhandlung, und Sie erzählen mir Märchen – Märchen! – und damit soll ich Sie verteidigen?«

»Womit denn sonst?« fragt Stiller zurück.

Max Frisch, unruhig von Jugend auf und für seine Landsleute ein unbürgerlicher Vagabund auf Landstraßen und Berufswegen, erst Journalist, dann Architekt, dann Dramatiker, dann unbequemer Zeitkritiker und jetzt noch Romancier dazu, hat von jeher für das Jonglieren mit scheinbar festgegründeten Normen viel übrig gehabt. Schon auf der Universität ärgerte ihn das »warenhaushafte Nebeneinander« des Dargebotenen, er wollte alles auf eine innere Mitte bringen. Damals mißlang dieser Versuch, aber Frisch hat ihn unverdrossen immer wieder erneuert.

Er ging auf Reisen. Vor dem Krieg besuchte er den Balkan und fuhr ans Schwarze Meer, nach dem Krieg ins zerschlagene Deutschland und gar nach Rußland und Polen. (In Stiller finden sich ironisch gefärbte Spuren der Erfahrungen, die er nach diesem östlichen Ausflug daheim in der Schweiz machen durfte.) Er reiste nach Amerika und Mexiko. (Auch dieser Trip hat sich in längeren Abschnitten des Romans niedergeschlagen.) Er ließ seinen *Graf Oederland* auf der Bühne aus einem nutzlosen Leben ausbrechen und nach Belieben den Aufenthaltsort ebenso wie das Naturell der Gefährtin wechseln.

Graf Oederland scheitert. Auch Stiller scheitert am Ende. Er jongliert mit Zeit und Raum, er bricht aus seiner Zelle mühelos in längst erlebte Abenteuer auf überseeischem Boden aus, doch das warenhaushafte Nebeneinander bleibt ihm erhalten, die innere Mitte wird nicht gefunden. Der Roman entstand, wie Frisch einmal von sich selbst schrieb, aus der »ernsthaften Vorstellung, daß das Leben mißlingen kann«. Frischs neues Buch ist der Anti-Entwicklungsroman schlechthin, schillernd von Ironie, Selbstironie, bitterer Zeitkritik und bitterer Selbstkritik.

Seine Schwerpunkte liegen im Gleichnis. Stiller ist der Zeitgenosse überhaupt: der Mann, der immer zu spät kommt, der aus zweiter Hand lebt, der im Warenhaus des Lebens viele Gegenstände, der aber nie sich selbst findet. Das wird vor allem an den Stellen des Romans klar, wo Stiller sich an sein früheres Ich erinnert, wo sein Weg quer durch die Zeit zu den Taten und Untaten führt, die der verschollene Stiller auf dem Kerbholz hat.

Zu diesen Ausflügen in die Vergangenheit verhelfen ihm die Begegnung mit Frau Julika, Tschudy-Stiller, Tänzerin, wohnhaft in Paris, und die Gespräche mit seinem Staatsanwalt. Frau Julika wurde vom verschollenen Stiller schmählich verlassen, als sie lungenkrank in Davos lag. Nun erscheint sie, groteskerweise vom Verteidiger, nicht vom Staatsanwalt gerufen, zur Identifizierung des Häftlings. Sie ist entzückend.

> Ihre Haare sind rot, der gegenwärtigen Mode entsprechend sogar sehr rot, jedoch nicht wie Hagebutten-Konfitüre, eher wie trockenes Mennig-Pulver... Ihre Lippen sind für meinen Geschmack etwas schmal, nicht ohne Sinnlichkeit, doch muß sie zuerst erweckt werden und ihre Figur (in einem schwarzen Tailleur) hat etwas Knappes, etwas Knabenhaftes auch, man glaubt ihr die Tänzerin, vielleicht besser gesagt: etwas Ephebenhaftes, was bei einer Frau in ihren Jahren einen unerwarteten Reiz hat... Sie spricht sehr leise, damit der Partner nicht brüllt. Sie spekuliert auf Schonung.

Auch Julika glaubt Stiller nicht, daß er White sei. Er verliebt sich von neuem in sie. Er geht ihr bald »bei Fuß« (während der durch Kaution ermöglichten Spaziergänge außerhalb der Kerkermauern) und erliegt einer Verzückung, die wenig mit echtem Gefühl, aber viel mit der Freude am sinnenhaften, aber nicht sinnlichen Reiz zu tun hat.

Mit dieser Wiederaufnahme vergangenen Privatlebens schiebt sich auch der wohlwollende Staatsanwalt breit ins Bild. Frisch hat eine Vorliebe für ungewöhnliche Justizbeamte, auch sein Graf Oederland war ursprünglich Staatsanwalt.

Dieser hier ist besonders bemerkenswert. Nicht nur, daß er den Angeklagten Stiller nach Kräften unterstützt: er tut dies auch darum, weil Stiller seinerzeit mit Frau Staatsanwalt, Sibylle genannt, ein großes Liebesverhältnis hatte.

Stiller betrog Julika, weil ihr das Tanzen wichtiger blieb als Stiller – Sibylle betrog den Staatsanwalt, weil sie nach aufregendem Leben gierte. Staatsanwalt und Julika sind daran beide beinahe zugrunde gegangen, er an der Seele, sie an der Lunge.

Diese verwickelten Geschichten knäueln sich langsam und von leiser Ironie gefärbt vor dem Leser auf. Trotz der ständigen Überschneidungen und Überblendungen bleibt das Romanbauwerk des Architekten Frisch übersichtlich. Stillers unangenehme Affären werden von Seite zu Seite angenehmer, menschlicher, denn alle vier Hauptbeteiligten präsentieren sich als komplette Charaktere: es ist ihnen eben nichts Menschliches fremd. Staatsanwalt und Sibylle haben später wieder zusammengefunden, zur Zeit von Stillers Haft wird ihnen ein Kind geboren.

Gegen Ende seiner Aufzeichnungen besucht Stiller das Atelier des verschollenen Stiller. Er kennt sich dort angeblich nicht aus, da er ja der Verschollene nicht sein will. Er zerschlägt die noch herumstehenden Arbeiten des Bildhauers. Ist dies nicht Beweis, so glaubt er, daß er, Stiller, nicht der Bildhauer sein kann?

Stiller führt herostratisch diesen Nachweis, aber niemand legt dem Zertrümmern toten Materials Bedeutung bei. Damit hat Frisch seine verborgenen Gleichnisse auf den Gipfel geführt: Es gibt kein Mittel, das eigene Leben zu zerschlagen, und niemand kann sich selbst entfliehen oder kann »sich selbst wählen«, wie der Staatsanwalt in dem ein wenig überraschend angehängten letzten Teil schreibt.

Dieser Teil schildert Stillers ferneres Schicksal, nachdem er dazu verurteilt wurde, er selber zu sein. Der geplagte Held zieht sich mit Julika in die Berge zurück, wählt sich selbst als einen Richtpunkt seines Handelns und wird Töpfer.

Dann stirbt Julika, und Stiller bleibt zurück mit der Erkenntnis, weder sie noch irgend etwas jemals wirklich geliebt zu haben. Ursache seiner Flucht war, Ursache seiner Verzweiflung ist der Mangel an Kontakt mit Mensch und Welt und Gott.

Die Schweizer werden über diesen ungebärdigen Roman ihres derzeit bekanntesten Schriftstellers nicht eben erfreut sein. Er hat darin mit scharfer Kritik an der Bourgeoisie des eigenen Ländchens nicht gespart. Auch die innerdeutsche »fidele Resignation« bekommt einiges Wohlbegründete ab, und die *Frankfurter Allgemeine* bemerkte dazu: »Man darf gespannt sein, wie gewisse Gralshüter abendländischer Couleur auf solche Stellen reagieren werden.«

Der Spiegel v. 15.12.1954

[16] [Anonym]
Ein neuer Roman von Max Frisch: »Stiller«

Noch klingen uns die Zynismen seines *Don Juan* peinlich in den Ohren und wir fragen uns, was wohl dieser *Stiller* mit seiner typisch Frisch'schen Fragestellung nach der scheinbaren Unvereinbarkeit von Denkbild und Wirklichkeit vorbehalten wird. Der diesmalige Versuch scheint endlich aus dem verhängnisvollen Bannkreis jugendlichen Ungenügens an sich selbst, oder dem Unvermögen, die eigene Wirklichkeit zu gestalten, hinauszuführen. Und doch muß man sich bei einem Dichter, dem die Projizierung seiner Ideen in völlig von ihm losgelöste Gestalten immer wieder gelingt, mag dabei auch nicht immer alles zur vollen plastischen Klarheit gelangen, von vornherein hüten, in simpler Analogie: hie Stiller (Bildhauer), hie Frisch (Architekt) die Identifikation des Dichters mit der tragenden Gestalt seines Romans zu weit zu treiben. Gemeinsam ist beiden das Verlangen nach Klarheit vor sich selbst, und wenn nun dieser Versuch einer Selbstanalyse nicht in das Sprechzimmer eines Analytikers verlegt wird, sondern in eine Gefängniszelle, in die völlige Isolierung und Konfrontation mit dem eigenen Ich, ohne jede Ausweichmöglichkeit, so kann kein Zweifel mehr bestehen über die Wahrhaftigkeit dieses Versuches.

Dies geschieht äußerlich in der Form einer Niederschrift in Heften, nicht um des Gelesenwerdens willen, nur um seiner selbst willen. Da heißt es irgendwo:

> Schreiben ist nicht Kommunikation mit Lesern, auch nicht Kommunikation mit sich selbst, sondern Kommunikation mit dem Unaussprechlichen. Je genauer man sich auszusprechen vermöchte, um so reiner erschiene das Unaussprechliche, das heißt die Wirklichkeit, die den Schreiber bedrängt und bewegt. Wir haben die Sprache, um stumm zu werden. Wer schweigt, ist nicht stumm. Wer schweigt, hat nicht einmal eine Ahnung, wer er nicht ist.

Und es scheint, daß anders als bei Mallarmé, in dem weißes Papier ein Gefühl der Impotenz erweckte, bei Frisch, für den gerade dieses Nichtgenügen-können ein zentrales Problem darstellt, das Papier dieser Hefte eine befreiende Wirkung ausübte. Als sei die Notwendigkeit, die Fragen in dramatischer Form zusammenzudrängen, ein unseliger Zwang gewesen, der glücklich abgestreift ist, so strömt es hier wie bei einem Fluß, der den letzten Talabschluß durchstoßen hat und nun in freiem Lauf dem Meere zueilt. Und Frisch läßt sich mit Behagen von diesem Strom davontragen, warum auch nicht, das ruhige Gefälle seiner Sprache füllt das Strombett aus. Wenn es einmal nicht mit Überschallgeschwindigkeit dabei zugeht, so ist das heutigen Tages gewiß kein Schaden. Eine Analyse muß bis in die letzten Seitenwasser vordringen und von dort alles Ergründete mitbringen. Mag auch die Geschichte von Rip van Winkle zu breit erscheinen, oder die Erzählung von Stillers Höhlenforschung und seinem Mord an dem Gefährten auf dieser Expedition, so sind sie durch die Verdoppelung der Motive, der Flucht, des Ausweichens und der Beseitigung des lebenskräftigen Rivalen zu fest eingefügt in den Bau des Ganzen und zu notwendig, um den Charakter, resp. die Denkweise Stillers zu verdeutlichen.

Worum geht es überhaupt? Stiller, ein Bildhauer, von ständigen Zweifeln an seiner Künstlerschaft verfolgt, in der Ehe aus Unverständnis für die Scheu und Sensibilität seiner Frau, auch sie Künstlerin, scheiternd, überhaupt in der Liebe versagend, weiß keinen andern Ausweg als die Flucht nach Übersee, ja bis in den, im übrigen mißlungenen Freitod. Er kehrt in die Schweiz zurück mit falschen Papieren, wird beim Grenzübertritt erkannt und verhaftet und soll durch die Konfrontation mit seiner Vergangenheit, mit seiner Frau, seiner Geliebten (der Frau des Staatsanwaltes, der über seinen Fall zu entscheiden hat: nochmalige Verdoppelung und zugleich Verzahnung des Grundmotivs, denn auch der Staatsanwalt hat einen kürzeren Fluchtversuch unternommen), seinen Verwandten und Freunden, seinen Werken in seinem Bildhaueratelier überführt werden, daß er Stiller ist, der zu sein er abstreitet und sich weigert. Mit dieser Andeutung der Handlung, selbst wenn wir sie weiter bis in alle Peripherien verfolgen wollten, ist wenig gewonnen. Und ohnedies vermögen wir, wie wohl evident ist, auf diesem äußeren Wege dem Dichter am allerwenigsten zu folgen. Auch diesmal verschont er uns nicht mit Zynismen und Sarkasmen über Dinge, die an die zartesten Empfindungen des Menschen rühren. Immerhin will es uns scheinen, als wollte er sich diesmal auf Männerart über das auch für ihn Unaussprechliche hinweghelfen, und gerade sein Ringen, oder das Ringen Stillers ist so selbstquälerisch, grausam ernst, daß man diese schrilleren Töne rasch überhört.

Denn was ist der Sinn dieses unablässigen Ringens um die Wirklichkeit und dieses quälenden Gefühls, keine Sprache für die Wirklichkeit zu haben, was ist es anderes, als der Versuch einer Selbstheilung, und es kann nicht ausbleiben, daß dabei mancherlei Unrat mit ausgeräumt werden muß, der nicht beschönigt und nicht verleugnet werden kann. Was dieser Stiller will und scheinbar nicht kann, das ist die innere Verwandlung vollziehen; darum auch will er als ein äußerlich Verwandelter heimkehren. Das gerade will aber die Umwelt am allerwenigsten, sie will ihn so, wie sie ihn sieht, dieses Bild sich zu erhalten, hierzu gibt es keinen besseren Weg, als diesen unbequemen Stiller ins Gefängnis zu sperren. Den Schritt in die Freiheit, in die wahre Freiheit, den wird man ihm doch nicht gestatten, nur den in die Scheinfreiheit der Anerkennung ihres Gesellschaftspiels; sie nennen es so schön bürgerliche Ordnung und Überlieferung. Aber das weiß Stiller: der Weg in die Freiheit, das ist der einsamste Schritt, der Schritt in den Glaubensvollzug. Und eben diesen Schritt zu vollziehen, ist so ungeheuer schwer darum, weil die Mauern der Überlieferung, der Scheinkultur, der tausend und abertausend angelesenen, aber nicht erfahrenen Dinge den heutigen Menschen fester umschließen als Gefängnismauern, die sich nach abgelaufener Frist für die meisten Insassen eines Tages von alleine öffnen. Zudem weht innerhalb dieser Mauern eine Luft, die alle wahren Gefühle zum Ersticken bringt, die die Instinkte tötet und scheinbar nur noch den Weg in die gewaltsame Flucht und in allerlei ebenso abwegige wie gefährliche Lösungen offenläßt. So kann Stiller erst dann den Schritt in die äußere Freiheit vollziehen, wenn der in die innere wenigstens als Möglichkeit von ihm anerkannt wird. Für die Außenwelt ist er gerade dann wieder der alte Stiller, wenn er es innerlich am allerwenigsten mehr ist. So bleibt auch der Entschluß, sich aus dem Gedränge der Menschen zu verziehen, für die Außenwelt am unverständlichsten. Er, der über die Flucht aufs Land, in die Weekendidylle so gern als eine Flucht in das »reduit der Innerlichkeit« spottete, geht nun selber aufs Land, bezieht eine »ferme vaudoise«, in Wahrheit ein verlottertes Chalet über dem Lac Léman, das für ihn nicht zuletzt wohl Abbild der Brüchigkeit und Verlogenheit dieser Bürger-Idyllik ist.

Noch ist er nicht am Ziel; in dieses Ringen mit seinem Engel ist ja noch ein zweiter Mensch verstrickt, Julika, die unverstandene, preisgegebene, wiedergefundene und dennoch unverstandene Frau. Erst da sie im Sterben liegt, da diese gegenseitige Zermarterung ihr Ende finden soll, erst da wird ihm ganz bewußt, daß er über alles Unverstehen, ja Hassen und über dieser Einsamkeit voreinander sie suchte und liebte, daß es eine Bindung gibt, die das scheinbar Unvereinbare für alle Zeiten zusammenfügt. »Nicht jedes Paar wird sich zum Kreuz! Aber wenn es einmal so ist, wenn wir es dazu gemacht haben, wenn es eben nicht eine Episode ist, sondern die Geschichte meines Lebens...« »Gott hat es gegeben, und selig sind, die es nehmen, und tot sind, die da nicht hören können wie ich, nicht lieben können in Gottes Namen, die Unseligen wie ich, die da hassen, weil sie lieben wollen aus eigener Kraft, denn in Gott allein ist die Liebe und die Kraft und die

Herrlichkeit.« Das spricht Stiller aus in dem Augenblick, da Julika im Sanatorium drunten mit dem Tode ringt, doch immer zweifelnd und zaudernd vor diesem letzten Schritt in die Freiheit. »Ja, wenn man beten könnte!«

Vorerst hat er wenigstens die »Flucht« ins tätige Leben vollzogen: Stiller hat als Bildhauer begonnen. In der Auflehnung dagegen, daß man ihm sein altes Leben wieder überstreifen wollte, hat er seine Plastiken zerstört und mit ihnen das Denkbild seiner Jugend. Nun beginnt er sein neues Leben als Töpfer. Ist das Resignation? Wir meinen, nein. Vielleicht wird Max Frisch uns widersprechen, wenn wir auch das sinnbildhaft zu deuten versuchen, aber vielleicht gibt er uns recht, wenn wir seinen Stiller, mit allen Bedenken, die wir anbringen mußten, hinnehmen als ein Versprechen für Zukünftiges, das ihm und uns einen neuen Weg zeigt aus den Wirren der Zeit, in denen sein bisheriges Werk noch ganz verstrickt ist. Ein erster Schritt scheint uns getan.

Neue Zürcher Nachrichten v. 18.12.1954

[17] Rudolf Goldschmit
Die verlorene Identität
Zu dem Roman des Schweizers Max Frisch: »Stiller«

Hoffnungen haben wir heute einige, Erfüllungen wenige. Der 43jährige Schweizer Autor Max Frisch zählt, seit seine tagebuchähnlichen Aufzeichnungen erschienen und einige problematische, aber originelle Bühnenstücke (zuletzt *Don Juan oder Die Liebe zur Geometrie*) aufgeführt sind, unter den Hoffnungen zu den ersten. Mit seinem Roman *Stiller* scheint ihm der Durchbruch gelungen. Er bedeutet eine Erfüllung, und schon darum eine der wenigen echten Sensationen, die dieser Bücher-Winter gebracht hat.

Das Problem, um das dieser Roman mit bohrender Intensität kreist, ist durch das Motto angedeutet, durch ein Wort Kierkegaards: »Sieh, darum ist es so schwer, sich selbst zu wählen, weil in dieser Wahl die absolute Isolation mit der tiefsten Kontinuität identisch ist, weil durch sie jede Möglichkeit, etwas anderes zu werden, vielmehr sich in *etwas anderes umzudichten*, unbedingt ausgeschlossen wird.« Ausgangspunkt der Handlung ist der Versuch des Helden, sich »in etwas anderes umzudichten«; Ergebnis, die erwiesene Unmöglichkeit des Versuchs.

Eine philosophische Allegorie also das Ganze, abstrakte Reflexion? Keineswegs. Denn dadurch gerade ist dieser Roman so fesselnd, so voll echten, nicht nur scheinhaften Lebens, daß er die Probleme in Handlung, in Gestalten umsetzt, daß er, bei aller Neigung zum Reflektieren des Geschehens, von einer ungebrochenen Fabulierlust zeugt, die heute selten geworden ist. Das Buch liest sich so spannend, so unterhaltsam wie wenige moderne deutsche Romane, und es ist dabei so hintergründig, es lotet so tief ins Unterbewußte der Zeit wie kein zweites.

Ein Mann namens Stiller ist seit Jahren verschwunden. Ein Mann namens White, ein Amerikaner angeblich, wird von der Schweizer Grenzpolizei bei der Einreise festgenommen, weil man in ihm den vermißten Stiller zu erkennen glaubt. Der Hauptteil des Buches besteht aus den Gefängnisaufzeichnungen des festgenommenen White, die mit den Worten beginnen: »Ich bin nicht Stiller.« Der Gefangene wird – dies vor allem ist die Handlung – mit der Umwelt, den Freunden, mit der Frau, der einstigen Geliebten Stillers konfrontiert; alle erkennen in ihm den Verschwundenen, auch für den Leser schwindet bald jeder Zweifel, nur White (alias Stiller) selbst weigert sich, der zu sein, der er doch offenbar ist. Aus den Aussagen derer, denen er gegenübergestellt wird, aus den Erzählungen des Staatsanwalts, die der Gefangene in seinem Tagebuch notiert, aus eigenen Spekulationen auch rundet sich, in raffinierter epischer Montage, mosaikartig ein Bild des vermißten Stiller, seines schwierigen, schwachen, neurotischen Wesens, seines nicht-bewältigten Schicksals. Die Tagebuchform gestattet dem Autor, Reflexionen und Abschweifungen einzuschalten, und von dieser Möglichkeit macht Frisch einen schlechthin virtuosen Gebrauch. Auch wie er den Gefangenen mit allerlei Fabeleien, mit Erfindungen angeblich erlebter Begebenheiten und angeblich begangener Untaten, kurz, mit neuerlichen Versuchen, »sich in etwas anderes umzudichten«, aufwarten läßt, verrät ebensoviel erzählerische Phantasie wie strengen Kunstverstand; manche dieser eingeschobenen Erzählungen bildet für sich eine Kurzgeschichte ersten Ranges, und doch hat jede ihren Platz im Ganzen, nimmt jede kunstvoll das Hauptthema durch Variationen, Spiegelung, Umkehrung wieder auf.

Diese Gefängnisaufzeichnungen des Mr. White alias Stiller– sie spiegeln ironisch und bitterernst die Situation des Menschen, dem die Wirklichkeit entgleitet, und die Situation jedes modernen Schreibenden, der die entgleitende Wirklichkeit zu fassen sucht. So heißt es darin etwa:

> Wir leben in einem Zeitalter der Reproduktion. Das allermeiste in unserem persönlichen Weltbild haben wir nie mit eigenen Augen erfahren, genauer: wohl mit eigenen Augen, doch nicht an Ort und Stelle; wir sind Fernseher, Fernhörer, Fernwisser. Man braucht dieses Städtchen nie verlassen zu haben, um die Hitlerstimme noch heute im Ohr zu haben, um den Schah von Persien aus drei Meter Entfernung zu kennen und zu wissen, wie der Monsum über den Himalaja heult oder wie es tausend Meter unter dem Meeresspiegel aussieht. Kann heutzutage jeder wissen. Bin ich deswegen je unter dem Meeresspiegel gewesen; bin ich nur beinahe auf dem Mount Everest gewesen? Und mit dem menschlichen Innenleben ist es genauso. Kann heutzutage jeder wissen. Daß ich meine Mordinstinkte nicht durch C. G. Jung kenne, die Eifersucht nicht durch Marcel Proust, Spanien nicht durch Hemingway, meine Todesangst nicht durch Bernanos und mein Nie-Ankommen nicht durch Kafka und allerlei Sonstiges nicht durch Thomas Mann, zum Teufel, wie soll ich es meinem Verteidiger beweisen? Es ist ja wahr, man braucht diese Herrschaften nie gelesen zu haben, man hat sie in sich schon durch seine Bekannten, die ihrerseits auch bereits in lauter Plagiaten erleben. Was für ein Zeitalter!

Solch ein Stoßseufzer – wie bezeichnend ist er für das Buch! Abgesehen davon, daß er, für sich genommen, ein zeit- und kulturkritischer Aphorismus voll ironischer Tiefsicht ist, stimmt er ebensowohl zu der ganz konkreten, ganz persönlichen Situation des Gefangenen im Roman wie, in gar nicht zu weit übertragenem Sinn, zur Situation eines Autors von heute – ein ironisch verhülltes Bekenntnis Frischs.

Der Roman endet mit dem Scheitern von Stillers Versuch, »sich in etwas anderes umzudichten«. Vom Gericht überführt, nimmt er endlich sich selbst als der an, der er ist: hier aber enden die Gefängnisaufzeichnungen. Was noch folgt, ist die Aufzeichnung eines anderen, eines Freundes, der Stiller aus Distanz beobachtet: jenen Stiller, der nun nicht mehr irgendein Mr. White zu sein behauptet, jenen Stiller, der, eins mit sich, irgendwo über dem Genfer See, mit seiner Frau, zurückgezogen von der Welt, ein »einfaches Leben« beginnt, ohne Ehrgeiz, ohne Glanz, abseits vom Leben. Das alles, der Tod der Frau auch, die letzte Einsamkeit des mit sich selbst einig gewordenen Stiller – das alles bleibt, vergleicht man es mit den ironisch funkelnden, beziehungsreichen Gefängnisaufzeichnungen, ein wenig matt. Liegt es am Thema, an dem elegisch sich bescheidenden Ausgang eines Lebens? Oder liegt es an Frisch, dessen Sprache über so viele Register verfügt, die ebenso virtuos die augenblinzelnde Anspielung wie die lakonische Kürze, ebenso raffiniert die Reflexion wie die reine Schilderung meistert, die aber die unverstellte Naivität, ohne die solch ein Schluß kaum zu bewältigen ist, nicht besitzt.

Denn darin ist ja Frisch durchaus Schweizer, ähnlich wie Dürrenmatt: der Satiriker, der Ironiker verbindet sich in ihm mit dem Moralisten. Der Ironiker – man vernimmt ihn im *Stiller* oft genug, in bitterspöttischen Bemerkungen über die Schweiz, über Amerika, man vernimmt ihn auch in glänzenden (oft nur aus einem Adjektiv bestehenden) Randnotizen, und man vernimmt ihn mit ungetrübtem Vergnügen. Der Moralist – ihn erkennt man natürlich an dem ganzen Ernst, mit dem das Thema des Romans gestellt und durchgeführt ist, aber deutlicher noch macht er sich am Ende bemerkbar, da wo die Erkenntnis errungen ist, daß es noch nicht genüge, wenn ein Mensch sich selbst annehme (wie Stiller), daß er auch den anderen, das schlechthin Andere, endlich wohl Gott, innerlich annehmen müsse (was Stiller versäumt). Es ist kein Zufall, daß ein so hochmoderner, differenzierter Autor wie Frisch die große Schlichtheit dieser letzten Erkenntnis nur anzudeuten, nicht ganz Gestalt werden zu lassen vermag. Wie wäre es auch anders möglich? In dieser Welt? Es tut der Wirkung dieses starken, gescheiten Buches kaum Abbruch. Die Dichte seines Themas, die souverän gegliederten, unvergeßlich klingenden Kadenzen seiner Sätze, die verhaltene Ironie hinter allem Ernst, die Menschenkenntnis hinter jeder Beobachtung – all das fasziniert den Leser. Wo man von den Errungenschaften der modernen Erzählkunst spricht, wird man außer Proust und Joyce, außer Mann und Musil (an den bei Frisch vieles anklingt) auch den *Stiller* nennen müssen.

Stuttgarter Zeitung v. 18.12.1954

[18] Rino Sanders
Der Mensch in Untersuchungshaft
Endlich wieder ein großer Roman deutscher Sprache – »Stiller« von Max Frisch

Ein Amerikaner namens White wird beim Grenzübertritt in die Schweiz aus dem Zug heraus verhaftet. Begründung der Behörden: Er sei identisch mit dem seit sechs Jahren verschollenen schweizerischen Bildhauer Stiller, der in eine Spionageaffäre verwickelt gewesen sein soll. Er leugnet beharrlich, auch, als der Verratsverdacht hinfällt, wird aber nach 370 Seiten auf Grund der Indizien verurteilt, der Mann mit dem komparativischen Namen zu sein. Darüber berichtet der erste Teil des Buches: »Stillers Aufzeichnungen im Gefängnis«.

Max Frisch, Schweizer und Architekt nebenbei, trat nicht nur als Dramatiker hervor, er gewann auch der literarischen Form des Tagebuchs einen eigenen Stil ab, den er in diesem neuen Werk für den Roman fruchtbar machte. Mit dem Kunstgriff der sinnbildlichen »Untersuchungshaft« schafft er sich eine tragfähige, triftige Grundsituation, aus der er seine Menschen und alles, was ihm wichtig ist, entfalten kann. Wie kann ein Mensch, einer wie wir, kein abstrakter Held, dahin gelangen, nicht nur zu erkennen, wer er ist, sondern auch zu sein, der er ist? Wie kann er aus den Entfremdungen zugeschanzter oder gewählter Rollen soweit kommen, »sich selbst anzunehmen«, mit sich identisch zu werden?

Um den Weg Stillers anzudeuten: man muß sich immer wieder fremd werden, sich unsicher machen in dem, was man jeweils zu sein wähnt. Man muß lernen aufzuhören, der Welt demonstrieren zu wollen, wer man ist oder nicht ist, aufzuhören, aus anderen machen zu wollen, was sie nicht sind. Auf diesem Wege wird man stiller. Man rechtfertigt sich nicht mehr. Man wird frei.

Darum gibt es keine »Aufzeichnungen Stillers in der Freiheit«. Was noch zu sagen ist, erfährt man aus dem Bericht des Staatsanwalts, der im Laufe des Buchs zum gerechten Beurteiler und damit zum Freund Stillers wächst. Sein spießiger »Verteidiger« dagegen sammelt nur Argumente im Sinne bürgerlicher Konvention.

Es gelang Frisch: sein Thema ganz in dichterisches Dasein umzuwandeln, und zwar so stichhaltig, so von Welt erfüllt, so auf der Höhe hellen, geschärften Bewußtseins, so faszinierend sachkundig in den sprachlosen Bezirken menschlichen Trachtens und Begründens, so unbestechlich kritisch, so unsentimental, daß sein Werk einer der besten deutschsprachigen Romane unserer Zeit wurde. Der Kraft der Konstruktion entspricht der sichere Zugriff, mit dem Frisch sich seiner Gestalten und Landstriche bemächtigte, und eine vor Eleganz unauffällige Sprache, die über alle Spielarten des Ausdrucks von lastendem Ernst bis zu beflügelter Ironie verfügt.

Stiller, der versucht hatte, sich den Bindungen des Lebens durch Flucht zu entziehen, wird in der Haft mit seinem einstigen Dasein konfrontiert, das er als seines vor sich selbst nicht ableugnen kann, wenn er auch anderseits jener Stiller wirklich nicht ist, als den dieses Dasein ihn ausweisen soll. Er erfährt sein Leben, gespiegelt und gebrochen im Bewußtsein naher Menschen und in seinem eigenen: Schein, Traum, Wunsch, Verkennung. Es ist reflektiert und relativiert. In dem verworrenen Beziehungsgefüge kristallisiert, andern verborgen, eine Wahrheit aus, die nur aus dem Miteinandersein gewonnen werden kann.

Der Gang dieser Erkenntnis liest sich wie eine Krankengeschichte. Es ist unser aller Krankengeschichte. Sie erlangt in vier Hauptfiguren Gestalt, die keineswegs idealisiert sind, aber viel mehr zu Herzen gingen, wenn der Autor sich mit der röntgenklinisch präzisen Diagnose mehr zurückgehalten hätte. Seine Klugheit bleibt nicht, wie etwa bei Hemingway oder Faulkner, hinter seinen Figuren.

Die vier also: Stiller, seine wieder auftauchende Frau, seine Geliebte, gleichzeitig Frau des Staatsanwalts, und dieser – beglükkend eigenartige, aparte, unverwechselbare Wesen, zwischen denen dennoch geschieht, was für Menschen europäischer Bewußtseinshaltung und Gefühlslage bezeichnend ist, ohne daß sie in Plagiaten erleben und damit zu Typen absinken. Auch die Randfiguren oft mit wenigen, umfassenden Worten ins Leben gerufen, sind ganz da.

Das Geschehen ist zu reich, zu vielseitig und aufgefächert, um skizziert werden zu können. Partien beschwipsender Komik, charmanter Satire, essayhafter Polemik, hochnotpeinlichen Selbstverhörs und archetypischer Münchhausiaden, wirken ein Ganzes, das trotz unentrinnbarer Problematik recht unterhaltsam zu lesen ist.

Der chronologische Ablauf, äußerlich gewahrt, wird immer

wieder aufgehoben zugunsten einer Zeit, die im Rhythmus des Erlebens abläuft, und die beabsichtigte Tat wiegt da nicht leichter als die vollbrachte. Frisch macht es sich und Stiller nicht leicht: die nach sechs Jahren wieder angeknüpfte Ehe scheitert ein zweites Mal, nicht durch Stillers Schuld allein; doch was nach dem Tod seiner Frau auf ihn fällt, er hat es allein mit sich abzumachen und mag sein, er kann es bestehen.

Die Welt v. 18.12.1954

[19] Gerhard F. Hering
Max Frisch: »Stiller«

Manchen von Ihnen, verehrte Hörer, wird der Name des Schweizer Autors Max Frisch geläufig sein: und zwar von der Bühne her. Gewiß erinnern Sie sich einiger Titel: *Nun singen sie wieder, Santa Cruz, Die Chinesische Mauer, Als der Krieg zu Ende war, Graf Oederland, Don Juan oder Die Liebe zur Geometrie*. Das zeitgenössische deutschsprachige Theater wäre ärmer ohne diese Dramen. Weil es in jedem von ihnen, es sei im Gewande der Gegenwart oder im historischen Kostüm, um uns, die Menschen von heute geht. Und zwar leidenschaftlich, appellierend, radikal, ernst, ironisch, skeptisch. Genau genommen aber immer: auf Tod und Leben. – Unversehens hätten wir so bereits einige der diesen Schriftsteller auszeichnenden Merkmale, die sich auch sonst im Werk Max Frischs finden, der ja nicht nur ein Dramatiker ist. Nicht weniger radikal, nicht weniger ernst und nicht weniger unmittelbar als in seinen Dramen hat Frisch, geboren 1912, von erlerntem Beruf Journalist und Architekt, jetzt nur noch freier Schriftsteller, sich auch in seinen Prosaarbeiten ausgesprochen. So in der Erzählung *Bin oder die Reise nach Peking*. So in seinem *Tagebuch 1946/49*. So schließlich neuerdings in dem Roman *Stiller*. Der titelgebende Held, Anatol Ludwig Stiller, Bürger von Zürich, ein Bildhauer, erfährt die Wahrheit eines Satzes, den Hofmannsthal sich einst notierte: daß der Tod selbst für den, der nachdenke, nichts so Ernstes sei, wie die Ehe.

Der Mensch in der Zelle, das ist eine heute längst selbstverständlich gewordene Daseinsform. Nicht einmal nur im Negativen. Sofern nämlich die Machthaber das sind, was eines der lächerlichsten, abgegriffensten Worte unserer von Tag zu Tage mehr sich verschleißenden Sprache als »human« bezeichnet, sofern die Machthaber als die Einkerkerer das sind, »human« – und einen in der Zelle in Ruhe lassen, kann man gerade an diesem Orte, in der Zelle, unmittelbar zu sich selbst kommen. Unmittelbarer vermutlich als in einem beliebigen Mietskasernenblock. Anatol Stiller trifft es dergestalt günstig. Seine Zelle wird ihm zum Ort der Begegnung mit sich selbst. Und mit seiner Vergangenheit. Wir lernen den Helden kennen in einer extremen Situation. Frischs Roman beginnt damit, daß Stiller, im Stadium der Trunkenheit, einen eidgenössischen Zollbeamten ohrfeigt. So wird er verhaftet im Augenblick seiner Rückkehr aus dem Ausland. Damit beginnt der kriminalistische Reiz der Fabel. Wir nehmen teil an der immer wieder neu sich spannenden Frage: Ist dieser Bildhauer Stiller wirklich der Züricher Bürger Anatol Ludwig Stiller? Oder ist er, wofür sein Paß ihn ausgibt, ein amerikanischer Staatsbürger deutscher Abstammung, namens White? Ist er außerdem verwickelt in dunkle politische Affären oder nicht? Nun, am Ende wird sich herausgestellt haben, daß Stiller tatsächlich Stiller ist. Zugleich aber, daß der frühere Stiller, der für Jahre verschollene, nun zurückgekehrte, eben doch nicht mehr »identisch« ist mit dem jetzigen. Von Stiller selbst erfahren wir die wesentlichen Stationen seines Lebens. Als Form betrachtet nämlich, gibt sich Frischs Roman, in der Ich-Aussage, als eine Suite von Tagebüchern. Stiller selbst bringt in sieben Heften die Materialien seines Lebens bei, Materialien, mit denen er seine Behauptung beweisen möchte, daß er nicht Stiller, sondern – ein anderer sei. Stillers »Aufzeichnungen im Gefängnis« bilden den ersten, umfänglichen Teil von Frischs Roman, runde 500 Seiten. Ein abschließender zweiter Teil gibt sich als ein »Nachwort des Staatsanwaltes«, runde 70 Seiten. Auf ihnen erfahren wir, nun in distanziertem Blick auf Stiller, was sich unmittelbar an seine Gefängniszeit anschließt.

Im letzten Satz des Romans ist Stiller für uns wie für sich das, was er im Grunde und bis hierhin immer schon war: Einsam und allein. Vorher aber haben wir in seinen sieben Tagebuchheften ihn, seine Frau Julika, seine Geliebte Sibylle und ihren Mann (den nunmehr für Stillers Fall zuständigen Staatsanwalt übrigens!) kennengelernt. Dies in vielfachen Rückblenden der markanten Stationen aus Stillers Vergangenheit. Wir haben erfahren, wie Stiller Julika kennenlernte, eine Tänzerin. Wie er sich von ihr wandte, zu Sibyl[le] überging, der Frau des Staatsanwaltes. Wie Julika, nach schwerer Lungenkrankheit wieder genesen, sich in Paris selbständig macht als Leiterin einer Tanzschule. Wie Sibylle sich von Stiller abwendet und von ihrem Mann, um in Amerika ein neues Leben zu versuchen. Wie ihr Mann, der Staatsanwalt, sie nach Jahren der Trennung zurückholt aus den Staaten, heim in die – von Frisch vielfach scharf kritisierte – Schweiz, in den Versuch einer neuen Ehe. Von Stiller und Julika aber erfahren wir, eben im abschließenden »Nachwort des Staatsanwaltes«, der mit seiner Frau Sibylle, Stillers früherer Geliebten, das Paar Julika-Stiller weiter im Auge behielt, mit ihm korrespondierte, bei ihnen zu Gast war, daß Anatol Stillers Versuch, auch seine Ehe wieder in Ordnung zu bringen, scheitert. Julika stirbt an den Folgen einer Lungenoperation. Der gescheiterte Stiller bleibt allein. Dies im Gröbsten die Ereignisse des Romans. Sein eigentliches Thema, wie gesagt, ist und bleibt: das Abenteuer, das Geheimnis der Ehe. Und dies doch nicht allein! Vielmehr geht es, sofern wir den Autor richtig verstehen, um das noch tiefere Geheimnis (das verdoppelt allerdings auch jeder Ehe zugrunde liegt oder liegen sollte, liegen müßte): das Geheimnis der Menschwerdung.

Um ein zentrales Thema also aller Religionen seit alters her; allen Philosophierens von Anfang an – und nicht etwa nur der modernen Existenzphilosophie. Wenngleich Frisch sich sein Thema in einem Zitat des Vaters der modernen Existenzphilosophie, des Dänen Kierkegaard, vor Augen stellt. Bitte, hören Sie, wie es heißt:

> Sieh, darum ist es so schwer, sich selbst zu wählen, weil in dieser Wahl die absolute Isolation mit der tiefsten Kontinuität identisch ist, weil durch sie jede Möglichkeit, etwas anderes zu werden, vielmehr sich in etwas anderes umzudichten, unbedingt ausgeschlossen wird. –: indem die Leidenschaft der Freiheit in ihm erwacht (und sie erwacht in der Wahl, wie sie sich in der Wahl selber voraussetzt), wählt er sich selbst und kämpft um diesen Besitz als um seine Seligkeit, und das ist seine Seligkeit.

Die Schwierigkeit, sich selbst zu wählen... die große Schwierigkeit, wie Stiller es mit seinen Worten in einem der Gefängnistagebücher nennt: die große Schwierigkeit, sich selbst einmal anzunehmen. Fast gleichlautend übrigens heißt es in der Existenzphilosophie von Karl Jaspers: »Sich selbst übernehmen in verantwortliches Tun!« Nicht wahr, liebe Hörer, mit der bloßen Benennung eines solchen Themas wäre wohl unverzüglich ausgedrückt, wie wenig es sich hier in Max Frischs Roman *Stiller* um Beliebiges, wie sehr es sich hier um Wesentliches handele. Um das Wesentlichwerden allgemein und überhaupt. Wie es am schlichtesten und am tiefsten ausgedrückt ist im cherubinischen Imperativ des Angelus Silesius: »Mensch, werde wesentlich!« Wesentlich aber nun – wodurch? Aus sich selbst? Wesentlich dadurch, daß man sich selbst annähme? Daß man sich kein »Bild« von sich mache? Und damit auch kein Bild vom Partner, vom Nächsten in jedem Sinn?

Sich und das jeweils begegnende Du also nähme, gelten ließe, so wie es von Fall zu Fall täglich neu und immer anders ist? Gewiß, wesentlich auch dadurch. Oder mindestens: wesentlich[er] als ohne das. Die eigentliche Menschwerdung aber geschähe schließlich doch in einem radikal anderen Bezirk. – Und Frisch läßt seinen Helden, gegen das Ende hin, nach all seinen vielen Ansätzen, sich selbst zu wählen, sich selbst zu suchen, zu finden, anzunehmen, auch dieses Eigentlichere mindestens in der Andeutung mitteilen. Daß es nämlich über das Ankommen bei sich selbst hinaus darum gehe: anzukommen bei der höchsten Instanz: angenommen zu werden von ihr, von dem Urheber der Geschöpfe, dem Schöpfer selbst! In diesem Sinne handelt das letzte Gespräch zwischen Stiller und seinem (inzwischen ihm längst zum Freund gewordenen) Staatsanwalt, lange nach Stillers Haftentlassung, unmittelbar vor Julikas Tod, von der Vergeblichkeit aller menschlichen Versuche, sich zu verwandeln aus sich selbst. Im Munde des Staatsanwaltes klingt das so:

> »Wenn Du weißt, daß Du schwach bist, das ist schon viel. Vielleicht weißt Du's zum ersten Mal. Seit gestern mittag, als Du gedacht hast, sie stirbt. Manchmal hassest Du sie, sagst Du. Weil auch sie schwach und arm ist? Sie kann Dir nicht geben, was Du brauchst. Sicher. Und ihre Liebe wäre so notwendig für Dich. Wie keine andere. Es gibt Dinge, die sehr notwendig wären, Stiller, und wir vermögen sie trotzdem nicht. Warum soll Julika es vermögen. Vergötterst Du sie – noch immer – oder liebst Du sie?« Stiller ließ mich reden. »Jaja«, sagte er, »aber praktisch gesprochen, sie dort (in der Klinik nämlich), ich hier, was soll ich tun? Ganz praktisch!« Er blickte mich an. »Siehst Du, Rolf, da weißt Du auch keine Antwort!« sagte er, und es schien ihn zu befriedigen.

»Du bist sehr weit«, sagte ich, »oft habe ich den Eindruck, es fehlt Dir nur noch ein einziger Schritt.« – »Und wir sitzen hier mitten in einer Hochzeit, meinst Du?« – »Und Du erwartest nicht mehr, meine ich, daß Julika Dich von Deinem Leben lossprechen kann oder umgekehrt.
Was das im Praktischen heißt, weißt Du.« – »Nein«. –
»Es gibt keine Änderung«, sagte ich, »Ihr lebt miteinander, Du mit Deiner Arbeit da unten im Souterrain, sie mit ihrer halben Lunge, so Gott will, und der einzige Unterschied: Ihr foltert Euch nicht mehr Tag für Tag mit dieser irren Erwartung, daß wir einen Menschen verwandeln können, einen anderen oder uns selbst, mit dieser hochmütigen Hoffnungslosigkeit... Ganz praktisch: Ihr lernt beten füreinander.« Stiller hatte sich erhoben. »Ja«, schloß ich, »das ist eigentlich alles, was ich Dir in dieser Sache zu sagen weiß.« Stiller hatte die Flasche auf den kleinen Tisch gestellt, und wir blickten einander an; sein vages Lächeln von vorher stellte sich nicht ein. »Beten will gekonnt sein!« sagte er bloß, und dann folgte ein längeres Schweigen...

Sie haben gewiß gehört, daß hier mit Zurückhaltung, nüchtern, wie es sich vor dem Unaussprechlichen gebührt, der eigentliche Punkt berührt wurde. Der wundeste Punkt, wie Dostojewskij das genannt hat. Nämlich: des Menschen Verhältnis zu Gott, dem Allmächtigen, dem Schöpfer. – Und hier halten wir inne.

Es wäre möglich, nun noch einige Antworten auf einige Fragen zu versuchen, die dieser Roman als Form aufwirft. Und unversehens ergäbe sich dabei die Problematik der Gattung Roman heutzutage überhaupt.

Das Mißtrauen gegen diese Gattung ist ja im Wachsen. Auch in den Autoren selbst. Daher ja ihre Kunstgriffe. Etwa die Kunstgriffe Frischs: Tagebuch, Rückblende, Protokoll, Bericht. Dadurch reizvolles Aneinander zeitlich weit auseinanderliegender Momente. So etwa, wenn Stiller fast gegen Ende von Julikas Leben seinen ersten Gang mit ihr, den verheißungsvollen, den möglichkeitsreichen, wiederholt, heraufbeschwört – in der Erinnerung. Einen Gang über märzliche Fluren – und wir wissen, daß über diese beiden Schicksale längst der Herbst verhängt ist, die Unwiederbringlichkeit. Ähnliche Kunstgriffe: das Heraufblenden von Landschaften und Ländern noch möglicher Freiheit in das verhaftende Geviert der Zelle. Zugleich aber wären zu erörtern auch die Nachteile dieser Kunstgriffe: Das Indirekte im Heraufbeschwören aller Personen um Stiller herum. Wenn er, beispielsweise, ganze Abschnitte aus Julikas, Sybillens und des

Staatsanwaltes Leben, an denen er nicht teilgenommen hat, so erzählen lassen muß, als hätte er an ihnen teilgenommen. Zugleich aber uns, die Leser der »Ich«-Form seiner Tagebücher das Indirekte doch spüren machen muß. So etwa durch eingeklammerte Bemerkungen wie »sagte sie«, »erzählte er«. Doch lassen wir solche Fragen für unseren Zusammenhang hier besser auf sich beruhen und außer Betracht. Jeder wird hier die ihm mögliche Stellung beziehen. Mehr denn einer vielleicht mit Hugo Ball meinen, daß der Roman eine »überbevölkerte«, eine »abführende« Kunstform sei. Daß sich in den Romanen ein Aufwand von Materialien häufe, die immer mehr den Wissenschaften gehörten und immer weniger dem Dichter. Andererseits aber, um nochmals Hugo Ball zu zitieren: »Der Autor selbst sollte ein Roman sein und sich zum besten geben (wenn nicht zum besten halten)«.

Nun, dieser Forderung genau wird Frisch gerecht! Nicht zuletzt deswegen nämlich ergreift sein Roman, lichtarm, schattenreich, wie er ist, nicht zuletzt deswegen spricht er unmittelbar an, weil wir Seite für Seite spüren: Hier nimmt ein Autor sich und damit seine Leser radikal ernst. Hier wird mit reizbarem Gewissen, aus dem sich verantwortlich fühlenden (und machenden!) Einblick in die vom Menschen allein nicht zu sühnende Schuldhaftigkeit jeder Existenz der Versuch unternommen, nichts zu beschönigen, sich an nichts vorbeizumogeln, auch nicht frivol – fidel nihilistisch zu sein. Sondern? Sondern in Stillers Gestalt, der bei weitem lebensvollsten des Romans, das Redlichste zu tun, was je und je dem Menschen auf seinen unergründbaren Wegen quer durch die Gefahren möglich ist und bleiben wird: Im Vertrauen auf die unerforschliche Gnade die Verhängnisse anzunehmen. Und –: in ihnen, Situation für Situation, danach zu trachten, das Simpelste zu tun, das zugleich das Schwerste ist: bar zu bezahlen mit sich selbst. Das hat Max Frisch aus spürbar »erlittenen« Lebenslagen in diesem Roman, mit diesem Roman getan. Er gab ein wesentliches Buch. Dies auch als die reine und reinliche Dichtung in Prosa, die dieser Roman in seinen besten Seiten weithin ist.

Südwestfunk. »Das Buch der Woche«.
Sendung v. 19. 12. 1954

[20] Charlotte von Dach
»Stiller«
Der neue Roman von Max Frisch

Als Motto stehen am Eingang dieses Buches zwei Kierkegaard-Sätze. Der eine lautet:

> Sieh, darum ist es so schwer, sich selbst zu wählen, weil in dieser Wahl die absolute Isolation mit der tiefsten Kontinuität identisch ist, weil durch sie jede Möglichkeit, etwas anderes zu werden, vielmehr sich in etwas anderes umzudichten, unbedingt ausgeschlossen wird...

Der andere:

> ... indem die Leidenschaft der Freiheit in ihm erwacht (und sie erwacht in der Wahl, wie sie sich in der Wahl selbst voraussetzt), wählt er sich selbst und kämpft um diesen Besitz als um seine Seligkeit, und das ist seine Seligkeit...

In den beiden Sätzen ist das *Stiller*-Thema enthalten. Es tritt nicht als etwas Neues in Max Frischs Werk auf. Seit *Santa Cruz* und seit *Bin* auf seiner Reise nach Peking umkreist er es in verschiedenen Gangarten, näher und ferner und von verschiedenen Gesichtspunkten aus. Er geht ihm mit steigender Leidenschaft nach, jetzt wie früher mit denselben Schwierigkeiten seiner Hochbegabung und seiner zerklüfteten Natur beladen. Sie führten ihn im *Graf Oederland* an Grenzen geistiger Schau und künstlerischer Gestaltung. Auch *Stiller* lebt in Grenzzonen. Ob von ihnen aus Wege in lebbares Menschengelände weiterführen, ist fraglich.

»Ich bin nicht Stiller«; mit diesen Worten wird die über nahezu sechshundert Seiten hingedehnte Geschichte eröffnet, worin nach der Identität eben dieses Stiller gefahndet wird, und zwar von ihm selber und von seiner Umwelt. Es ist ein und derselbe Stiller, nach dem sie suchen, und doch hat er zwei Gestalten. Sie zur Deckung zu bringen, darin liegt die Problematik. Sie scheint für Max Frisch unlösbar. Er kapituliert vor ihr und zieht in diese Kapitulation die Fragen nach der inneren Wahrheit des Menschenbildes, nach der subjektiven Wirklichkeit eines Daseins und nach der Freiheit mit hinein.

Die vielgeschichtige und weitverzweigte Handlung hat den folgenden äußeren Ablauf: Anatol Stiller, ein Schweizer, seines Zeichens Bildhauer von mäßigem Talent und unmäßigen Theorien, ein Mann von schwierigem Wesen, der am Leben, vor allem in der Beziehung zu seiner Frau (zu der Frau überhaupt) versagt – dieser Stiller also flieht eines Tages nach Amerika. Es ist Flucht vor sich, vor dem, was er im Gefüge der Gesellschaft sein soll, Flucht vor der Frau, vor dem Land, vor dem Staat; Flucht ganz einfach, um darin sich selber zu finden oder das, was er als sein innerstes Wesen zu erkennen meint und das mit seiner Person, die da flüchtet, nichts gemein hat als den Körper.

Nach sechs Jahren kehrt er zurück. An diesem Punkte setzt der Roman ein. »Ich bin nicht Stiller«, wirft er seiner alten Welt entgegen. Jedoch diese beharrt darauf, daß er es sei, Anatol Stiller, Bildhauer, wohnhaft in Zürich, Gatte der... usw. Man muß ihn verhaften und ins Untersuchungsgefängnis bringen, zwecks Feststellung der Identität. Es wird ein tragisch-grotesker Fall daraus. Manchmal ist es ein Satyrspiel, das nun anhebt, manchmal eine Höllenfahrt.

Stiller wird angehalten, seinen Lebenslauf zu Papier zu bringen. Was er aber schreibt, ist in tagebuchartiger Form die Geschichte seines Kampfes um den »neuen Stiller«, als den er sich fühlt, und gegen das Bild des alten, das in den Akten und in der Erinnerung lebt. Vergangenheit schiebt sich dabei über die Gegenwart, diese über jene, Verhandlungsbericht steht neben Erinnerung, Konfrontation neben Schilderungen aus Amerika, Gespräch neben Betrachtung. Er, Stiller, und die andern – seine Frau, die Freunde, der Staatsanwalt – erzählen ihm die eigene Vergangenheit, die er als etwas Fremdes zur Kenntnis nimmt. Er betrachtet sie kühl und scharf, seziert sie, schiebt die Teile neu zueinander, wie es die Theorie des Zurückgekehrten haben möchte. Das geht so, unsagbar quälerisch, in einem unentrinnbaren Sog stets sich erneuernder Gedankenketten durch vier Fünftel des Buches. Dann kommt – auf raffinierte Weise eingefädelt – die Wendung: Stiller ergibt sich. Sein Leben mündet zurück in die alte Form: ins alte Versagen. Ein Epilog des Staatsanwaltes berichtet wie der Bildhauer in Glion als Töpfer weiterlebt, schemenhaft, in halber Erloschenheit und bis zur Kläglichkeit unter eine geistige Mittellinie zurückgenommen.

Aus dieser Handlungsskizze mag ersichtlich geworden sein, daß es sich in der *Stiller*-Problematik um den Konflikt zwischen subjektiver und objektiver Wirklichkeit des Menschendaseins handelt; daß es, nach den Motto-Sätzen, um Wahl und Annahme jener subjektiven Wirklichkeit geht, damit um die innere Wahrheit und Freiheit. Mit einem geradezu rabiaten Eigensinn wird die Idee der Verwandlung – Leitbild höchsten menschlichen Maßes – in der engeren Form des Kampfes gegen die Mitwelt zum Austrag gebracht. Selbstanalyse genügt dabei nicht; Anklage und Kritik greifen ein. Das geistige Problem wird auf weite Strecken hin zur Polemik, in der Ressentiments, Unzufriedenheiten und unvergorene Bedrängtheiten aller Art aufsteigen, Dinge, unter denen der Ernst und die Reinheit von Frischs geistiger Bemühung empfindlich leiden.

Wie ist es überhaupt mit Stillers Anspruch auf eben diese Reinheit, also Gültigkeit, also stellvertretende Bedeutung seines Problems? Er ist eine mittlere Figur, nicht nur in seinem Künstlertum, sondern als Mensch; ein Schwacher, ein in sich Zernagter, mit sich und der Welt Zerfallener; Grübler und Zweifler, aber nicht vom Format, das aus dem Zweifel ein Denkergebnis von Gehalt und Kraft zutage fördern würde. Er leidet an sich und am Alltag, an der Gattin, der Geliebten, an den geringsten Dingen, leidet an jeder Form und festen Beziehung und flüchtet sich davor in den Spott und in anklägerische Verachtung. Er ist ein unsicherer Egozentriker, unfähig, sich selber anzunehmen, aber auch unfähig, irgendeinen andern Menschen anzunehmen, oder eine Gemeinschaft, ein Land, den Staat. Gefängnis ist alles.

Die Frage drängt sich auf: Wer schafft ihm dieses Gefängnis? Die Welt oder er? Und darf nun aus dieser Gefangenheit heraus die Idee der ewigen Verwandlung alles Lebendigen, mithin auch des geprägten Menschenbildes, zum Vehikel der Befreiung aus dem Gittergehäuse gemacht werden – wie es in Stillers Geschichte geschieht?

Auch die Frage nach der inneren Freiheit reduziert sich infolgedessen zu einer Funktion dieser Gefangenschaft im eigenen Kleinmaß, die aber als Umklammerung von außen her empfunden wird. Freiheit aber, das ist beinahe eine Binsenwahrheit, ist sehr wohl unter dem Zugriff der äußeren Mächte möglich.

Stiller kritisiert sein Land und dessen Bewohner nicht nur in ungeschminkter Rede und aus der Fernsicht des Heimkehrers, sondern verletzend scharf, aus Schichten, die in dieser Frage offenbar krankhaft verletzbar sind. Bekundet sich darin innere Freiheit? Ich glaube kaum; denn gerade das, was er der Schweiz als Mangel vorwirft, vermag er selber nicht zu leisten: kompromißlose menschliche Ganzheit, harmonisch gefügt und geistig geführt, darzustellen.

Wie kann überhaupt das Kollektiv einer Nation unter die Anklage geistiger Impotenz, der Phantasieträgheit, des Verzichtes auf das Große (das Frisch seltsamerweise mit dem »Radikalen« gleichsetzt) gestellt werden? Nur immer die einzelnen sind es doch, welche unter dieser Forderung stehen und in ihrem Namen zur Rechenschaft gezogen werden können. Stiller gebärdet sich an solchen Stellen als ein richtender Pathetiker, der sich an Grundsätzen allzu fest klammern muß, als daß er sie wie ein Stück seiner selbst besäße.

Stiller, sagten wir, leidet an sich und seinem Ungenügen. Was aber will er? Wo liegt sein Ziel? Was will er aus sich machen? Wie sieht er sein Bild, dem er in befremdlicher Praxis nachstrebt?

Würde dies irgendwo klar, glänzte irgendwo dieses Leitbild auf, so würde Stillers Geschichte ihre höhere menschliche Gültigkeit besitzen. Da aber dieses Bild nirgends sichtbar wird, kreist sie rettungslos in sich: Ein Willenloser möchte ein Wollender werden, ein Zerklüfteter ganz, ein Einsamer möchte den andern, ohne ihn aber lieben zu können; ein Kleiner sehnt sich nach Größe und zieht sie, da er nicht hinreicht, zu sich herab; ein Versagender, ein Skeptiker, ein Unzufriedener möchte, daß es ihm gelänge, zu einer Bejahung zu kommen. Aber nichts gelingt...

Dem dunklen, in Leiden zerfaserten Inhalt des Buches steht seine schriftstellerische Brillanz strahlend gegenüber. Die lose, ganz offene Form, die dem Autor erlaubt, mit den Spielebenen sorglos umzugehen, die für alles durchlässig ist, alles aufnimmt, von der philosophischen Betrachtung bis zur Reportage, von der lyrischen Prosa – deren es im *Stiller* wundervolle Beispiele gibt – bis zum nonchalanten Aperçu hat der Problematik eine gewisse schwebende Leichtigkeit verschafft. Frisch hält den Ton bewundernswert durch, über die weiten polaren Spannungen des Geschehens hinweg. Im Formalen liegt dieses Buches unzweifelhafter Reiz, auch seine unzweifelhafte dichterische Bedeutung.

So sehr es in seinem Wesen ungezählten Fragen ruft, so sehr es den Leser oft vor den Kopf stößt – so unbestritten ist, daß *Stiller* in der schweizerischen Literatur ein Werk von radikaler Eigenständigkeit darstellt. Es ist ihm nichts Vergleichbares an die Seite zu stellen. Auch innerhalb der deutschen Gegenwartsepik steht es sehr allein da. Wie man sich auch zu ihm stellen mag: daran vorbeigehen kann man nicht.

Der Bund (Bern) v. 24.12.1954

[21] Otto Basler
Max Frisch: »Stiller«

Der neue Roman von *Max Frisch*, »Stiller« (Suhrkamp Verlag), stellt ein Problem in den Vordergrund, das der Diskussion, aber auch der romanhaften Gestaltung wert ist: Verlust des Glaubens an die eigene Identität. Solches kommt vor, meist als Folge starker Schockwirkungen. Doch hier liegt nichts derartiges vor. Stiller geht sich einfach selbst verloren, das heißt, er hat sich und die Umwelt satt, verschwindet brüsk für ein paar Jahre ins Ausland und wird bei seiner Rückkehr unter angenommenem Namen von der Polizei, die allerlei mit ihm auszumachen hat, festgenommen. Im Gefängnis schreibt er den Bericht über sein höchst problematisches Wesen und Dasein. Das ist der äußere romanhafte Rahmen um einen Stoff, der in tausend Facetten aufgesplittert, beinah 600 Buchseiten beansprucht. In der Mitte steht der Mann White alias Stiller, ein Psychopath, ein Mann, ohne den die Welt besser auskäme als er ohne Welt. Er sagt: »Man fragt sich schlechthin, was der Mensch auf dieser Erde eigentlich macht, und ist froh, sich um einen heißen Motor kümmern zu müssen.« Und er ergötzt sich an der liebevollen Mühe, die sich diese Menschen, sein Wärter, sein Verteidiger, der Staatsanwalt, seine Frau usw. um ihn machen; alles Angehörige und zum Teil Vertreter eines Staates, den er im Grunde verachtet, lächerlich findet, lächerlich macht, von dem er sich aber ohne Skrupel aushalten läßt und der ihm Freunde geschenkt hat, die ihn vor dem gänzlichen Absturz ins Nichts bewahren; Menschen, in deren untilgbare Schuld er sich begeben hat – aus Schwäche, Gefallsucht, Renommiersucht? Jedenfalls, der Mann Stiller gefällt sich in seiner Rolle als Nicht-Stiller, obwohl er auch in weinerlicher Selbstbemitleidung männlichen Ernst vorzutäuschen vermag: »Mein Verhalten ist lächerlich, ich weiß es, meine Lage wird unhaltbar. Aber ich bin nicht der Mann, den sie suchen, und diese Gewißheit, meine einzige, lasse ich nicht los.« Und doch ist er der Stiller, der er immer war, unverändert und unveränderlich, trotz der sich auferlegten Rolle.

Erst das Nachwort des Staatsanwaltes bringt, auf die letzten 60 Seiten beschränkt, etwas Licht in die komplizierte Affäre, nachdem die Stillersche Selbstanalyse als Fall Stiller ohne greifbares Resultat geendet hat. »Seine Lust an Eulenspiegelei hat Stiller nie verlassen«, heißt es da. Damit wissen wir so ziemlich Bescheid und fragen: warum denn das alles, die mühsam vorwärts getriebene Geschichte? Auf dieses Konto lädt er im Grunde alles, seine Schuld, seine Schulden, seine »Versündigung«, die ganze innere und äußere Misere. Seine »Morde«, vornehmlich der an seiner Frau, begangen im selben klinischen Selbstüberwertungsfuror, dem auf der andern Seite freilich manischer Selbsthaß, Selbstvernichtungswille gegenübersteht, sind die typischen Folgen des schizoiden Lebensgefühls. Aber man hat den Verdacht, muß ihn haben, daß auch es ein Rollenelement, Eulenspiegelei ist. Sein Haß ist pervertierte Liebe, die Liebe pervertierter Haß. Er ist eine tief in sich selbst zerfallene Natur, und was er anstellt, ist Außenprojektion dieser Zerfallenheit. In selbstquälerischer Lust und in wollüstigem Empfinden der Qual anderer verdirbt er sich alle Chancen, auch die religiöse, die am Schluß als ein schüchterner Versuch zu seiner Rettung auftaucht. Sein: »Beten will gekonnt sein!«, und »bete für mich, daß sie nicht stirbt!« ist fehl am Ort. Am Schluß vernehmen wir: »Stiller blieb in Glion und lebte allein«.

Wie die Hauptfigur, so ist auch der Roman ein merkwürdig schillerndes Gebilde, ein Mosaik ohne Kontur und Mitte. Die eingeschobenen amerikanischen Erzählungen, obwohl allegorisch stilisiert, sind Fremdkörper ohne Bindung, die eher sprengen. Im einzelnen an dichterischen Schönheiten, an Partien mit wundervollen Bildern reich, die das reife erzählerische Können des Autors verraten, zerfällt der Roman als Ganzes in immer wieder variierte Teile und Wiederholungen, die, ohne organische Verpflichtung, nur notdürftig aufeinander abgestimmt sind. Und: wo ist die Wahrheit? Stiller behauptet wiederholt, sie zu geben, läßt sich aber vom befreundeten Staatsanwalt unwidersprochen das Gedankenfragment an den Kopf werfen: » ... immer wieder hast du alles hingeworfen, weil du unsicher gewesen bist. Du bist die Wahrheit nicht...« Aber, wo ist sie denn in diesem Buch? So fragt man sich erstaunt, wenn man die revozierenden Äußerungen des auf der andern Seite des Lebens stehenden Anwaltes gelesen hat; in Gesprächen mit dem buchstäblich im eigenen Elend ertrinkenden Stiller, der jenen erstaunlicherweise um Fürbitte bei der höchsten Macht ersucht, von der er zwar keine, oder nur eine vage Vorstellung hat, und an deren Hilfeleistung er nur mit halbem Herzen glaubt.

Stiller vertritt einen exklusiven, asozialen, gebrochenen Individualismus. Trotzdem liebäugelt er – ist es echt, ist es Eulenspiegelei, schizoide Selbsttäuschung? – mit einer Gesellschaftsform, die mit seiner eigenen Seelenlage und Lebensauffassung in schroffstem Widerspruch steht. Seine Haupteigenschaft ist die *Unsicherheit*. Er lebt weiterhin ... »allein« – in der Unsicherheit, als der ihn prägenden Wirklichkeit, und weiterhin wird er sich von seinen Witterungen täuschen, irreführen lassen. Unsicherheit ist sein unheilbares Leiden. Seine Instinkte sind erkrankt.

Man fühlt sich durch diesen Roman zur Auseinandersetzung und Stellungnahme herausgefordert, was beweist, daß er überdurchschnittliche Eigenschaften hat und im Positiven wie Negativen ernst zu nehmen ist.

Neue Schweizer Rundschau 1954/55

[22] Robert Haerdter
Mr. White und die Wahrheit

Dieses Buch ist ein Ereignis. Denn es ist ein Ereignis, daß Max Frisch einen Roman geschrieben hat, mit dem verglichen seine bisherigen Arbeiten nicht etwa an eigenständiger Bedeutung verlieren, wohl aber in eine Rangordnung geraten sind, die bis dahin noch nicht in solcher Schärfe zu erkennen war. Und es ist ein Ereignis, daß mit eben diesem Roman die deutsche Literatur um eine exemplarische Arbeit bereichert wurde, die sich wie ein Damm dem trägen Strom der Legende in den Weg stellt, »der Roman« als literarische Kategorie sei sozusagen am Ende seines Lateins, und die Schriftsteller könnten zwar noch mit Fleiß und Experimentierlust etwas Interessantes zuwege bringen, aber nicht mehr etwas, das sich der Tradition des neunzehnten Jahrhunderts würdig erwiese und trotzdem völlig neues, unbetretenes Gelände der Kunst erschlösse, die Prosaform in Stil und Materie als das eigentliche Ausdrucksmittel dieser Zeit zu legitimieren. Das ist ein Ereignis, das nicht allein die Schweiz angeht und sie vielleicht sogar in einen gewissen Aufruhr versetzt, weil es den Anschein hat, als habe sich Max Frisch, der Schweizer, von der literarischen Überlieferung seines Landes losgesagt, von der er in einer der zahlreichen Partien des Buches, die ein offener Affront gegen die schweizerische Selbstzufriedenheit sind, mit der unverhohlenen Geringschätzung des »Modernen« sagt, »eine gewisse Wehmütigkeit, daß das neunzehnte Jahrhundert immer weiter zurückliegt«, scheine die wesentlichste Aussage im schweizerischen Schrifttum zu sein. Es wäre denkbar, daß man gegen Max Frisch zu Felde zieht, weil es ihm an dem gebotenen Respekt für Gottfried Keller mangele, der seinerseits das heilige Gesetz der Einheit von Raum und Zeit so meisterlich respektiert habe, daß jeder Abfall von diesem sakrosankten Gebot zu einer Art von literarischem Landesverrat werde. Es scheint indessen, daß dies ein ebenso großes Mißverständnis Kellers wäre wie ein grobes Mißverständnis der Treue, die Max Frisch in einer Aufzeichnung über sich selbst bekennen ließ, daß er den *Grünen Heinrich* in einer Zeit gelesen habe, als ihn zum ersten Male »die ernsthafte Vorstellung, daß das Leben mißlingen kann«, wie ein Schock traf, und daß ihn eben deshalb dieses Buch »seitenweise bestürzte wie eine Hellseherei«.

Die ernsthafte Vorstellung, daß das Leben mißlingen kann: genau das ist das Thema des Romans Stiller. Gegen Anatol Ludwig Stiller, Bildhauer, zuletzt wohnhaft in seinem Atelier an der Steingartenstraße in Zürich und verschollen seit 1946, besteht irgendein Verdacht, den die schweizerische Justizbehörde aufklären will, nachdem ein Mann mit einem offensichtlich falschen Paß bei der Einreise in die Schweiz als der Verschollene erkannt und in Untersuchungshaft gesetzt wurde. Sein Verteidiger gibt ihm den Auftrag, einfach die Wahrheit über sein Leben aufzuschreiben, jene schlichte und pure Wahrheit, von der man allgemein annimmt, man brauche nur getreulich die Daten eines Lebens aneinanderzureihen, Wort um Wort, Zeile um Zeile, um sie, in einen Aktendeckel gebunden und mit dem Etikett des jeweiligen Namens versehen, als das untrügliche Bildnis eines Menschen getrost nach Hause tragen zu können. Aber Stiller, welcher der Schweiz und seinem alten Leben den Rücken gekehrt hatte, seiner Frau, seiner Geliebten, seinen Freunden, seinem Beruf – er ist nicht mehr jener Mann, den die Behörden und den auch die Gefährten seines alten Lebens in ihm zu entdecken glauben, nein: in den sie ihn zurückzuverwandeln suchen, indem sie sich an das Bild klammern, das sie sich einmal von ihm gemacht hatten und von dem er selbst sich abwandte, weil es ihn hinderte, er selbst zu sein. Was also soll er, mit der Füllfeder in der Hand, in die Hefte schreiben, die ihn der Verstellung oder gar der Lüge überführen sollen, wenn man alles erzählen kann, »nur nicht sein wirkliches Leben«? Nicht der Erfolg, der ausblieb, nicht das künstlerische Versagen, nicht die Enttäuschung, die seine Frau ihm und die er ihr bereitete, nicht die Bedeutungslosigkeit seines Lebens und die Schwäche des Charakters, die ihn schuldig werden ließ gegenüber allen, die etwas von ihm erwarteten – nichts von all dem war es, was ihn vertrieben hatte. Alle hatten sie sich ein Bildnis von ihm gemacht, hinter dem seine Identität zu einem Phantom erstarrte, nur weil er selbst es zuließ, daß sie ihn mit der Rolle verwechselten, die sie ihm aufdrängten und die ihn zwang, sein Leben in der Verstellung vor sich selbst zu leben. Also war er geflohen, um den alten Stiller der Vergessenheit zu überantworten, und war zurückgekehrt als einer, der sich verwandelt hatte, als ein neuer Stiller, der ein anderer und dennoch der gleiche, der gleiche und dennoch ein anderer war. Betroffen von der Unwahrscheinlichkeit des Daseins, steht er weit jenseits aller Melancholie bloßer Selbsterkenntnis. So ist jedes Wort zugleich falsch und wahr: falsch, weil das alte Leben wie ein wesenloser Schatten aus ihm entwichen ist, wahr, weil in seinem Bewußtsein Realität und Imagination identisch geworden sind.

Die Frage nach dem Wesen der Wahrheit steckt in jedem Wort dieses Romans wie der Blitz in der Wolke. Aber wie findet der Mensch, dem die Gewißheit von der Existenz einer übermenschlichen Instanz abhanden gekommen ist, die Grenze, an der sich die »Selbstannahme« in Freiheit von anarchischer Anmaßung scheidet? Das ist ein psychologisches nicht weniger als ein moralisches Problem, und dieses als die »Selbstentfremdung« des modernen Menschen zu bezeichnen, entpuppt sich fast stets als der frivole oder auch nur romantische Versuch, seine »Einsamkeit« mit einem psychoanalytischen Etikett zu versehen und die Antwort auf jene Frage nach dem Wesen der Wahrheit den Theologen zu überlassen. Nicht so Max Frisch, obwohl er im Nachwort des Staatsanwalts diesen einmal Stillers Versuch, sich selbst anzunehmen, »ohne so etwas wie Gott anzunehmen«, als eine »Unmöglichkeit« bezeichnen läßt. Die faszinierende Charakterstudie des modernen Menschen, die Max Frisch in diesem Roman gezeichnet hat, gibt keine Gebrauchsanweisungen für Zeitgenossen, die sich nicht zurechtfinden in den dunklen Bezirken zwischen der »Realität« und dem »Traum«, der das Leben doch ist. Wenn der moderne Mensch einen Lebensstil hat, muß er in der Spannung liegen, die sich im Zusammenprall der äußeren und der inneren Wirklichkeit selbst erzeugt wie bei diesem Mann Stiller. Die Unwiderruflichkeit der Erfahrung und der Entschluß zur »Selbstannahme« – das ist die dialektische Situation, in der Erinnerung und Selbstbewußtsein des Individuums zur Einheit der Existenz verschmelzen. So hat Max Frisch in Bildern von großer Schönheit und in einer Sprache von schöpferischer Einfachheit Raum und Zeit in ein Geflecht vielfältiger Spiegelungen verwoben, in deren gesammeltem Licht das mittelmäßige Leben eines Mannes dieser Zeit repräsentativen Glanz empfängt. Nicht den Glanz der Größe, aber den Glanz der Folgerichtigkeit, des tiefen Ernstes – und der Wahrheit.

Die Gegenwart 1954

[23] Franz Schonauer
Ein Mann namens Stiller

In seinem Tagebuch schreibt Max Frisch zur zeitgenössischen deutschen Lyrik:

> Das Banale der modernen Welt (jener Welt) wird nicht durchstoßen, nur vermieden und ängstlich umgangen. Ihre Poesie liegt immer vor dem Banalen, nicht hinter dem Banalen. Keine Überwindung, nur Ausflucht – in eine Welt nämlich, die schon gereimt ist, und was seither in die Welt gekommen ist, was sie zu unserer Welt macht, bleibt einfach außerhalb ihrer Metaphorik...

In dem Zusammenhang fordert Frisch von den Dichtern, »nicht zu dichten, was die Vorfahren gemäß ihrem Bewußtsein zur Poesie gebracht haben, sondern wirklich zu dichten, unsere Welt zu dichten.« Gleiches trifft ebenfalls auf den deutschen Roman der Gegenwart zu, gleiches wäre auch von ihm zu fordern. Ausdruckskunst also, sprachlich-metaphorische Vergegenwärtigung unserer Welt. Diese Forderung auf das Epische bezogen, heißt vom Banalen Notiz zu nehmen, ja, es ausdrücklich miteinbeziehen, heißt weiterhin Wirklichkeitserfassung mit den Mitteln hoher Bewußtheit. Diese äußerste Differenzierung des Bewußtseins, über die das epische Ich verfügt, mit dem es operiert, schließt den Zufall aus, es arbeitet konstruktiv, sichtet, verwirft und fügt zusammen, es bedient sich der Distanz ebenso wie der Nähe, der Improvisation wie der literarischen Bildung. Kurz: es bedient sich der Möglichkeiten, die die Zeit bietet; auch daß es nicht für den Leser, sondern für sich schreibt, um Antwort sich geben zu können auf die Frage: was bin ich? scheint von außerordentlicher Wichtigkeit. Und nur so – dünkt uns – entsteht heute ein Roman, der nicht Unterhaltungsware ist, sondern Kunst.

Max Frischs Buch *Stiller* steht in einer Tradition, es wäre ohne Proust, Joyce, aber auch Mann und Musil nicht denkbar; so spielt das Zeitproblem in ihm eine wichtige Rolle, die Ambivalenz von objektiver, chronologischer Zeit und subjektiver, erlebter Zeit, dazu das merkwürdige Gefühl, von den Dingen immer weiter abzurücken, ihnen nur noch in der Reproduktion zu begegnen. In die sich verbreiternde Lücke zwischen Ich-Welt und Objekt-Welt dringen die Bildungen der Reflexion und der Ironie ein. Schließlich wäre da noch die Frage der Identität, die Frage also, ist das Ich von heute gleich dem Ich von gestern, ein Problem, um das es in der modernen Literatur unausgesetzt geht. So heißt es bei Gottfried Benn: »Es gibt nicht mehr den Menschen, sondern nur noch seine Symbole«; oder an einer anderen Stelle: »Ausdruckskrisen und Anfälle von Erotik: / das ist der Mensch von heute, das Innere ein Vakuum, / die Kontinuität der Persönlichkeit / wird gewahrt von den Anzügen, / die bei gutem Stoff zehn Jahre halten«.

Max Frischs Roman rückt diesen antibiographischen Zug des modernen Menschen in den Mittelpunkt: es geht hier um die Kontinuität der Persönlichkeit, um die Identität des heutigen mit dem gestrigen Ich. Stiller will nicht mehr Stiller sein, er verläßt seine Frau, seine Freunde, seine Heimat und ist verschollen für sechs Jahre. Als Mr. White kehrt er zurück, wird des Verdachtes wegen, der verschollene Stiller zu sein, an der Schweizer Grenze verhaftet und in ein Gefängnis gesteckt. Dort, in der Zelle, schreibt er seine Geschichte, weniger für den Verteidiger oder den Staatsanwalt als für sich. Zum Beginn dieser Niederschrift klaffen Gegenwart und Vergangenheit weit auseinander, erst in einem langsamen Erinnerungsprozeß rücken die Bilder sich näher. Zur völligen Deckung kommen Einst und Jetzt jedoch nicht, denn bis zum Schluß weigert sich Stiller, mit dem Menschen gleichen Namens, den seine Frau, seine Freunde gekannt haben, identisch zu sein. Erst das Urteil des Gerichts zwingt ihn zu dieser Rückkehr. Merkwürdig, daß danach der Lebensbogen Stillers absinkt, auch die wiederkehrende Liebe zu Julika hält den Abstieg nicht auf, es ist wie es ist, der Kreis schließt sich im Unabänderlichen, in der Neurose, in der Einsamkeit. Julika stirbt und Stiller lebt allein in einem verwahrlosten Landhaus in der Nähe des Genfer Sees. Der Eros ist keine Macht mehr in der modernen Literatur: auch hier ändert er nichts und bewirkt keine Probleme, er ist allenfalls eine schöne Konvention, ein Anfall von Gefühl, ohne Einfluß auf den Weg dieses negativen Helden.

Das etwa ist die Thematik des Buches, ein Zeitroman, ein Roman der Zeit; bei zurücktretender Handlung überwiegt das Reflektorische, der kritische Aspekt. Literatur und Dichtung zugleich. Neben Thomas Manns *Felix Krull* das bemerkenswerteste epische Ereignis deutscher Sprache in diesem Jahr.

Bücherkommentare 1954

[24] Kurt Lothar Tank

Schuld: ein Weg zur Wirklichkeit

»Stiller« – ein Roman wider die Selbstreflexion

Vom Stoff her gesehen, ist *Stiller* ein in kultivierten Kreisen spielender Eheroman unserer Zeit. Der Autor Max Frisch, neben Dürrenmatt der bedeutendste Dramatiker der Schweiz, bedient sich eines Tricks. Er erzählt die Lebensgeschichte seines Helden, des Bildhauers Anatol Stiller, zugleich in der ersten und in der dritten Person. Dieses Kunststück gelingt ihm, weil sich Stiller weigert, der seit Jahren aus der Schweiz verschwundene Bildhauer gleichen Namens zu sein. Seit seinem Selbstmordversuch leidet Stiller an einer Selbstentfremdung. Während der Untersuchungshaft zeichnet Stiller, der mit Menschen seines früheren Lebens zusammengeführt wird, seine eigenen Erlebnisse auf, als wären es die eines anderen. Das ergibt höchst interessante Spiegelungen und Spannungen. An den Kern der Dinge aber, an die Wirklichkeit, kommt Stiller damit nicht heran. Er klammert nämlich seine Schuld aus. Eben dieser »blinde Punkt« im Auge des Ich-Menschen Stiller ermöglicht Max Frisch, die Schuld als Schuld am Nächsten erkennen zu lassen und sie damit gleichzeitig dem Leser als eigene Schuld vor Augen zu führen. So bewirkt der Autor eine Katharsis, eine Reinigung. Er sprengt den Elfenbeinturm der Selbstreflexion, er hilft uns, »die Melancholie der bloßen Selbsterkenntnis« zu überwinden.

Insofern bedeutet das phantasievoll bunt geschriebene und mit reicher Anschauungskraft gesättigte Buch etwas Neues im Bereich der Kunstprosa. Der Schattenmensch, den Kafka und seine Nachahmer mit einer sich allmählich abschwächenden Monotonie beschworen haben, füllt sich hier gleichsam mit Blut. Ähnlich wie in der bildenden Kunst setzen sich nun auch in der Literatur abstrakte Formen und Figuren in Bewegung, sie durchbrechen den magischen Bann der Selbstbespiegelung und steigen Stufe für Stufe zurück in die Realität, die sie lange gemieden und verachtet haben.

In der (zuweilen nur unterhaltsam-romanhaft erzählten) Ehegeschichte Stillers, die sich mit dem Lebens- und Erkenntnisweg des (fast unwahrscheinlich verständnisvollen) Staatsanwaltes kreuzt, werden die Möglichkeiten erwogen und ausprobiert, rein vom Ich her das Leben sinnvoll zu gestalten. Alle diese Möglichkeiten erweisen sich als Irrweg. Es gelingt nicht, das Du und die Verantwortung für den Nächsten auszuschalten. Der Mensch richtet sich zugrunde, wenn er versucht, als ein einzelner zu leben; die Folge sind Selbstüberforderung und Selbstentfremdung. Beide Extreme stehen in engem Zusammenhang. Einsamkeit ist kein letzter, kein höchster Wert, wenn sie erkauft wird durch Gleichgültigkeit sich selbst gegenüber. Denn eine solche Gleichgültigkeit tötet nicht nur den, der sie am eigenen Leibe, an der eigenen Seele erträgt; sie führt zum Mord an jedem Menschen, der in den Bannkreis dieses Gleichgültigen gerät.

Zur Unterhaltung seines Gefängniswärters erzählt Stiller einige »Morde«, die er begangen hat. Der Leser durchschaut den höchst amüsant und kunstvoll erzählten Schwindel schnell, und doch packt ihn ein Schauer: es sind in diesen exotischen Mordgeschichten gleichnishaft jene Seelenmorde eingewickelt, die wir tagtäglich begehen oder beobachten können. Es sind auch in den Gesprächen, den Geständnissen und halben Geständnissen, den beabsichtigten und ungewollten Kränkungen, Beziehungen zu unser aller Leben zu finden, und es fehlt nicht an aktuellen polemischen Hieben (vor allem gegen die Schweiz).

Auf die mehr als 500 Seiten umfassenden Aufzeichnungen des Häftlings Stiller folgt das kurze »Nachwort des Staatsanwaltes«. Aus ihm wird deutlich, daß ein Mensch wohl einen anderen Menschen aus eigener Kraft seelisch zu töten, daß er ihn aber nicht aus eigener Kraft wieder aufzuerwecken vermag. Der Staatsanwalt, der Stillers Freund geworden ist, möchte den Bildhauer abbringen von der »irren Erwartung, daß wir einen Menschen verwandeln können, einen andern oder uns selbst«; er will ihn befreien von dieser »hochmütigen Hoffnungslosigkeit«, und so gibt er ihm einen Rat: »Lernt beten füreinander.« – »Beten will gekonnt sein«, erwidert Stiller.

Sonntagsblatt (Hamburg) v. 16.1.1955

[25] Christian Ferber
Der Fluchtversuch des Herrn Stiller
Dem Schweizer Max Frisch gelang ein großer Roman

Es gibt Leute, die mit Beharrlichkeit immer von neuem das Gerücht lancieren, mit dem Roman als Kunstform sei es nun ein für allemal vorbei. In unseren Tagen, sagen sie, hätten sich alle physikalischen, geistigen und künstlerischen Verhältnisse dermaßen verändert, daß es mit dem einfachen Erzählen vom Menschen und seiner Entwicklung nicht mehr getan sei. Und es gibt auch immer wieder Leute, die diesen Untergangspropheten Glauben schenken. Die Propheten sind nämlich meist Essayschreiber, geschickte Denkspieler, und es ist schwer, sie mit Theorien zu widerlegen; man braucht das aber zum Glück auch nicht zu tun – diese Mühe wird den Anhängern des Romans von den Tatsachen abgenommen.

Eine solche Tatsache ist der Roman *Stiller*. Der Autor dieses Romans – eines der erfolgreichsten des Winters – ist ein Architekt aus Zürich, von dessen Theaterstücken seit 1945 mit Recht viel die Rede ist: Max Frisch, geboren 1911.

Ein sehr unruhiger Mensch, dieser Max Frisch. Die Universität mit ihrem »warenhaushaften Nebeneinander« irritierte ihn. Mit 22 Jahren wurde er aus Geldnot Journalist, verbrachte viel Zeit auf dem Balkan und am Schwarzen Meer. Mit 25 Jahren ging er dann noch einmal auf die Schulbank zurück, um Architekt zu werden. Er wurde es, trotz Mobilmachung und Dienstpflicht, aber das Häuserbauen genügte ihm nicht, er konnte das Schreiben nicht lassen. Ein erster Roman 1943, eine Ermunterung des Dramaturgen Kurt Hirschfeld, es doch auch mit dem Stückeschreiben zu versuchen. Noch ein Prosastück *Bin oder die Reise nach Peking* (bei Suhrkamp), dann als erstes Bühnenstück die Romanze *Santa Cruz*. Danach, 1945, eine Art von Requiem: *Nun singen sie wieder*.

Mit schöner Dickköpfigkeit hat sich Frisch damit und fortan immer wieder bei allen möglichen Leuten unbeliebt gemacht. Mit dem Requiem bei den Nationalisten, mit dem *Tagebuch 1946-1949* bei Deutschen, Schweizern, Demokraten und Kommunisten, mit der Komödie *Don Juan oder die Liebe zu Geometrie* bei den Muckern. Er kann es nicht lassen, jedermann die Meinung zu sagen. Wie einst im Warenhaus der Universität, versucht er jetzt im Warenhaus der Welt, alle Dinge auf eine gemeinsame Mitte zu bringen.

So entstand – ist man versucht zu sagen – der Roman *Stiller*. Stiller, ein Bildhauer, war vor sich selber nach Übersee geflüchtet. In dem Gefühl, daß nichts in seiner Existenz in Ordnung ist: nicht Ehe, nicht Freundschaft, nicht Arbeit. Nun kehrt er zurück, behauptet, gar nicht Stiller zu sein, und wird ins Gefängnis gesteckt. Die Behörden wollen von ihm das Geständnis, daß er Stiller sei – doch er leugnet beharrlich. Auf einen Vorschlag des Staatsanwalts zeichnet er seine Vergangenheit auf.

Er schreibt und mischt dabei tagebuchartig die Gegenwart mit hinein, die Konfrontierung mit seiner Frau, seinem Bruder, mit seinen Freunden und dem Mann seiner Geliebten. Er beginnt seine Frau von neuem zu lieben – als ein fremdes, entzückendes Geschöpf. Unter die Aufzeichnungen der Gegenwart und der Schweizer Vergangenheit mischen sich Impressionen aus Mexiko. Stiller streitet gegen sich selbst – und verliert: er wird dazu verurteilt, Stiller zu sein. Danach, hier berichtet nun der Staatsanwalt, erlebt Stiller den Tod seiner Frau und wird sich seiner Schuld bewußt: des Mangels an Liebe – zu ihr, zu allen Menschen.

Mit faszinierender Trockenheit, mit scheinbar müheloser Mischung von Vergangenheit und Gegenwart, von erlebtem und gewünschtem Leben setzt Frisch das Bild Stillers, des Menschen unserer Tage – und das Bild dieser Tage selbst zusammen. Der Roman ist das Buch eines Architekten, der im Plan eines weitläufigen Hauses nichts vergißt und dennoch unverkennbar dem Grundriß seine Handschrift aufprägt. Es ist das Buch eines Dramatikers, der die Steigerung des Konflikts, ohne erkennbare Bemühung meistert. Es ist aber endlich und vor allem das Buch eines Erzählers, der auch den abstraktesten Gedanken versinnlicht und der Gegenwart verschworen ist, ohne ihr zu verfallen.

Mit der Erinnerung an Joyce und Proust, die man gern als »Vorbilder« zitiert, ist da wenig gewonnen. Bedeutsamer erscheint ein Hinweis in Frischs autobiographischen Notizen, der Gottfried Kellers *Grünen Heinrich* den »besten Vater« nennt, »den man nur haben kann«. Von dem Geiste dieses Werkes ist mancherlei an Weltbetrachtungsweise und hintergründigem Spiel in den *Stiller* eingegangen. Von hier aus läßt sich erkennen, wie die Form des Romans im Weiterleben sich wandelt – dem Untergang so fern wie nur je. Denn der Roman wird erst sterben, wenn alle Erzähler den Kontakt mit dem Leben verloren haben.

Frisch sagt dazu:

> Die Ausübung eines doppelten Berufs, Schriftstellers und Architekten, ist natürlich nicht immer leicht, so manche segensreiche Wirkungen sie haben mag. Es ist nicht eine Frage so sehr der Zeit, aber der Kraft. Segensreich empfinde ich das tägliche Arbeiten mit Männern, die nichts mit Literatur zu schaffen haben; hin und wieder wissen sie, daß ich »dichte«, aber nehmen es nicht übel, sofern die andere Arbeit in Ordnung ist.

Welt am Sonntag v. 6.2.1955

[26] Rudolph Wahl
Schillerndes Spiegelbild unseres Selbst

Der Bildhauer Anatol Ludwig Stiller aus Zürich wollte nicht mehr er selber sein und verschwand – eine feige Flucht vor der Erkenntnis eigener Unzulänglichkeit und gleichwohl ein heldischer Entschluß zur Selbsterneuerung. Sechs Jahre später kommt der Amerikaner Mr. White in die Schweiz. Man erkennt in ihm den verschollenen Stiller, dessen seinerzeitiges Verschwinden mit Agententätigkeit und Spitzelmord in Zusammenhang gebracht worden war. Er wird verhaftet, um ihn der Identität mit jenem Stiller zu überführen. Hinsichtlich der bedenklichen Verdächtigungen hat er ein gutes Gewissen, aus diesem Grunde könnte er also getrost seine Identität mit Stiller eingestehen. Aber Mr. White hat nichts mehr mit ihm zu tun, er hat ihn abgestreift, ja, er weiß nicht einmal genau, ob er wirklich der Verschollene gewesen ist. Er will ein ganz und gar anderer sein, wird sich aber – nicht allein durch Konfrontationen und Indizienbeweise – allmählich doch darüber klar, daß Mr. White genauso unzulänglich geblieben ist, wie Ludwig Stiller es war, der beliebte, wenn auch nicht übermäßig erfolgreiche Bildhauer, ein Mann, der nur zur »linken Hand« seiner selbst leben konnte, jeglicher Festlegung aus dem Wege ging, kurzum, der eher der platonischen Idee von seiner Existenz als dieser selber angehangen hat. Und darum ist jener Stiller vor sich selbst und jenen beiden Frauen, mit deren Liebe er nichts anzufangen wußte, geflohen. Aber, was er mit dieser Flucht, einem sechsjährigen Abenteuer durch Nord- und Südamerika, hatte erreichen wollen: sich selbst zu finden, das war mißlungen. Er besaß dieses »Selbst« in der schemenhaften Maske des Herrn White so wenig wie als Herr Stiller.

Man könnte angesichts solcher Thematik befürchten, daß es sich bei dem umfangreichen Roman um nichts anderes als die Geschichte eines Neurasthenikers handle, den belanglosen Bericht von männlich-menschlicher Banalität. Statt dessen aber wird man schon auf den ersten Seiten von einer geradezu bestürzenden Erzählkunst fasziniert und persönlich zum Miterleben aller Phasen dieses Kampfes zwischen White und Stiller eingespannt. Um das Kriminelle geht es längst nicht mehr. Es geht um den aussichtslosen Kampf des Menschen, der aus einer neu aufglimmenden Liebe zur damals verlassenen Julika vergeblich Hoffnung auf endlich zu erringende »Selbstannahme« schöpft – aussichtslos, weil es trotz aller sogenannten Einsatzbereitschaft auch heute noch an dem entscheidenden, nämlich dem Einsatz selber fehlt.

Dieser Kampf wird mit einzigartiger Gestaltungskraft geschildert. Er wirkt doppelt eindrucksvoll, weil er sich nicht unmittelbar, sondern im Spiegelbild des Geschehens, in höchst subjektiven Aufzeichnungen des Gefangenen äußert, ein oft chaotisch anmutendes Durcheinander von echtem Erleben und gespielter Beobachtung. Immer aber wird der strömende Gedankenfluß gerade dann, wenn er in allzu breiter Epik die Dämme dichterischer Ordnung zu sprengen scheint, von der souveränen Kraft des Meisters wieder gebändigt und ins Ganze zurückgezwungen.

Alle menschlichen Höhen und Tiefen enthüllen sich in den Bekenntnissen dieses immer »Unverbindlichen«, das Geschick der schönen Julika, der tapferen Sibylle tritt daneben zum Greifen nah heraus, von denen die eine die überzarte »frigide« an diesem immer nur schillernden, niemals leuchtenden, niemals »strebend bemühten« und drum auch nie erlösten Stiller zerbirst, die andere, die Starke sich befreit. Dieses gleichsam nur nebenher aufgezeichnete Geschehen spielt vor einem grandios gestalteten Hintergrund der Schweizer Menschen und Landschaft; sarkastische Ironien, vernichtende Charakteristiken wechseln mit unvergeßlichen Milieuschilderungen, die bei aller Härte mitunter von zartester Innigkeit erfüllt sind. »... Für Augenblicke ist es, als stünde die Zeit...« so liest man plötzlich im tiefsten berührt, »Gott schaut sich selber zu und alle Welt hält den Atem an, bevor sie in Asche der Dämmerung fällt.«

Max Frisch, dem Schöpfer dieses Werkes, gebührt mehr als anerkennende Bewunderung. Wir schulden ihm ganz einfach Dank. »... Denn dieser Bericht vom armseligen Stiller, dem ›Helden wider Willen‹, der vor seiner eigenen Unzulänglichkeit ins Nichts zu fliehen sucht, um schließlich doch im Unzulänglichen Genüge finden zu müssen, ist ein im gebrochenen Facettenlicht schillerndes Spiegelbild unseres Selbst, weil wir alle ein Stück von Stiller in uns tragen.«

Münchner Merkur v. 8.2.1955

[27] Hugo Bruggisser
»Stiller«. Zu dem neuen Roman von Max Frisch

Max Frisch, nun in künstlerischer Mitte des Lebens, hat sich neuerdings exponiert. Wenn man von seinem Roman *Stiller* spricht, der vor einem halben Jahr bei Suhrkamp in Frankfurt erschienen ist, kommt man sich schon leicht verspätet vor. Auch Bücher dürften das Tempo ihrer Wirkung gesteigert haben. Über den Roman mit dem geflüsterten Namen *Stiller* sind schon so viele laute Dinge gesagt worden – Lob, Spott und Entrüstung –, daß man meint, ein solches Buch müsse sich erst ein wenig ausruhen. Dabei sind die lauten literarischen Meinungen nur Echos seiner eigenen Lautstärke. *Stiller* wird viel gelesen. Die erste Auflage ist bereits mehrmals nachgedruckt worden. Die französische Übersetzung haben die Editions Bernard Grasset in Paris übernommen. Und in Braunschweig hat sich Max Frisch für seinen Roman den Raabe-Preis holen dürfen.

»Ich bin nicht Stiller!« heißt der erste Satz auf der ersten Seite. Stiller, ein vorwiegend unsympathischer Mensch, Bildhauer von mittelmäßiger Begabung, kehrt nach siebenjährigem Amerika-Aufenthalt unter dem Namen White mit amerikanischem Paß in die Schweiz zurück. Stiller ist Zürcher. Er wird wiedererkannt, aber er leugnet seine Identität. Der ausführliche gerichtliche und seelische Prozeß, der um die Entzifferung der Person des merkwürdigen Mannes sich abspielt, wird von Stiller im Gefängnis aufgezeichnet. In den Aufzeichnungen wird der Häftling seiner Vergangenheit gegenübergestellt, seiner Heimatstadt, der früheren Gattin, der ehemaligen Geliebten, seinem Bruder und seinen Freunden. Sein ganzes gewesenes Leben wird ihm in der Rückschau vorgestellt. Anatol Ludwig Stiller – wir wissen genau, daß er es ist – leugnet hartnäckig diese Vergangenheit, nicht aus Gedächtnisschwäche, sondern eher aus überzüchtetem Bewußtsein seiner selbst. Stiller exponiert sich damit, und Max Frisch exponiert sich in ihm. Dieser Mann Stiller-White, versagend auf der ganzen Linie, ist fast nur mit sich selber beschäftigt, jedenfalls dort, wo seine Vergangenheit aufgedeckt wird. Stiller – das Ich des Romans – ist eine aufdringliche Existenz. (Graf Oederland war es auch, Don Juan ebenfalls: Existenzen, die sich entblößen, um mit ihrem Widerspruch zu reizen, mit ihrer Unvollkommenheit, mit ihrer Unbestimmtheit, mit der Selbstbewußtheit des Verruchten – eine moderne Form geistiger Exhibition.) – Aber Stiller unterscheidet sich von seinen Vorfahren in Frischs Werk. Er stellt zwar Summe und Verfeinerung der intellektuellen Traumfigur des Dramatikers dar; aber Stiller ist umfassender, reicher, er strahlt aus – er lebt wirklich (genauer: er hat gelebt). Und vor allem das: über Stiller ist ein Prozeß verhängt, den er selber heraufbeschworen – wir müssen Geduld haben mit ihm, denn das Urteil muß bald gesprochen werden.

Stiller wird nicht die Liebe der Leser gewinnen. Sie werden ihn auch nicht hassen. Aber diese Gestalt versteht es, einen immer wieder aufzuregen. »Aufregend« ist ein modisches Prädikat in der Sparte der Buchbesprechungen, darum fragwürdig geworden. Stiller ist zwar aufregend in seiner Frechheit, in der Lieblosigkeit, mit der er die Intimität seiner gescheiterten Ehe preisgibt, Frauenbildnisse von starker, wirklicher Intensität aufzeichnet (Gides *Ecole des femmes* funkelt in der Erinnerung auf) – um diese Frauengestalten aufzudecken: sie drohen immerzu zerrüttet zu werden. Stiller weiß, daß man ihn Nihilist genannt hat – er spottet darüber. Wo ihn das Gericht – das symbolische Gericht der Zeit über einen Menschen – fassen möchte, flunkert er von phantastischen Erlebnissen in Kalifornien und Texas, die für die Beweisführung der rechtlichen Instanzen nicht von Belang sind. Er holt weit aus; *Stiller* ist in einem Sinn ein strahlendes Buch – wir müssen Geduld haben. In dem Augenblick, da Stiller seine Identität leugnet, hat er im Grunde mit seinem früheren Leben schon abgerechnet. Der Prozeß ist für ihn ein Nachtrag, notwendig auch darin, daß Zeit und Ort, in die er von der Fremde her gleichsam zurückfällt, seine Wandlung nicht mitgemacht haben. Stiller entlädt die Spannung dieser Diskrepanz in spöttischer Kritik an der zürcherischen Kleinbürgerlichkeit, an den Vertretern der Armee, an der schweizerischen Stadt- und Ortsplanung, am Touristengeschäft, an der phrasenhaften schweizerischen Geschäftstüchtigkeit, an unserer »materiellen Perfektion«, an der heutigen Lebensform der Schweiz überhaupt; Stiller nennt sie verlogen. Er selber leugnet und flunkert, aber er lügt wenigstens nicht; wir glauben es ihm. Übrigens kann nur ein Schweizer die Schweiz so kritisieren, einer, dem sie nahegeht, weil er sie will. Der durchschnittliche Schweizer Leser aber wird da und dort leer schlucken müssen, wenn er Stillers Kritik vernimmt. Wer die von Frisch redigierte Broschüre *achtung:* [*die*] *Schweiz* noch nicht gelesen hat, findet sie im Roman im Hauptanliegen vorweggenommen. (Die Broschüre ist vor ein paar Monaten im Verlag F. Handschin, Basel als Nr. 2 der Basler politischen Schriften herausgekommen.) – Broschüre und Roman sind in ähnlicher Weise aufregend. Max Frisch ist stark und präzis geworden in der verblüffenden Formulierung seiner Kritik; seine Kritik hat an Glaubwürdigkeit gewonnen. Irgendwo ist nun die Schweiz so, und in manchem Punkt sind wir alle auch in das

Porträt Stillers einbezogen. Stiller ist kein Einzelfall. Das ist aufregend.

Max Frischs Roman ist vielschichtig und episodenhaft gebaut. Die gelegentliche Zudringlichkeit von Stillers Ironie, seine Redseligkeit – er hört sich gerne selber zu! – wird geschickt ausgewogen durch Seiten prachtvoller Schilderung: amerikanische und schweizerische Landschaften leuchten auf, ein Gang durch Tropfsteingrotten und der Besuch eines Negergottesdienstes – hier ist poetischer Reichtum zusammengetragen und gestaltet. Und dennoch wäre das dicke Buch die eifrige Diskussion nicht wert, wenn der seelische Prozeß Stillers seinen beiläufigen juristischen Prozeß um die Identität nicht weit überflügeln würde. – Stiller sucht seine Wirklichkeit. Er ist seiner scheinbaren Wirklichkeit entflohen. Sein Leben war eine Erdichtung seiner selbst. In der Fremde hat er sich selber gefunden. Darum kehrt er als Fremder, als Neuer zurück. Wir müssen uns selber genauso annehmen, wie wir geschaffen sind. Alles andere ist Selbstüberforderung, ist Lüge gegen sich selbst, ist Lähmung der wirklichen Existenz. Wer sich anders glaubt, als er ist, bleibt von der Liebe ausgeschlossen: hier liegt das Wichtigste. In dieser Einsicht führt Stiller seinen bisweilen amüsanten Prozeß – als Gegner seines Verteidigers. Er weiß dabei manches über die Liebe, über die Frau und über die Freiheit zu sagen. Aber solange er noch im Gefängnis sitzt, glaubt man ihm nicht die neue, nun wahrhaftige Selbstverwirklichung. Der Mensch erlöst sich ja nicht selbst für die Wirklichkeit. Stiller erhält in dem Buch auch kaum Gelegenheit, sich darzulegen. Denn eine größere Einsicht überfällt ihn zum Schluß. Um ihretwillen – möchte man hoffen – ist das Buch geschrieben: den weiten Weg eines wahrhaftigen Zweiflers darstellend, der, zuerst ahnend und dann empfindend, Wörter auf seiner Zunge versucht, die er aus Wahrhaftigkeit bisher vermieden hat: »Engel« – »beten lernen füreinander« – »glauben«. Nicht einmal Stiller selbst spricht soviel aus, einiges formuliert sein Freund für ihn, der Staatsanwalt. Stiller aber sagt schließlich von einer Klarheit, die sich nicht aussprechen läßt (möchte es ihm vergönnt sein, sie einmal doch auszusprechen!) – Die größere Einsicht aber heißt: Der Mensch verwirklicht sich nicht aus sich selbst.

Manche Romane enden heute in dieser Ahnung Gottes – nicht alle so vorsichtig, so tastend, so ganz noch in Zweifel und Scheu wie der Roman von Max Frisch. Das ist schön an dem Buch; es wirkt ehrlich.

Aargauer Volksblatt v. 14.5.1955

[28] Anneliese de Haas
Der doppelte Bildhauer

An der Schweizer Grenze wird ein Mann festgenommen. Er nennt sich Mr. White. Sein Paß ist gefälscht. Mr. White ähnelt einem seit Jahren verschollenen Züricher Bildhauer namens Stiller. Der Verdächtige wird, nachdem er dem Grenzer eine Ohrfeige verpaßt hat, in Untersuchungshaft genommen. Sein erster Satz lautet: »Ich bin nicht Stiller«. Aber man identifiziert ihn mühelos. Weshalb verwahrt sich Mr. White über mehrere hundert Buchseiten, über mehrere Wochen der Haft dagegen, Stiller zu sein? Antwort darauf gibt das Leitmotiv, das Max Frisch seinem ersten Roman vorangestellt hat. Es stammt von Kierkegaard: »... indem die Leidenschaft der Freiheit in ihm erwacht..., wählt er sich selbst und kämpft um diesen Besitz als um seine Seligkeit, und das ist seine Seligkeit.«

Es interessiert die Schweizer Behörden nicht, daß ein Bürger seine einstige Existenz über hat, sich wandeln will und zum Zeichen dieser »Wandlung« seinen Beruf, seine Frau, seine Freunde, seine Geliebte (die Gattin des Staatsanwalts) aufgibt, sich einen anderen Namen zulegt, in die Staaten reist und sich zwischen New York und Mexiko herumtreibt. Stiller ist ein Emigrant seiner selbst. Er wehrt sich dagegen, daß die Vergangenheit und die Zeugen seiner Vergangenheit seine »Wandlung« zurücknehmen könnten:

> Man kann alles erzählen, nur nicht sein wirkliches Leben; – diese Unmöglichkeit ist es, was uns verurteilt, zu bleiben, wie unsere Gefährten uns sehen und spiegeln, sie, ... die sich als meine Freunde bezeichnen und nimmer gestatten, daß ich mich wandle..., nur um sagen zu können: »Ich kenne dich«.

(Leider sitzt im Kern ein solches Deckzitat; Max Frisch schreibt sonst besser.)

Die Gefängniszelle ist eine Art »Zauberberg« von Max Frisch:

hier tauchen alle Figuren auf und er schreibt sein Tagebuch mit Rückblende, Gegenwartsaufriß, meditativen Einbrüchen und einer Menge amüsanter Kurzgeschichten, die er seinem Wärter erzählt. Max Frisch alias Mr. White baut aus den verschiedenen Zeugenaussagen Stillers Vergangenheit zusammen. Der gefangene Mr. White steht zu Stiller in trockener Distanz, er findet ihn nicht eben erträglich. Als Chronist seiner eigenen Lebensgeschichte verliebt er sich in seine ehemalige Frau: nicht so, wie sie Stiller sie geliebt hätte, sondern als ein Verwandelter oder schlichter: als ein Veränderter. Aber sie liebt den »doppelten Bildhauer« genauso, wie sie Stiller liebte. Das ist ja ganz klar. Und damit fängt die Geschichte wieder von vorn an.

Sie, Julika, war Tänzerin, frigid, schön, lungenkrank, immer schonungsbedürftig, erotisch nicht sehr ergiebig (Stichwort: Davos, von dem Frisch sagt, es sei so, wie Thomas Mann es beschrieben hat). Er, Stiller, der ehemalige Bildhauer, hat zwei Komplexe: 1. Mangel an Tapferkeit, er hat in Spanien nicht geschossen; 2. Mißtrauen gegen sein Künstlertum, er hält sich für mäßig. Julika hatte dem früheren Stiller darüber nicht hinweggeholfen, und die Geliebte interessierte sich mehr für den Bewohner seines Ateliers als für die dort entstandenen Plastiken und Skulpturen. Die Ehe zwischen Julika und Stiller findet sich in der Schwäche: Komplexe und Tbc. Darüber bricht beider künstlerische und menschliche Existenz zusammen. Ihr Überleben und seine Auswanderung waren im Grunde vergeblich. Auch die Anknüpfung muß mißlingen. Das ist romantechnisch im Tagebuch des Staatsanwalts (zum Teil glänzend) erzählt.

Warum aber ermattet trotz der köstlichen erzählerischen Aufschwünge und Schußfahrten des Autors, warum ermattet der Leser immer wieder? Liegt es daran, daß Frisch immer wie Freud-Junior zu psychologisieren, das heißt zu explizieren anfängt, wo die simple Erzählung ihren Faden abgespult hat? Liegt es daran, daß der Roman mit fast 600 Seiten zu dick geraten ist, daß kein Lektor mit der Schere dareingefahren ist? Ich glaube, beides ist die Ursache. Trotzdem ist das Buch ein merkwürdiger Genuß. Es ist zu begrüßen, wenn schon nicht als Erquickung, so doch als das Werk eines szenenkundigen Romanciers, der sich – als bekannt guter Dramaturg – gefallen lassen wird, daß der Leser als Regisseur seiner Lektüre ihm ein Dutzend und mehr Seiten herausschneidet. *Darmstädter Echo* v. 14.5.1955

[29] [Anonym]
Max Frisch: Stiller

Unsere zeitgenössische Erzählkunst befindet sich nach den ungeheuren Erschütterungen und Einstürzen unseres Jahrhunderts wie alle Gebiete unseres geistigen Lebens in einem großen Umwandlungsprozeß. Sie ist auf dem Wege, aus den überholten Formen von gestern zu neuen Ufern zu finden. Heute sieht sie ihre Hauptaufgabe in der geistigen Auseinandersetzung mit der Zeit und sucht den verlorenen Sinn unseres Daseins wiederzufinden. Der Roman wurde Spiegel und Sinnbild der Existenznot des modernen Menschen, der bindungs- und beziehungslos, von unbegreiflichen und unbeeinflußbaren Mächten beherrscht, durch sein Leben geht. Der moderne Dichter ist kein Geschichtenerzähler im herkömmlichen Sinn mehr, kein Berichter sich vollziehenden Geschehens. Er ist zum Geschichtsdeuter geworden, zum Deuter unserer aus den Fugen geratenen Zeit. Die epische Handlung hat sich in gedankliche Reflexionen aufgelöst und der Roman ist Darstellung eines Menschentums geworden, das ganz aus dem Intellekt heraus lebt. Ohne Zweifel hat unsere moderne Epik dadurch an seelischer Vertiefung und Verinnerlichung gewonnen, was sie an poetischer und künstlerischer Schönheit verlor.

Als Wegsucher und Bahnbrecher von Format erwies sich der Deutschschweizer Max Frisch, 1911 in Zürich geboren und dort als Architekt und Schriftsteller wirkend. Sein Name dürfte bislang den meisten Lesern unbekannt geblieben sein, obwohl er als Verfasser wirkungsvoller Schau- und Hörspiele und eigenwilliger epischer Versuche die Aufmerksamkeit literarischer Kreise schon länger auf sich zog. Erst sein großer psychologischer und zeitkritischer Roman *Stiller* rückte ihn ins Licht der breiten Öffentlichkeit.

Eines Tages bricht der Bildhauer Anatol Ludwig Stiller aus dem ihm fragwürdig gewordenen Gefüge seines gesicherten bürgerlichen, aber nicht gemeisterten Lebens aus und verschwindet spurlos aus der Stadt, in der er bisher gewirkt hat. Er verläßt seine Frau, seine Geliebte, seine Freunde, sein Atelier und gilt sechs Jahre lang als verschollen. Als Mister White kehrt er plötzlich zurück, wird aber an der Schweizer Grenze unter dem Verdacht, der vermißte Bildhauer Stiller zu sein, verhaftet. Alle Proteste helfen ihm nichts; er muß in Untersuchungshaft. Nachdem er kein Geständnis ablegt, beauftragt ihn sein Verteidiger, die Wahrheit über sein Leben aufzuschreiben. Diese Aufzeichnungen aus der Untersuchungshaft bilden den Hauptteil des breit angelegten Romans. Mit der Gelassenheit eines Unbeteiligten berichtet er über die Aussagen der ihm gegenübergestellten Zeugen seines vergangenen Lebens und allmählich rundet sich mosaikartig ein Bild des verschollenen Stiller und seines nicht bewältigten Schicksals. Die chronologische Folge des Geschehens ist in Stillers Aufzeichnungen vollständig aufgehoben. In beständiger Überblendung von Vergangenheit und Gegenwart entsteht bruchstückweise der Daseinskampf eines Menschen, der glaubt, das Joch, das ihm Tradition und Erfahrung auferlegt haben, abwerfen und zu einem wahren Menschentum finden zu können. Man stellt den Häftling der verlassenen Frau, seinem Bruder, seiner Geliebten, seinen Freunden gegenüber. Alle erkennen in ihm den verschollenen Stiller, aber er will sich mit dem Vermißten nicht gleichsetzen lassen. Der Staatsanwalt befreundet sich mit ihm und bringt ihn kurz vor der gerichtlichen Verhandlung in die nähere Umgebung der Stadt und in sein verlassenes Atelier. Vom Gericht überführt, entschließt er sich endlich, sein wahres »Ich« anzunehmen. Er hat erkannt, daß es dem Menschen unmöglich ist, sich selbst zu entfliehen. Er fügt sich in sein Schicksal und führt mit seiner Frau ein einfaches Leben in der Einsamkeit am Genfer See. Von seinem Traum eines ungebundenen Daseins bleibt ihm nur das Bewußtsein der Schuld, die er auf sich geladen, und die er geduldig trägt.

Die philosophische und psychologische Gedankenfracht des Romans, seine erklügelte Erzähltechnik, vor allem die Auflösung jeder chronologischen Aufeinanderfolge stellen nicht geringe Anforderungen an die Folgewilligkeit des Lesers, aber eine unbeschwerte Lust am Fabulieren und eine große Farbigkeit seiner Darstellung zeichnen ihn vorteilhaft aus.

Ist *Stiller* nur ein interessantes literarisches Experiment oder schon Erfüllung neuer deutscher Epik? Auf die Frage wird erst die Zeit Antwort geben können. Eines steht fest: das Buch ist eine wesentliche Neuerscheinung des letzten Jahres, an der nicht vorübergehen kann, wer die Entwicklung unserer zeitgenössischen Erzählkunst kennen will.

Die Scholle 1955

[30] Wolfgang Böhme
Flucht vor sich selbst

In *Graf Oederland* hat Frisch »die verbrecherischen Anlagen der durchschnittlichen Menschen« aufgedeckt: »als ein Bedürfnis, aus dem Kerker des Alltags, der Ehe und der Sippe auszubrechen«. Und in *Don Juan oder Die Liebe zur Geometrie* hat er einen Mann geschildert, der »unfähig einer Bindung ans Du« ist. Der Roman *Stiller* ist eine Fortführung dieser Themenkreise. Auch in ihm macht der Titelheld den Versuch auszubrechen, hier: sich von seiner Vergangenheit zu trennen, indem er – nach einem Selbstmordversuch – bewußt-unbewußt den Entschluß faßt, seine Identität zu leugnen und ganz neu anzufangen. »Ich durfte mich entscheiden, ob ich noch einmal leben wolle... Näher bin ich dem Wesen der Gnade nie gekommen.« Und auch der tiefste Mangel *dieses* Mannes besteht in seiner Unfähigkeit zu lieben. So wählt er die falsche Frau, läßt seine Ehe scheitern, flieht in ein Liebesverhältnis und aus diesem nach Amerika.

Wie aber ergeht es ihm, nachdem er neu angefangen hat? Er kehrt in sein Heimatland, die Schweiz, mit falschem Paß und unter falschem Namen zurück, wird an der Grenze erkannt und verhaftet, mit seiner Vergangenheit – seiner Frau, seiner Geliebten, seinem Bruder und seinen Freunden – konfrontiert. Der Roman baut sich aus dem Reflex dieser Begegnungen (und Rückblenden) auf: »Stillers Aufzeichnungen im Gefängnis«.

Sie setzen mit dem lapidaren Satz »Ich bin nicht Stiller« ein und zeichnen die Bemühungen um ein neues Leben nach, die fast zu gelingen scheinen. Stiller verliebt sich in freier Entscheidung in seine (ehemalige) Frau und wundert sich, wie »der verschollene Stiller« sie mit »einem kalten Meertier« vergleichen konnte. Aber dann zeigt es sich, daß das Problem so nicht zu lösen ist: tatsächlich quälen die Eheleute einander bald wieder wie je. Die Frau stirbt, und erst über diesem Sterben begreift Stiller – zu spät! –, daß seine Liebesunfähigkeit nicht dadurch geheilt werden kann, daß er seine Vergangenheit und in ihr sich selbst ablehnt, sondern im Gegenteil gerade dadurch, daß er sich endlich einmal selbst »annimmt«, wie er ist, um so dann auch einen anderen Menschen mit allen seinen Eigenheiten tragen und sogar lieben zu können. Freilich erfahren wir darüber wiederum nur indirekt: aus den Ausführungen seines Staatsanwalts nämlich, dessen

»Nachwort« den Roman beendet.

Frisch will auf die Erkenntnis hinaus, daß es einem Menschen nicht erlaubt sein kann, sich selber zu entfliehen, daß ein Leben vielmehr nur dort gelingt, wo einer sich selbst zunächst einmal annimmt! »Jedenfalls weißt Du das Entscheidende... daß nichts erledigt ist, wenn einer sich beispielsweise eine Kugel in die Schläfe schießt...« Dem modernen Menschen mit allen seinen Verklemmungen und Fluchtgedanken wird der Fluchtweg abgeschnitten.

Nicht umsonst hat Frisch dem Roman ein Wort Kierkegaards vorangestellt:

> Sieh, darum ist es so schwer, sich selbst zu wählen, weil in dieser Wahl die absolute Isolation mit der tiefsten Kontinuität identisch ist, weil durch sie jede Möglichkeit, etwas anderes zu werden, vielmehr sich in etwas anderes umzudichten, unbedingt ausgeschlossen wird.

Es ist der stilistischen Kunst Frischs hoch anzurechnen, daß das Buch trotz dieser ethischen Abzweckung, trotz seiner Nähe zum philosophischen Traktat, so gut lesbar, ja so amüsant und überraschungsreich geworden ist. Ein Teil dieses Amüsements hängt freilich mit einer gewissen anti-bürgerlichen, anti-schweizerischen, salonbolschewistischen Attitüde des ehemaligen Spanienkämpfers Stiller zusammen, wobei es bei der vielfachen Verschlüsselung dahingestellt bleibt, ob die bissigen Bemerkungen nur zum Krankheitsbild Stillers gehören oder ob da der Autor selber hervorlugt. Wenn ja – was wir annehmen möchten –, hat er es jedenfalls keinem leicht gemacht, ihn an diesen Äußerungen aufzuspießen: »Ich bin nicht Stiller!« In gleicher Weise läßt Frisch uns im unklaren, ob er selbst ein wenig von der Mode des Freud-voll freudlosen »Psychotherapismus« angekränkelt ist, oder ob auch hier Stiller mit seinen Träumen, Phantasien und Exkursen über Entscheidungsschwäche, Frigidität und ähnliches nur in seiner Fluchtbewegung gekennzeichnet werden soll.

Am Ende wird durch den Staatsanwalt nicht nur eine philosophische, sondern eine religiöse Deutung des Geschehens versucht:

> Ihr foltert Euch nicht mehr Tag für Tag mit dieser irren Erwartung, daß wir einen Menschen verwandeln können, einen anderen oder uns selbst, mit dieser hochmütigen Hoffnungslosigkeit... Ganz praktisch. Ihr lernt beten füreinander.

Und er faßt zusammen:

> ... immer wieder hast du versucht, dich selbst anzunehmen, ohne so etwas wie Gott anzunehmen. Und nun erweist sich das als Unmöglichkeit. Er ist die Kraft, die dir helfen kann, dich wirklich anzunehmen.

Freilich, so richtig und wichtig diese Ratschläge sind, der Staatsanwalt (oder wieder auch sein Autor?) scheint keinen rechten Mut zur eigenen Courage zu haben. »Ich hatte ... geredet«, heißt es da weiter, »nur um vor seinem Weinen nicht ein stummer Zuschauer zu sein!« Warum eigentlich so verschämt? Von Gott läßt sich nicht beiläufig sprechen, nur um nicht ein »stummer Zuschauer« zu sein. Wenn Kierkegaard »religiös« redete, redete er, weil er reden mußte. Warum *muß* der Staatsanwalt nicht reden?

»Zeitwende« (Die neue Furche) 1955

[31] Helmut M. Braem
Leidenschaft der Freiheit

Wenn man von der jüngsten deutschsprachigen Dramatik spricht, erinnert man sich sofort des Schweizers Max Frisch. Wenn man nach den bedeutendsten Epikern deutscher Zunge des letzten Jahrzehnts fragt, wird man in Zukunft wiederum den Namen MAX FRISCH nennen müssen. Mit seinem neuen Prosawerk *Stiller* hat er sich in die Reihe derer gestellt, die uns den modernen Roman verheißen haben: Robert Musil und Hermann Broch, und im Ausland James Joyce, Marcel Proust und William Faulkner. Ihnen allen geht es nur um das eine: »die Wirklichkeit in der Zeit als Zeit zu erfahren«, wie es Siegfried Unseld treffend formuliert hat. Vergangenheit und Zukunft, Traum und Tat, sehnsüchtige Wünsche und reale Erinnerungen, sie sind mit dem Lauf des Uhrzeigers nicht meßbar, obwohl doch ihr gemeinsamer Schnittpunkt in der Zeit liegt und von der Gegenwart bestimmt wird. Aber das ist es ja gerade, daß diese Gegenwart nicht als seelenloses Hier und Jetzt empfunden werden kann, sondern sofort zeitlos wird, wenn wir uns ihrer bewußt werden; denn in jedem Augenblick ist die ganze Menschheit, die ganze Erdgeschichte, das Universum geborgen. Wer aber diesen Augenblick anrufen will, der kann es nur in der Darstellung der »inneren Zeit«, die das Ewige in sich trägt. Den es nach einer solchen Darstellung drängt, greift nach den Sternen. Aber nur die wenigsten Dichter der letzten fünfzig Jahre haben das schier Unmögliche gewagt und noch weniger haben es gewonnen. Max Frisch ist einer dieser wenigen.

Als ein Mann namens Stiller, der jedoch steif und fest behauptet, Mister White zu sein, zur Feststellung seiner Identität in Unterschungshaft genommen wird, wächst eine kahle Zelle ins Raumlose, und die Stunden des Tages und der Nacht vor dem vergitterten Fenster dehnen sich zu Jahrzehnten. Durch die verriegelte Tür treten Mexikanerinnen, Amerikaner und Schweizer, tritt Vergangenes und Erträumtes, Fernes und Nahes – alles drängt sich im Herzen des Architekten Stiller zusammen. Raum und Zeit erscheinen aufgehoben, obwohl die Aufzeichnungen des Häftlings chronologisch ablaufen. Nur eines läßt sich nicht aufheben: das eigene Ich. Doch gerade ihm entfliehen zu können, hatte Stiller geglaubt. Langsam, ganz langsam beginnt er zu lernen, daß wir nur dies eine Ich und dies eine Leben haben. Wer es wählt, wählt sich selbst, wählt seine Wirklichkeit; denn »die Leidenschaft zur Freiheit«, wie es der Däne Sören Kierkegaard nannte und von der Stiller besessen war, muß immer die Wahl zu sich selbst voraussetzen, soll sie nicht im Nichts verpuffen.

Trotz der Dramatik des äußeren Geschehens und trotz der inneren Spannung, von der die Seelenlandschaft Stillers bestimmt wird, ist der Charakter des Romans in ständiger Schwebe. Wie die Kalenderblätter willkürlich vor- und zurückgeschlagen und mit der Geschwindigkeit des Ultraschalls Kontinente überschritten werden, so wechseln auch die Personen ständig ihre Identität: sie sind die gestrigen, die heutigen, sie sind ihre Imagination und ihr Spiegelbild. Dieses Sich-Distanzieren und dann wieder Hineinschlüpfen in die zugeteilte Lebenshaut muß sich auch grammatisch auswirken, ja erfordert mehrere Stilebenen, deren Sprache sich genau an jede einzelne Situation der Gestalten anzupassen hat. Daß sie es tatsächlich tut, daß sie durch Max Frisch Fleisch geworden, nötigt mir tiefste Ehrfurcht ab – Ehrfurcht vor einem großen Dichter.

Für *Stiller* hat Max Frisch den Wilhelm-Raabe-Preis der Stadt Braunschweig erhalten.

Deutsche Rundschau 1955

[32] Cesare Cases
Max Frisch »Stiller«

Der Schweizer Max Frisch, bekannt als Verfasser von Erzählungen, Lustspielen und Dramen, schien bis jetzt in diesen Werken nicht jene Wechselwirkung zwischen Traum und Wirklichkeit erreicht zu haben, nach der er strebte und die statt dessen in einen betonten Symbolismus von zweifelhaftem Geschmack mündete. Typisch war eines seiner ersten Stücke, *Nun singen sie wieder*, das unmittelbar nach dem Krieg einen gewissen Erfolg hatte, weil er hier versuchte, alle Schrecken des Krieges wiederzugeben und dennoch mit dieser Technik, Visionen, Gespräche mit Toten und so weiter einzuschalten, eine gewisse Distanz schuf. In seinem letzten umfangreichen Roman (*Stiller*, Frankfurt a. M. 1954) hingegen scheint Frisch den richtigen Tonfall getroffen zu haben, vielleicht weil hier das Gespenst, anstatt von außen zu kommen, im Inneren eines Menschen wohnt, weil es die Vergangenheit des Helden selbst ist, die von ihm selbst gesehen wird, aber mit anderen Augen, als gehöre sie einem anderen.

An der Schweizer Grenze wird ein Mann, der einen falschen Paß, lautend auf den Namen eines Amerikaners White vorweist, verhaftet. In Wirklichkeit handelt es sich um den Züricher Bildhauer Anatol Stiller, der sechs Jahre zuvor auf geheimnisvolle Art verschwunden war, wobei er seine Gattin Julika, eine lungenkranke ehemalige Tänzerin, in Davos zurückgelassen hatte. Obgleich über seine Identität kein Zweifel besteht, weigert sich Stiller, auch nach seiner Verhaftung, dafür einzustehen; sein Verschwinden wurde unter anderem mit einem Spionagefall in Verbindung gebracht (er hatte in Spanien gegen Franco gekämpft, was genügt, um ihn in der fanatisch antikommunistischen Schweiz verdächtig zu machen). Im Gefängnis führt er ein Tagebuch, in dem er Begegnungen mit der Gattin, mit dem Strafverteidiger und mit dem Staatsanwalt notiert, der Sympathie für ihn empfindet und schließlich sein Freund wird.

So taucht nach und nach die Vergangenheit wieder auf (immer aber von außen gesehen, als die Vergangenheit Stillers, die White erzählt): zum Teil echt, zum Teil vom phantasievollen White-Stiller entstellt, der sich damit unterhält, den Gefängniswärter durch die Erzählung phantastischer Verbrechen, die er angeblich in Amerika begangen hat, in Erstaunen zu setzen. Der Leser erfährt auch, daß die Gattin des Staatsanwaltes, Sibylle, lange Zeit Stillers Geliebte gewesen ist, daher das Interesse der Gatten für Stiller.

Zum Schluß kapituliert Stiller, und es stellt sich heraus, daß seine Selbstverleugnung auf einen mißglückten Selbstmordversuch zurückzuführen ist; nach diesem Versuch fühlt er sich zu einem neuen Leben wiedergeboren und losgelöst von seinem alten Dasein. Er war nicht imstande, mit seinem verfehlten Leben abzurechnen und hatte zu diesem psychologischen Alibi seine Zuflucht genommen. In die Enge getrieben, war er gezwungen, der Vergangenheit ins Auge zu sehen, und sein Tagebuch erzählt von den Stufen dieser langsamen Wiederentdeckung des eigenen Ich. Doch scheint es nicht, daß die Dinge eine bessere Wendung nehmen, sobald Stiller die eigene Identität zugegeben hat, freigelassen wird und wieder mit seiner Frau zusammenlebt. Jetzt ist es der Staatsanwalt, der uns erzählt, daß es dem Paar, das in der französischen Schweiz wohnt, nicht gelungen ist, sich ein neues Leben aufzubauen: Julika stirbt, und Stiller fährt fort, das Bewußtsein der eigenen Niederlage in Alkohol und Arbeit zu ertränken.

Auch hier fehlt nicht das symbolische Motiv, das durch Zitate aus Kierkegaard unterstrichen wird. Stiller scheint der »ästhetische Mensch« Kierkegaards zu sein (nicht umsonst ist er Künstler und Don Juan!), der versucht, sich selbst zu entfliehen, indem er in die Gestalt eines anderen schlüpft und verschiedene Identitäten annimmt. Doch läßt sich diese Nachfolge Kierkegaards oder halbe Nachfolge Pirandellos (denn die Annahme einer anderen Persönlichkeit erschüttert hier nicht die Wirklichkeit des Ich) in weitem Maß vergessen, während man das Buch liest, und dies bildet einen seiner Vorzüge im Vergleich zu anderen, in denen Frisch viel entschlossener auf den Stelzen der Metaphysik daherschreitet. Stiller ist wohl auch ein Symbol, doch ist er vor allem ein selbst in der Bizarrerie seiner Lage äußerst lebendiger und lebensnaher Schweizer Intellektueller. Im übrigen geht das Interesse an diesem Roman über das am rein psychologischen Fall hinaus, wo manchmal, zum Beispiel im *quod erat demonstrandum* des weitschweifigen und unnötigen Schlusses, tatsächlich das *Apriori* zum Vorschein kommt. Hinter Stiller kommt ein Schweizer, ja spezifisch Zürcher Milieu zum Vorschein, das mit wachsamem und kritischem Blick betrachtet wird.

Tatsächlich lebt Stiller in ständiger Empörung gegen die Schweiz und die Schweizer, und die Steinwürfe treffen das Ziel zu genau, um nicht vom Autor gelenkt zu sein. Der Glaube an die eigene Überlegenheit und an eigene Vorbildlichkeit, die andauernde stolze Berufung auf eine Demokratie, die nur allzu leicht durch die Verehrung der wirtschaftlichen Macht Lügen gestraft wird, die Oberflächlichkeit des helvetischen Antifaschismus während des Krieges und seine prompte Ersetzung durch eine Verhimmelung der Deutschen und den wütenden Antikommunismus eines Menschen, der sein tadellos funktionierendes Uhrwerk bedroht sieht: Diese und andere Aspekte des Schweizer Philisters werden mit unbarmherziger und im Grunde genommen wenig großmütiger Genauigkeit satirisch behandelt.

Das, was Stiller verurteilt, ist unzweifelhaft das Antlitz der Schweiz von heute, und es ist nur gut, wenn immer wieder irgendein kühner Wilhelm Tell den Zorn seiner Landsleute herausfordert, indem er sehen läßt, was hinter diesen eleganten Touristenplakaten steckt, die, wie Stiller ironisch bemerkt, die besten der Welt sind. Aus Reaktion dagegen werden aber jene wirklich demokratischen Impulse vernachlässigt, die, obgleich sie unter dem Rauch der Schornsteine der Oerlikon und der Brown-Boveri fast ersticken und von den Reproduktionen der Bilder von Anker und den Alpenidyllen auf den Schokoladentafeln entwertet werden, auch heute noch davon zeugen, daß dies einmal das Land Gottfried Kellers war, ein überwiegend deutsches Land, das nicht zufällig eine Entwicklung und ein Schicksal hatte, das von dem Deutschlands sehr verschieden war.

Dennoch sind auch diese Exzesse sehr schweizerisch, und der Strafverteidiger hat nicht unrecht, wenn er zu Stiller sagt, daß er sich eben durch die Beharrlichkeit, mit der er der Schweiz Übles nachsagt, als Schweizer enthülle. Selbst die Flucht in die Ferne – das grell leuchtende Mexico, von dem Stiller, und die öden Vereinigten Staaten, von denen Sibylle mit einer Genauigkeit erzählt, der jede touristische Oberflächlichkeit fernliegt (sogar in den selbstgefälligen Mystifizierungen in den Erzählungen Stillers für den Wärter), gehört zu einer gewissen intelligenten Extraversion der von der einheimischen Volkommenheit unbefriedigten schweizerischen Intellektuellen. Und dann die Bibliothek Stillers, in der das *Kapital* sich an Hölderlin lehnt und Brecht an Carl Gustav Jung…

Mit einem Wort, man muß anerkennen: Die Schweiz ist weit entfernt davon, das Land der Idylle zu sein, sie ist das Land der Gegensätze, der kleinen, erloschenen und keimfreien Wirklichkeit und der großen stürmischen Träume; der inneren Langeweile und der Abenteuer nach außen. Das Glück für Max Frisch war es, daß er im vorliegenden Roman diese reale Grundlage seiner vagen, abstrakten Sehnsucht nach einem Kunstwerk, das die Wechselwirkung zwischen Traum und Wirklichkeit definieren sollte, gefunden hat. Er hat uns auf diese Weise vielleicht weniger gegeben, als er im Sinne hatte: ein Bild des Schweizer Intellektuellen und nicht der *conditio humana* im allgemeinen. Aber als Ausgleich dafür hat er uns etwas Konkretes und Erfühltes gezeigt, einen extremen Fall, der seine psychologische Wahrheit nicht aus weltanschaulichen oder ästhetischen Postulaten, sondern aus der Grenzlage einer realen objektiven Situation schöpft.

Im übrigen mußte er mit diesem Verlust an Universalität seinen Tribut an jenen neuhelvetischen Geist zahlen, den er wohl verachten kann, von dem er aber dennoch ausgeht. Was er uns gegeben hat, sind gewiß nicht *Die Leute von Seldwyla*, denn es fehlen eben diese Leute, dieses auch im Lächerlichen gesunde Fundament des Schweizer Volkes. An ihrer Stelle stehen Zürcherische Intellektuelle, die auf den Straßen des Vaterlandes und der Welt mit einem soliden Bankbuch in der Tasche, großer erotischer Unsicherheit im Herzen und vielen unangebrachten Phantasien im Hirn herumziehen. Und das geht so weit, daß es ihnen nicht einmal mehr gelingt, das eigene Ich zu erkennen; sie müssen schon eine bedeutende Anstrengung machen, um sich selbst und die anderen zu überzeugen, daß sie wenigstens aus Fleisch und Blut sind und nicht irgendeine gespenstische Projektion irgendeiner Seite aus Kierkegaard. Diesmal ist ihnen das jedenfalls gelungen.

1955

[33] Karl-August Horst
Bildflucht und Bildwirklichkeit

Eine Aufzeichnung in Max Frischs *Tagebuch* lautet:

> Du sollst dir kein Bildnis machen, heißt es, von Gott. Es dürfte auch in diesem Sinne gelten: Gott als das Lebendige in jedem Menschen, das, was nicht faßbar ist: Es ist eine Versündigung, die wir, so wie sie an uns begangen wird, fast ohne Unterlaß wieder begehen. Ausgenommen, wenn wir lieben.

Die Bemerkung steht als Fazit am Ende jener Geschichte vom »Andorranischen Juden«, die folgendermaßen beginnt:

> In Andorra lebte ein junger Mann, den man für einen Juden hielt. Zu erzählen wäre die vermeintliche Geschichte seiner Herkunft, sein täglicher Umgang mit den Andorranern, die in ihm den Juden sehen: das fertige Bildnis, das ihn überall erwartet.

Dies und die oben zitierte Maxime, in Verbindung mit dem hypothetischen »zu erzählen wäre«, liegen dem soeben erschienenen *Stiller* von Max Frisch als Uridee zugrunde. Hier im Roman ist der »Andorranische Jude«, seiner legendenhaften Verhüllung entkleidet, ein aus Amerika zugewanderter Mann, der, an der Grenze seiner schweizerischen Heimat gefaßt, sich hartnäckig weigert, seine Identität mit dem vor acht Jahren verschollenen Züricher Bildhauer Stiller zuzugeben.

Das Quiproquo besteht darin, daß der Leser zunächst nicht weiß, wem er recht geben soll: der Justiz, die mit bewährter Methode und schweizerischer Gründlichkeit den unerschütterlichen Leugner zu überführen versucht, oder aber dem eingefangenen Niemand, der auch in seinen intimen Aufzeichnungen beteuert, er habe mit Stiller nichts zu tun. Freilich läßt eine Menge unscheinbarer aber bezeichnender Züge die Übereinstimmung seines Charakters mit dem des Verschollenen zweifelsfrei erkennen.

Frisch treibt mit seiner äußerst feinen und scharfsichtigen Psychologie den Leser in die Enge, so daß er das äußere Problem der Fabel: Ist der Niemand mit Stiller in der Tat identisch? – auf eine andere Ebene verlagern muß, wo die Frage lautet: Wenn Stiller und der Fremde landläufigem Ermessen nach identisch sind, woran kaum zu zweifeln ist, wie steht es dann mit der Identität als

Beweismittel? Das heißt: läßt sich mit Identität überhaupt etwas beweisen?

So wird das Quiproquo zur Lebensfrage, die Stiller in folgenden Worten seinem Verteidiger stellt, ohne freilich bei dem auf Daten und Fakten erpichten Beamten Verständnis zu finden:

> »Herr Doktor« (sage ich), »es hängt alles davon ab, was wir unter Leben verstehen. Ein wirkliches Leben, ein Leben, das sich in etwas Lebendigem ablagert, nicht bloß in einem vergilbten Album, weiß Gott, es braucht ja nicht großartig zu sein, nicht historisch, nicht unvergeßlich... es kommt nicht auf unsere Bedeutung an. Daß ein Leben ein wirkliches Leben gewesen ist, es ist schwer zu sagen, worauf es ankommt. Ich nenne es Wirklichkeit. Doch was heißt das? Sie können auch sagen, daß einer mit sich selbst identisch wird. Andernfalls ist er nie gewesen. Sehn Sie, Herr Doktor, das meine ich: ein Gewesensein, und wenn's noch so miserabel war, ja am Ende kann es sogar eine bloße Schuld sein, das ist bitter, wenn sich unser Leben einzig und allein in einer Schuld abgelagert hat, in einem Mord zum Beispiel, das kommt vor, und es brauchen darüber keine Aasgeier zu kreisen. Ablagerung ist auch nur ein Wort, ich weiß, und vielleicht reden wir überhaupt nur von Dingen, die wir vermissen, nicht begreifen. Gott ist eine Ablagerung! Er ist die Summe wirklichen Lebens, oder manchmal scheint es mir so. Ist das Wort eine Ablagerung? Vielleicht ist das Leben, das wirkliche, einfach stumm – und hinterläßt auch keine Bilder, Herr Doktor, überhaupt nichts Totes.«

Wir mußten diesen Passus in seinem hauptsächlichen Wortlaut zitieren, denn einmal läßt er uns erkennen, wie Frisch verfährt, um sein Drama dialektisch einzufädeln, zum anderen enthält er die Kernfrage an unsere Zeit.

Wenn wir alle Abschweifungen und Vorbehalte, mit denen Stiller seine Frage vorbringt, einmal weglassen und den nackten Gedankengang herausschälen, so stellen wir fest, daß Stiller nicht eigentlich nach einer Antwort tastet, sondern wie eine Lessingsche Bühnenfigur die Stringenz einer philosophischen Frage dramatisch überspielt. »Es hängt alles davon ab, was wir unter Leben verstehen. Leben (ist), was sich in einem Lebendigen ablagert. Leben ist Wirklichkeit: doch was heißt das? (Hauptsatz): Daß einer mit sich selbst identisch wird. Andernfalls ist er nie gewesen. (Selbstidentität gegen Fremdidentität) Gewesensein: eine Umschreibung. Ablagerung: auch nur ein Wort. Wir reden vielleicht nur von Dingen, die wir vermissen, nie begreifen. Gott ist eine Ablagerung! Die Summe wirklichen Lebens. Das Wort: eine Ablagerung. Das Leben, das wirkliche – stumm, bildlos, nichts Totes hinterlassend.«

Hieraus kann der Leser den Schluß ziehen: Identität als solche beweist nichts, insofern sie sich auf ein Gewesensein stützt, das als Ablagerung wirklichen Lebens nur so lange lebendig ist, als es bildlos und wortlos gegenwärtig in uns wirkt, nicht als toter Götze, den wir anbeten.

Aber dieses philosophische Gerüst ist nur dazu da, um sich wie eine Bühne mit bunten Szenen zu bevölkern. Frischs Psychologie ist nicht analytisch-abstrakt, sondern konkret, das heißt: sie realisiert die Psyche des Helden, indem sie jenseits des abstrakten Mottos den Vorhang einer Geschichte aufgehen läßt. Zum Beispiel: das Märchen von Rip van Winkle, der zwanzig Jahre im Wald verschläft und bei der Heimkehr von keinem mehr erkannt wird: ist es nicht die Geschichte Stillers oder jedes Menschen, der wiedergängerisch der eigenen Vergangenheit begegnet? Oder die Geschichte von zwei Freunden, die sich in einer Höhle verirrt haben und die beide genau wissen, daß nur einer ans Tageslicht zurückkehren wird, nur einer, worunter natürlich jeder sich selbst meint: bringt sie nicht in krasser Form zum Ausdruck, was jedem widerfährt, wenn er sein eigenes Interesse wider einen anderen verteidigt und den gewichtigsten Anspruch, das volle Recht auf die eigene Seite bucht, wovon der andere aus schier unbegreiflichem Mangel an Großmut nichts wissen will, eben weil er dieselbe Großmut von seinem Freund erwartet?

Das Neuartige an Frischs Buch ist, daß er die vielseitige Psyche seines Helden in ebensoviel Dramatis personae zerlegt, daß er – ein Tagebuchschreiber von geschmeidigster Reflexion – sich nicht in die Selbstanalyse verbohrt, sondern gleichsam in die Hände klatscht und den Schemen, die seine Phantasie bevölkern, zuruft: »Auf die Bühne und zeigt, wer ihr seid!«

Frisch gehört zu den seltenen Begabungen, bei denen der Gedanke die Phantasie nicht etwa lähmt oder zersetzt, sondern sie erst recht zum Fabulieren anregt. Im 18. Jahrhundert war dieses Temperament häufiger. Voltaires Romane und Diderots *Neveu de Rameau* zeugen davon. Der Hamsun der *Mysterien* hatte die erzählerische Ader, nicht aber das scharfe Denken. Und doch erinnert mich der *Stiller* hie und da an Hamsuns *Mysterien* oder an das *Letzte Kapitel*. Vielleicht weil beide aus ähnlichen Prämissen hervorgegangen sind. Auch im *Stiller* spüren wir den Atem einer großen Weite, der Wüsten Mexikos, der Stadt New York, der Küste Kaliforniens, den Atem eines nicht nur sozial, sondern psychologisch viel- und tiefschichtigen Kontinents, den das enge heimatliche Milieu, in das der Held heimkehrt, nicht ohne weiteres absorbieren kann. Nicht daß Stiller seine Vergangenheit nicht wiederfindet, ist das eigentliche Problem, sondern daß er für die Gußform, in die man ihn daheim pressen will, zu groß geworden ist. Das ist die Sünde wider den Geist des Lebens, die Frisch in seinem Roman ahndet.

Aber die Leute, denen er von Amerika erzählt, verteidigen sich. Sie kennen das alles. Auch sie leben nicht hinterm Berg. Sie haben Illustrierte, Wochenschauen, Fernsehgeräte und was sonst die Zivilisation hervorgebracht hat, um das Unbekannte oder vielmehr den Schrecken vor dem Unbekannten auszulöschen, worin noch die letzte Möglichkeit zu echtem Erleben steckt.

Und hier erhebt Frisch wieder die Frage: Ist es denn wirklich? Hat euer Wissen um die Millionen Dinge, die es in der Welt gibt, nicht längst jenes Organ betäubt, dem wir allein das Bewußtsein von Wirklichkeit, von Lebenswirklichkeit verdanken, jenes seelische Organ, das uns sagt: Dies ist eine Mulattin, eine Katze, ein Tabakfeld, ein Bettler. Haben wir es vorher je gewußt? Stillers Tagebuch ist ein Protest gegen eine Welt, die sich immer mehr ins Schemenhafte, Vervielfältigte und Repräsentationslose verflüchtigt, eine Welt, in der Redner mit ihrer Tonbandstimme um die Wette laufen, in der das Klischee über das Original, die Selbstgerechtigkeit über die ungleich lebendigere Schuld, die tote Ablagerung über den bildlosen Funken triumphiert. War es ratsam, das Buch in eine vergleichsweise tröstliche Idylle, eine private Ehetragödie ausmünden zu lassen? Hat der bürgerlich gefestigte Staatsanwalt, der Stillers dramatisches Selbstporträt ins Epische abrückt und in einer Nachschrift die »Aufzeichnungen im Gefängnis« durch »Aufzeichnungen in der Freiheit« ergänzt – hat er von seinem Freund das richtige Bild? Oder – um Frischs Anliegen zu verteidigen – ist uns mit einem Bild gedient, dessen Identität zu bezweifeln wir im Laufe des Romans so gründlich gelernt haben? Stiller beschäftigt sich laut eigenem Bekenntnis mit Kierkegaard. (Meine Angst: die Wiederholung!) Ist es ein Fingerzeig? Wollte ihm Frisch das Pseudonym eines Eremiten anheften?

An manchen Stellen des Romans ist der Stil, trotz oder wegen Frischs erzählerischer Verve, nicht mehr korrekt oder unerlaubt flüchtig. Daß es wohl vor allem Flüchtigkeit ist, geht für mich z. B. daraus hervor, daß Frisch von einem Reisenden erzählt, der sich lesend in sein »dickes Buch« vertieft, nämlich Jüngers *Marmorklippen*, die doch beileibe kein dickes Buch sind. Aber dies nur zur Erklärung, wie es zu Sätzen wie den folgenden gekommen sein mag. »Ich ergriff ihre schlanke Hand, damit sie erwachen würde« (S. 434). Oder: »Sie schaute ihn an, ungläubig, daß ein Mann so wenig spüren würde« (S. 621). »Julika genoß, zum erstenmal einen Mann getroffen zu haben, vor dem sie sich nicht fürchtete« (S. 440) (kann man sagen: Ich genieße, dich getroffen zu haben?). Auf S. 447 garantiert der Arzt seiner Patientin den sofortigen Tod, »falls sie nicht sofort in ein Sanatorium gehen würde«. »Alle diese Morde«, heißt es auf S. 164, »vollstrecken sich langsam« (Unterschied zwischen Vollzug und Vollstrekkung). [Seitenangabe der Erstausgabe; in späteren Auflagen korrigiert, vgl. GW III S. 476] »Es hätte gar keiner Tuberkulose gebraucht«, statt bedurft (S. 481). Oder »Julika beschäftigte es aber doch, diese innere Entfernung vom Ballett« (S. 480); ein junger Mann bleibt aus, »weil Julika sich Einmischungen verbeten mußte« (S. 174) [in späteren Auflagen korrigiert, vgl. GW III S. 484]. Stiller liefert »Geständnisse, betreffend seiner Liebe zu der Dame, die Sibylle hieß« (S. 495); »betreffend das Begräbnis«, heißt es an anderer Stelle richtig (S. 588). Dies sind nur ein paar krasse Beispiele. Sie verteilen sich übrigens nicht auf den ganzen Roman, sondern finden sich in bestimmten Abschnitten, die jedoch dringend der Feile bedurft hätten.

Merkur 1955

[34] Kurt Ihlenfeld
Ich und kein anderer

»Ich bin nicht Stiller!« Aus der Schweiz kommt der Roman, der mit diesem lakonischen Protest beginnt – dem Protest also gegen den Zwang, sich selber annehmen zu müssen, mit sich selber identisch zu sein. Der Autor, Max Frisch, hat nicht umhin gekonnt, dem umfangreichen Buche ein Kierkegaardwort mitzugeben, das sein Problem unzweideutig umreißt:

> Sieh, darum ist es so schwer, sich selbst zu wählen, weil in dieser Wahl die absolute Isolation mit der tiefsten Kontinuität identisch ist, weil dadurch jede Möglichkeit, etwas anderes zu werden, vielmehr sich in etwas anderes umzudichten, unbedingt ausgeschlossen wird.

Der Held des Buches weigert sich, eben diese Wahl zu treffen, er macht den – vielleicht heroischen, vielleicht kindischen, auf alle Fälle aber zeitgemäßen – Versuch, sich von sich selber zu dispensieren. Und zwar nicht, was auch zeitgemäß gewesen wäre, mittels faktischen Auslöschens der Person, also mittels Selbstmord, sondern – nun ja, diese seine Methode, nicht man selber sein zu wollen, ergibt den Stoff des Romans, ergibt die lebhaft, mit nobler Distanz erzählte Handlung. Max Frisch ist ein am Konkreten hängender Erzähler, ihn lockt es nicht, seine Personen sich ins Leben auflösen zu lassen, sie behalten ihre robuste Leibhaftigkeit, so auch Herr Stiller, der Bildhauer, der aus Amerika in die Schweiz zurückkehrt, beim Überschreiten der Grenze der Identität mit jenem vor mehreren Jahren unter seltsamen Umständen verschwundenen Mann seines Namens – obwohl er nicht mehr Stiller heißt, sondern schlicht und unauffällig Mister White – verdächtigt, verhaftet und ins Gefängnis eingeliefert wird, woselbst er reichlich Gelegenheit findet, sein Experiment gegen das Mißverstehen der auf Identität erpichten Umwelt zu behaupten, zu verteidigen, ohne Erfolg leider. Eben in der Verteidigung des Experimentes macht er die Erfahrung, daß das Leben niemanden aus der Verantwortung entläßt, ja, daß er, indem er diese von sich abschob, in Wahrheit eine neue auf sich nahm, und zwar nicht nur hinsichtlich seiner selbst, sondern auch hinsichtlich der ihm nächststehenden Menschen, seiner Frau zum Beispiel. Dies alles entwickelt sich teils in direkter Erzählung, teils in der Rückschau des Verhafteten, teils in der Dialektik der Verhöre. Ein eminent bewußtes Verfahren also, reich gesegnet mit den Listen und Schlichen moderner Bewußtseinserforschung, wir befinden uns auf Schweizer Boden, der derartige Methoden ja auch in der Wissenschaft in ansehnlichem Maße hervorgebracht hat. Nicht zu verkennen ist eine gehörige Dosis gar nicht mal kalten, sondern durchaus menschlich-milden Humors, eine Art von Warmherzigkeit, die in wohltuendem Gegensatz steht zu den intellektuellen Künsten, womit das prekäre Unternehmen des Herrn Anatol Ludwig Stiller dem Leser glaubhaft gemacht wird. Es bleibt freilich ein Rest, der nicht aufgeht, ein Rest von Konstruktion, von überspitzter Gedanklichkeit. Die Unsicherheit hinsichtlich der Geschichte des Menschen, nämlich »ob nicht schon in dem Unterfangen, einen lebendigen Menschen abzubilden, etwas Unmenschliches liege«, der wir bei Virginia Woolf und Monique Saint Hélier begegnen, bringt auch in diesen sehr männlichen Roman ein fühlbares Ritardando.

Stiller, der keineswegs das ist, was man einen großen Künstler nennt, dem also für sein Unternehmen die Ausrede auf seine Genialität nicht erlaubt ist, handelt denn auch nicht in dunkler Nötigung, nein, es ist etwas Simples – man könnte auch sagen: etwas Freches – in der Art, wie er sich aus der Affäre, aus den verschiedenen Affären zu ziehen sucht. Sympathien erwachsen ihm dadurch beim Leser wohl kaum. Ein bißchen nutzlos das Ganze, denkt man mit der Zeit – *es gibt* doch Aufgaben, *es gibt* doch Verantwortungen in Hülle und Fülle, und dieser Kerl macht soviel Umstände mit seinem kleinen, billigen Ich! Wahrscheinlich lag dem Autor daran, diesen Eindruck zu erzeugen, wollte er in Herrn Stiller eine gewisse durchschnittliche Möglichkeit des heutigen Menschen überhaupt treffen. Die Hauptmasse der Erzählung gilt den beiden gescheiterten Liebesversuchen unseres Helden, seiner Ehe mit Julika, der Tänzerin, und seiner Liebe zu Sibylle, der Gattin des Staatsanwaltes, der ihn im Gefängnis zum Einverständnis mit sich selber zu nötigen trachtet. Seltsame Zusammenhänge! Ein bißchen schwindlig wird einem davon. Zumal der Autor immer wieder einmal seiner Tagebuch-Neigung, wie ich's nennen möchte, erliegt: unvergessen ist ja sein 1949 bei Suhrkamp veröffentlichtes *Tagebuch*, darin eine Menge eindrucksvoller Nachkriegsbeobachtungen verarbeitet wurde, eine Menge von Momentbildern auch aus dem Deutschland jener Jahre. Der Roman steckt teilweise noch im Tagebuchstadium. Man erfährt zuviel nebenbei, was an sich interessant ist, aber die Handlung unnötig belastet. Allerlei Ironisch-Kritisches z. B. über die geistigen und politischen Zustände in der Schweiz, allerlei nette Weisheiten über Architektur und Literatur – Max Frisch ist selber ausübender Architekt –, über Liebe und Ehe, über Europa und Amerika. Dabei haben die beiden Hauptgeschichten – Julika und Sibylle – durchaus Format und Atmosphäre, es ist eine Art von weltmännischer Erzählkunst am Werke, wie sie im deutschen Raum heute sich kaum wiederfindet. Über die heutige Schweizer Literatur äußert sich Stiller (Frisch) folgendermaßen:

Die meisten und wohl auch besten Erzählungen entführen in die ländliche Idylle; das bäuerliche Leben erscheint als letztes Reduit der Innerlichkeit; die meisten Gedichte meiden jede Metaphorik, die der eigenen Erfahrungswelt des Städters entstammen würde, und wenn nicht mit Pferden gepflügt wird, liefert das Brot ihnen keine Poesie mehr; eine gewisse Wehmütigkeit, daß das neunzehnte Jahrhundert immer weiter zurückliegt, scheint die wesentlichste Aussage im schweizerischen Schrifttum zu sein.

Von dem allen zeigt unser Autor sich frei. Nur gegen Schluß, als der schwierige Knoten, den er sich geschürzt hat, gelöst werden soll, sehen wir auch ihn in ein »letztes Reduit der Innerlichkeit flüchten«, nicht ganz glaubhaft, und schon gar nicht in Übereinstimmung mit den Prämissen seiner Figuren. Sehr verständig die Position des Staatsanwaltes – es handelt sich um den früheren Stiller, als er noch mitten in den Lebensproblemen steckte, der verunglückten Ehe, der unerlaubten Liebe – mit dem Rekurs auf die Tatsachen des Lebens: »Julika ist dein Leben geworden, Stiller, das ist nun einmal so«, mit dem Rekurs dann auch auf die Herrn Stiller nicht mehr geläufige Tatsache der Schuld:

Wir können ja nicht einfach, wenn's schiefgeht, auf ein anderes Leben hinüberwechseln. Es ist ja doch unser Leben, was da schiefgegangen ist. Die Schuld sind wir selbst –.

Aber dann verliert es sich ins allzu Direkt-Erbauliche, das Gespräch der beiden Männer macht sich selbständig, ein verkappter Sermon über Ehe und Treue usw. muß den deus ex machina ersetzen. Die beiden Geschichten, die vorher erzählt wurden – die von Julika und die von Sibylle –, rücken plötzlich weit weg, wie in einen anderen »Aufnahmeraum«, und jetzt zum Schluß wird dialektisch-dialogisch resümiert, was sich als echter Ausgang offenbar nicht verifizieren ließ.

Immer wieder hast du versucht, dich selbst anzunehmen, ohne so etwas wie Gott anzunehmen. Und nun erweist sich das als eine Unmöglichkeit. Er ist die Kraft, die dir helfen kann, dich wirklich anzunehmen. Das alles hast du erfahren! Und trotzdem sagst du, daß du nicht beten kannst.

Unwillkürlich erinnert man sich, daß nicht nur Davos, sondern auch Caux ein berühmtes schweizerisches »Reduit« ist. Frisch hat damit wohl kaum etwas zu tun. Aber es *klingt* nach Caux, es ist eine Lösung aus der Reflexion über die Sache, nicht aus der Sache selber. Der Erzähler kapituliert endlich doch vor dem Essayisten, dem Tagebuchschreiber. Auch in diesem Versagen ist er sympathisch. Wieder einmal, so scheint mir, bestätigt sich mit diesem Buche die heute so oft zu machende Erfahrung, daß das Gewicht der Probleme zu stark ist, als daß sie in der künstlerischen Gestalt rein aufgehen könnten. Irgendwie zerbricht die Gestalt am Problem, statt es durch sich selber zu erledigen. Ein Opfer, das Respekt, nicht Tadel verdient.

Eckart-Jahrbuch 1955

[35] Hans Trümpy
Schweizerisches

Was ist der Mensch? Diese Frage ist jetzt das Hauptthema der Romane. Im Grunde weiß es niemand, aber wir müssen so tun, als ob wir es wüßten. Immer, wenn wir glauben, jetzt haben wir's, lacht der Teufel. Und da heute der Mensch ständig vor sich selber flieht, um ja die Frage, was ist der Mensch, nicht beantworten zu müssen, ergibt sich für den Roman ein ergiebiges Thema. In den beiden großen (vorläufig nur dem Umfang nach) Romanen: *Vineta* von H. A. Moser (seines Zeichens »daneben« noch Klavierlehrer in Bern) und *Stiller* von Max Frisch (seines Zeichens auch Architekt und Verfasser von Dramen) geht es darum zu zeigen, wo heute der Mensch steht. Sozusagen nirgends. Frisch konstruiert einen Menschen namens Stiller, der sein früheres Dasein verleugnet und ein anderer sein möchte. Es wirkt beinahe ermüdend, wie dieser Stiller immer und immer wieder sich selbst vor den frühern Bekannten, vorab vor seiner Frau, der er drausgelaufen ist, verleugnet. Das Buch ist sozusagen ein Theatertrick. Man macht jetzt ein großes Wesen daraus, und die deutsche Zeitschrift *Gegenwart*, die sich ernsthaft mit der Literatur abgibt, nennt das Buch ein Ereignis. Meinetwegen. Es ist vor allem lieblos, behandelt Zürich z. B. als »Städtchen«, die Schweizer bekommen recht unangenehme Dinge zu hören, was ja an und für sich nichts schadet, da Frisch auch Schweizer ist (in der Broschüre *achtung – die Schweiz* sind ganze Seiten aus dem Roman abgedruckt) und alle in einen Tiegel wirft, somit sich selber auch. Aber betrachtet man die Haltung des Autors, so kann man ihm die Suche nach der

Wahrheit nicht absprechen, es ist zwar stets unsere eigene Wahrheit. Seit die Psychoanalyse nicht nur salonfähig, sondern sozusagen Allgemeingut geworden ist, darf man getrost alle erotischen Abirrungen schildern, ja, oft hat man den Eindruck, die ganze »Ehrlichkeit« bestünde darin, den Mist aufzudecken und den Blumen die Köpfe abzuschlagen.

Glarner Nachrichten v. 7. 1. 1956

[36] Hans Trümpy
Schweizerisches

Wer mir die Schweiz verschimpft, hat es verspielt bei mir, mag er selber noch so berühmt sein und sich hochwichtig vorkommen. Natürlich hat sie große Fehler, ist für die eingenommen, welche ihre Uhren und ihren Käse abnehmen, natürlich ist sie gegen den Faschismus, aber im spanischen Bürgerkrieg war sie auf Seite Francos. Abessinien ließ sie im Stich, aber dann ist sie wieder der Hort der Freiheit und Humanität. »Es ist komisch«, fand Sibylle, »Wie böse du jedesmal wirst, wenn du von der Schweiz redest!« So heißt es im *Stiller* von Max Frisch (S. 613). Und er, Max Frisch, spricht uns alle Ideen ab, »die Geschichte wird uns zuliebe nicht stehenbleiben, auch wenn die Schweizer es noch so wünschen. Wie wollt ihr, ohne einen neuen Weg zu gehen, euch selber bleiben? Die Zukunft ist unvermeidlich. Wie also wollt ihr sie gestalten? Man ist nicht realistisch, indem man keine Ideen hat« (S. 598). Oder »Das Heimweh nach dem Vorgestern, das die meisten Menschen hierzulande bestimmt, ist bedrückend. Es zeigt sich in der Literatur: die meisten und wohl auch besten Erzählungen entführen in die ländliche Idylle; das bäuerliche Leben erscheint als letztes Reduit der Innerlichkeit; die meisten Gedichte vermeiden jede Metaphorik, die der eigenen Erfahrungswelt des Städters entstammen würde, und wenn nicht mit Pferden gepflügt wird, liefert das Brot ihnen keine Poesie mehr; eine gewisse Wehmütigkeit, daß das neunzehnte Jahrhundert immer weiter zurückliegt, scheint die wesentliche Aussage im schweizerischen Schrifttum zu sein. Und genauso die offizielle Architektur; wie zögernd und lustlos ändern sie den Maßstab ihrer wachsenden

Städte, wie wehmütig, wie widerspenstig und halbbatzig« (S. 596f.). Und ganz scharf heißt es (S. 594), nachdem Frisch den Schweizern das Wagnis abgesprochen hat: »Sie helfen sich, indem sie das Bedürfnis nach Größe schlechterdings verpönen (das ist bei Frisch offenbar sehr stark). Ist es aber nicht so, daß der gewohnheitsmäßige und also billige Verzicht auf das Große (das Ganze, das Vollkommene, das Radikale) schließlich zur Impotenz sogar der Phantasie führt? Die Armut an Begeisterung, die allgemeine Unlust, die uns in diesem Lande entgegenschlägt, sind doch wohl deutliche Symptome, wie nahe sie dieser Impotenz schon sind...«

Man wird unwillkürlich an den Grafen Keyserling erinnert, der in seinem *Europaspiegel* bekanntlich nur zwei Europäer in der Schweiz gelten ließ: den Psychologen Jung und den Hotelier Badrutt. Nun, Keyserling war Balte, hielt viel auf seine unendliche Geschwätzigkeit und konnte auch fressen wie ein hungriger Löwe. Wir durften über ihn lachen, aber über Frisch kann man nicht lachen, weil er einer der Unsrigen ist, freilich weitgereist. In seinem Buche finden sich Schilderungen aus Mexiko, besonders auch über New York, in denen man die Schärfe seines Blickes bewundert, aber nirgends findet sich die leiseste Kritik am Amerikaner, er überläßt das Urteil den Lesern. Das ist ungerecht, zum mindesten salopp. Es sei ihm unbenommen, seine Salonschwipsattitude unserm Sackpatriotismus zur Seite zu stellen, wir geben nicht nach, bis er seine Bosheit abgelegt hat. Von ihm Liebe zu verlangen, wäre vergebliches Bemühn, da sein ganzes Buch lieblos ist bis auf den Staatsanwalt, der am Schluß die Schicksale des »Heldenpaares« so schlicht erzählt, wie es eben unter schweizerischen Erzählern üblich ist, wie es aber vom selben Max Frisch im Grunde verpönt wird (s. oben!).

Als wir uns seinerzeit gegen Keyserling wehrten, da wurde er nur noch mehr in seiner schäbigen, undankbaren Haltung gestärkt, wir seien voller Ressentiments. Das sind wir auch gegenüber Frisch, aber aus einem andern Grunde: eben, weil er auch Schweizer ist, dem die Schweiz doch näherstehen sollte als dem Grafen. Ist denn die Schweiz kein Mythos für Dichter? Ist denn Verzicht auf Größe nicht auch Größe?

Alle Hochachtung vor dem Österreicher H. A. Moser, der uns auffordert, immer mehr unsere Eigenart zu bewahren. Wir werden uns mit Max Frisch noch weiter auseinandersetzen, und insofern sind wir ihm dankbar, daß er uns ein Thema aufgegeben hat, das unerschöpflich ist.

Glarner Nachrichten v. 9. 1. 1956

[37] Claudia Frank
Will nicht Stiller sein

Wenn von den Laienspielern einer Mädchenschule in Basel bis zu den Ruhrfestspielen in Recklinghausen, von Finnland bis zur Tschechoslowakei Theaterstücke von Max Frisch aufgeführt werden, wenn hier ein Hörspielpreis, dort ein Buchpreis und da ein Architekturpreis an den selben Autor vergeben werden, dann scheint es wohl sinnvoll, das literarische Hauptwerk dieses Schweizer Schriftstellers und Architekten, den Roman *Stiller*, in seinen Zusammenhängen zu betrachten. Dieses Buch mit seinen 576 Seiten steht nämlich keineswegs als isolierter Block in dem erstaunlich großen Œuvre des erst 45jährigen, sondern es ist gleichsam die geistige Heimat der Gestalten aus den Dramen, benachbart dem *Tagebuch*. Der »Heutige«, Spielleiter und negativer Held der Farce *Die chinesische Mauer*, der zerstörerische Graf Öderland, Don Juan, der die Geometrie liebt, und noch manch anderes Geschöpf Frischs sind der Hauptfigur des *Stiller* nahe verwandt und ihr Protest gegen die Gegebenheiten ihres Lebens, ihre Sehnsucht, ihre Schwermut erfüllen den abgezirkelten Raum menschlicher Existenz so wie die seltsamen Meditationen des Häftlings, genannt Stiller, seine Gefängniszelle.

Mit diesem Häftling hat es eine eigentümliche Bewandtnis. Er kam, so erzählt der Roman, mit einem amerikanischen Paß als Mr. White an die Schweizer Grenze, wo er auf Grund äußerer Ähnlichkeit mit einem verschollenen Züricher Bürger zum Zwecke der Identifizierung seiner Person verhaftet wurde. Der gesuchte Anatol Ludwig Stiller war Bildhauer von mittlerer Begabung und mit einer Tänzerin, einer schönen, aber kühlen Frau in einer allem Anschein nach nicht ganz glücklichen Ehe verheiratet gewesen, als er, vor sechs Jahren, ohne erkennbaren Grund, plötzlich verschwand und sich gerade durch dieses Abgängigwerden verdächtig machte. Da der Verhaftete sich weigert, seine Identität mit dem Vermißten zuzugeben, wird er von dem ihm amtlich beigegebenen Verteidiger aufgefordert, die Wahrheit über sein Leben aufzuzeichnen, »einfach die Wahrheit«. Der Mann in der Gefängniszelle schreibt sieben Hefte voll (die gemeinsam mit einem Nachwort des Staatsanwaltes den Inhalt des Buches bilden). Mit der von der Justiz gesuchten Wahrheit aber haben sie wenig zu tun. Die benötigten Fakten und Daten ergeben sich vielmehr dem Gericht aus Lokalterminen und Konfrontationen und erbringen den Beweis, daß der Häftling jener gesuchte Stiller ist, dem man übrigens außer ein paar staatsbürgerlichen Versäumnissen betreffend Steuer, Versicherung und dergleichen schließlich nichts vorzuwerfen hat.

Die Wahrheit aber, um die der Schreiber auf den vielen Seiten seiner Aufzeichnungen ringt, die innere Wahrheit seines Lebens vor den Menschen, vor ihm selbst, vor dem, was später »die absolute Realität« genannt wird, bietet sich nicht »schlicht und pur« zum Niederschreiben an. »Man kann alles erzählen, nur nicht sein wirkliches Leben«, notiert der Gefangene. »Wie soll denn einer beweisen können, wer er in Wirklichkeit ist? Ich kann's nicht. Weiß ich denn selbst, wer ich bin?... Ich habe keine Sprache für meine Wirklichkeit.«

Nicht, daß es Stiller an der Kunst des Schreibens fehlte, im Gegenteil, mit dem Freimut des Außenseiters, der keinem Land und keiner Ordnung verpflichtet ist und für den es keine Tabus zu geben scheint, mit der durchdringenden Psychologie eines »komplizierten« Menschen und mit der ausschweifenden Phantasie eines Märchenerzählers füllt er die Blätter seines Tagebuchs, so wie Max Frisch in dem seinen geschrieben hatte, »man hält die Feder hin wie eine Nadel in die Erdbebenwarte, und eigentlich sind nicht wir es, die schreiben, sondern wir werden geschrieben.«

Das Problem des Stiller, das Problem, das Max Frisch an dieser Gestalt deutlicher und ausführlicher exemplifiziert als an jeder andern, ist vielmehr ein philosophisches. »Die Würde des Menschen, scheint mir, besteht in der Wahl«, hat Frisch an bedeutsamer Stelle im *Tagebuch* geschrieben. Im dortigen Zusammenhang ist die Wahl im gesellschaftlichen und politischen Zusammenhang gemeint:

> Wenn der Vater ein gerechter Arbeiter ist und der Sohn wieder ein Arbeiter werden muß, weil man sich andere Versuche einfach nicht leisten kann, so liegt das Unwürdige nicht an der Arbeit, nicht in der Art der Arbeit, sondern darin, daß der Sohn überhaupt keine Wahl hat.

Aus diesen Erwägungen resultiert die Forderung nach einer Gesellschaftsordnung, die niemanden der Wahl beraubt.

Die Wahl, die Stiller für sich beansprucht, rührt noch deutlicher an den funktionellen Zusammenhang zwischen dem Individuum und der Gesellschaft. Die Rolle, die er in ihrem Spiel zugeteilt bekam, der eine unausweichliche und unabwandelbare Part, den er – sei es im Gewande des Bürgers, des Künstlers oder des Ehemanns – nach ihrer Konzeption darzustellen hat, das Bild, das sich seine Mitmenschen ein für allemal von ihm gemacht haben, das alles schafft die Unfreiheit, die ihn bis zur Unerträglichkeit beengt.

> »Ich bin nicht ihr Stiller. Was wollen sie von mir! Ich bin ein unglücklicher, nichtiger, unwesentlicher Mensch, der kein Leben hinter sich hat, überhaupt keines. Sie sollen mir meine Leere lassen, meine Nichtigkeit. Was sie mir anbieten ist Flucht, nicht Freiheit!«

Wieder kommentiert Frischs *Tagebuch* den Roman:

> Du sollst dir kein Bildnis machen, heißt es, von Gott. Es dürfte auch in diesem Sinne gelten: Gott als das Lebendige in jedem Menschen, das, was nicht erfaßbar ist. Es ist eine Versündigung, die wir, so wie sie an uns begangen wird, fast ohne Unterlaß wieder begehen – ausgenommen wir lieben.

Stiller, der nicht die Liebe fand, die ihn »schrankenlos, alles Möglichen voll, aller Geheimnisse voll, unfaßbar« zu akzeptieren bereit gewesen wäre, nahm sich – sei es aus Trotz oder Scham, Schuldgefühl oder Freiheitsdurst – das Recht, seine Vergangenheit abzustreifen. Er will so wenig »ihr« Stiller sein, wie Don Juan, wie Rip van Winkle, wie Graf von Öderland der vorgefaßten »öffentlichen Meinung« entsprechen wollen. Als »Passagier ohne Gepäck« verließ er seine Umwelt, um noch einmal ein Leben, sein in Freiheit gewähltes Leben zu führen. Seltsame Schuld, die aus geheimer Moralität, aus dem Bewußtsein der eigenen Unzulänglichkeit stammt; tragisches Versagen, das der Überforderung des eigenen Selbst entspringt! Frischs Don Juan glaubt, daß »Gott den Menschen strafte, indem er ihn schuf, wie er ist, nicht wie er sich selber möchte«. Stiller aber wehrt sich gegen die Resignation, gegen die in begnadeten Stunden geahnte Verpflichtung, sich in Demut »selbst anzunehmen«, er möchte, daß »Gott ihn widerrufe«.

Werfen wir an dieser Stelle noch einmal einen Blick auf das

Thema. Der Roman *Stiller* gibt sich als die breite Darstellung eines Kriminalfalls, er schildert in aller Nuanciertheit menschliche Beziehungen, er bringt vieles, was dem Autor in seinem zweiten Beruf als Züricher Architekt am Herzen liegen mag. Er hat die Ironie seiner Komödien, zuweilen den klaren Blick seiner architektonischen Pläne, die gleiche kritische Wachheit gegenüber Problemen der Zeit wie das *Tagebuch*. Aus Sachlichkeit und Spott, aus Bekenntnis und Humor, aus Schmerz und Weltliebe klingt der schwebende Ton von Stillers Selbstzeugnis. Alles dies rechtfertigt vollauf den großen Erfolg des Buches. Ist es verwegen zu unterstellen, dieser Roman kreise unter der Oberfläche um »die eine Traurigkeit, diejenige, kein Heiliger zu sein«?

Der *Stiller* ist verschwiegen wie das *Tagebuch* und die heiteren und ernsten Spiele von Max Frisch. Doch alle die scheinbar aussichtslosen Prüfungen, denen der Autor seine Helden, oft nur in Gedanken-Tests, unterwirft, die tödlichen Abenteuer ihrer Wahrhaftigkeit, ihr Scheitern vor der Gewalt, ihre Ratlosigkeit in konkreten Situationen, – sie wirken nicht wie Fallen, die dem Gerechten gestellt sind, sondern wie Chancen. Sie lassen immer wieder dem Vertrauenden die ersehnte Möglichkeit offen, daß es ihm gelingen könnte: »... einmal über das Wasser zu schreiten«.

Frankfurter Hefte 1956

[38] [Anonym]
Maßstäbe der Kunstkritik
Zu den Romanen von Frisch und Rinser

Gibt es für die Werke der Kunst überzeitliche und ewige Maßstäbe? Oder hat jede Zeit ihren eigenen Wertmesser? Goethe schon fühlte die Schwierigkeiten, die in diesen Fragen verborgen liegen. Wenn er einerseits selbst Kritik übte in der Überzeugung, letztgültige Urteile sprechen zu können, so sagte er doch auch: »Innerhalb einer Epoche gibt es keinen Standpunkt, eine Epoche zu betrachten«.[1] Der weithin unbedingte Gegensatz zwischen alt und jung in der Beurteilung moderner Musikwerke oder der Schöpfungen der bildenden Kunst, der Architektur, der Plastik und Malerei, scheint ebenfalls dafür zu sprechen, daß das Kunsturteil ebenso zeitgebunden ist wie die Kunst selbst. Von vornherein wird man allerdings vermuten, daß es sowohl ewige wie auf eine Zeit beschränkte Maßstäbe des Urteils geben müsse; denn die ewige, gleichbleibende Menschennatur und ihre Geschichtlichkeit scheinen das zu fordern. Dabei bleibt aber die große Unsicherheit, ob wesentliche Schönheitskategorien zeitweise verlorengehen oder bis zur Wirkungslosigkeit unterdrückt werden können und ob man dieser Gefahr steuern könne. Der Wechsel des Geschmacks hat im Lauf der Geschichte nicht selten bis zur Unkultur geführt, obwohl die Menschen und Künstler dieser Zeiten überzeugt waren, ungemein fortgeschritten zu sein und eine höhere Stufe erreicht zu haben. Es liegt im Sinn der Bildung, den Menschen vor Un- und Mißbildungen zu bewahren und in ihm die wesentlichen Maße auch der Schönheit lebendig zu erhalten. Aber es fragt sich, ob der Beurteiler einer Zeit und ihrer künstlerischen Erscheinungen die Möglichkeit hat, sozusagen über seine eigene Zeit hinwegzukommen, wie er das anstellen könne und wo sich ihm dafür Ansatzmöglichkeiten bieten.

Wenn wir von den andern Künsten ganz absehen und nur die Wortkunst allein ins Auge fassen, wird man freilich hier nicht einen solchen Gegensatz wie in den andern Künsten finden, wird auch eine stärkere Treue zur Überlieferung feststellen. Aber auch für die Wortkunst gilt, daß zu verschiedenen Zeiten verschiedene Dichter beliebt sind und zu andern der Zugang fast völlig fehlt. Alle Zeiten haben ihre ausgesprochenen Vorlieben und immer wieder wird ein Dichter neu entdeckt. Man braucht nur an zwei Dichter wie Schiller und Hölderlin zu denken.

Wie aber ist es mit den zeitgenössischen Dichtern? Verdanken sie ihren Ruhm nur dem Gegenwartsgeschmack? Ist es möglich, das Zeitgebundene, d.h. das, was der Dichter nur als Stimme und Wortpräger seiner Zeit, ihrer Verhältnisse, ihrer Vorlieben und Ablehnungen, ihrer Nöte und Strebungen aussagte, von dem Immergültigen zu trennen? Das jeweilige Was bringt wenigstens zum Teil ja auch seine besondere Form mit sich.

Man könnte diese Frage allgemein als einen Beitrag der theoretischen Ästhetik behandeln. Aber es ist wirksamer, an einem Beispiel zu versuchen, zu einem Ergebnis zu gelangen. Das kann besonders deshalb zum Erfolg führen, weil in der Gegenwart eine Pluralität von Weltauffassungen besteht. Obgleich auch sie in jeder Zeit besonders geprägt sind, führen sie doch in verschiedene Urgründe des Denkens, Fühlens und damit auch des Darstellens.

Aus diesem Vergleich einander gegenüberstehender, gleichzeitiger Welt- und Menschenbilder darf man eine Klärung unserer Fragen erhoffen.

Wir wählen dazu den Roman *Stiller* von Max Frisch und *Abenteuer der Tugend* von Luise Rinser. Frisch erzählt die Schicksale des Künstlers Anatol Stiller, der seine schweizerische Heimat verließ, um sein bisher verfehltes Leben abzuschließen und ein neues zu beginnen. Nach einigen Jahren kommt er zurück. Der frühere Lebenskreis nimmt ihn wieder auf; aber obwohl er ein anderer geworden zu sein glaubt und es neu versuchen will, scheitert er wiederum an seinem Ich. Sowohl durch die Eindringlichkeit seiner Schau wie durch die Kunst der Darstellung gehört der Roman zu den bedeutendsten und besten Werken der deutschen Erzählungskunst der letzten Jahre und erhebt sich wesentlich über die Unterhaltungsliteratur, der fast alles, was als Roman erscheint, angehört.

Der Dichter gebraucht den Kunstgriff, seinen Helden als den mit einem amerikanischen Paß versehenen Mister White vorzustellen. White wird beim Überschreiten der Grenze von einem anscheinend Bekannten als Stiller angesehen, der seit Jahren verschollen ist, und von der Polizei verhaftet, da Stiller eines politischen Verbrechens bezichtigt ist. Das Gericht bemüht sich, die Identität zu beweisen und stellt dem leidenschaftlich Leugnenden die verschiedensten Personen vor, hält Ortstermine ab, um den Gefangenen zu einem Geständnis zu zwingen, ja zieht sogar einen Zahnarzt und sein Röntgenarchiv heran. Mister White leugnet bis zum Ende, wird aber verurteilt, Stiller zu sein. Diese Einkleidung der Geschichte ermöglicht es dem Dichter, die Geschehnisse von mehreren Seiten zu zeigen. Es ist einmal Stiller selbst, der im Gefängnis seine Gedanken und Erlebnisse niederschreibt, wobei er auch hier als White auftritt. Erst sehr spät merkt der Leser an der Gleichartigkeit der Gedanken Whites und der Lebensgeschichte Stillers, daß nur eine Person vor uns steht. Gegen Ende gesteht White sich selbst, Stiller zu sein, aber ein anderer d. h. andersgewordener, der darum mit Recht leugnen müsse, der zu sein, den das Gericht vermutet und den seine Frau und seine Bekannten wiedererkennen. Ein Nachwort des Staatsanwalts berichtet das Ende Stillers, der mit seiner ehemaligen Frau zusammenlebt und dennoch wieder in seiner Ehe scheitert und nach ihrem Tod allein bleibt und verdämmert.

White zeichnet auf, was die mit ihm zusammengeführten Personen erzählen: unter anderem seine Frau, seine ehemalige Geliebte und ihr Mann, der als Staatsanwalt den Prozeß zu führen hat. So wird das Leben Stillers in eine objektive Distanz gerückt; zugleich erfahren wir die inneren Erlebnisse der beteiligten Personen. Außerdem berichtet Stiller selbst, was ihm als White in den Vereinigten Staaten und Mexiko widerfuhr und erdichtet überdies für seinen neugierigen Gefängniswärter eine Reihe von Geschichten, die alle die gleiche Not zum Gegenstand haben, den Vorwurf des Romans. Es ist die Schwierigkeit, ja die Unmöglichkeit, in der materiellen Perfektion (S. 594) des Lebens in der Schweiz eine echte Beziehung zum Mitmenschen zu gewinnen, zu pflegen, zu erhalten. Daran scheitern Stiller und seine Frau Julika, obwohl sie sich wahrhaft lieben. Die hemmungslose Ich-Bezogenheit des Menschen wird entweder klar gesehen, und es werden Versuche unternommen, sie zu beseitigen (daran geht das Ehepaar Stiller zugrunde), oder man begnügt sich mit einem bürgerlichen Miteinander, wie der Staatsanwalt und seine Frau Sibylle, die sich gegenseitig in der Ehe Freiheit und Spielraum ließen, was die Nebenverbindung Stillers mit Sibylle ermöglichte und ihre Ehe vorübergehend störte, bis das Kind, wie es scheint, dann das bürgerliche Miteinander wieder ermöglichte. Schließlich ist dann noch die »leutselige Beziehungslosigkeit der Amerikaner« (S. 660) eine Form der menschlichen Verbindung.

Diese Menschennot entsteht durch das äußere bürgerliche Wohlleben, die materielle Perfektion und durch das Fehlen der Gewißheit, »daß unser Leben von einer übermenschlichen Instanz gerichtet wird«, durch das Fehlen selbst »der leidenschaftlichen Hoffnung, daß es diese Instanz gebe« (S. 751). »Ohne die Gewißheit von einer absoluten Instanz außerhalb menschlicher Deutung, ohne die Gewißheit, daß es eine absolute Realität gibt«, kann sich der Staatsanwalt (mit Recht) nicht denken, »daß wir je dahin gelangen können frei zu sein« (S. 670). Man bleibt im Kerker des eigenen Ichs trotz der inneren Überzeugung; sucht allein sein zu können (S. 687), trotz des Bedürfnisses nach Liebe. Sie ist in den Menschen; aber sie geht bei den Hauptpersonen ins Leere, genau wie die Liebeslehre Rilkes es wollte. Aber das zerstört den Menschen, der ganz leben will. »Dein mörderischer Hochmut – du als Erlöser eurer selbst!« (S. 764). Beim Staatsanwalt, der diese Anschauung von der Notwendigkeit einer absoluten Instanz äußert, ist es nicht sicher, sogar unwahrscheinlich, daß er an sie glaubt. Jedenfalls scheint seine äußerlich wiedergewonnene Ehe auf einem Verzicht auf das Ganzmenschliche aufgebaut zu sein und mehr durch den Trost des Kindes weiterzubestehen. Der Versuch von Caux, in dessen Nähe Stiller untergekommen ist, »das Christentum mit den Reichen zu produzieren« (S. 758), wird als Täuschung abgetan. Jedenfalls ist der Gottesgedanke keine Kraft, wenn auch die Einsicht, das Gebet füreinander könne das gegenseitige Finden vorbereiten, richtig ist.

Was der Dichter selbst denkt, wird man nicht erraten können. Das ist auch nicht notwendig. Offenbar wollte er ein Bild der gegenwärtigen menschlichen Gesellschaft zeichnen, die am Rand ohne Ernst auch noch das Wort »Gott« und sein Wortfeld duldet. Die schwerste Not dieser Gesellschaft ist die innere Kontaktlosigkeit und Kontaktschwierigkeit. Das zeigt sich im ganzen Bereich zwischenmenschlicher Beziehungen, am meisten aber und am empfindlichsten in Ehe und Familie. Daß darüber auch der Einzelmensch zugrunde geht, zum mindesten in seinem Kern verdorrt und in den Außenbezirken – und das nur um so gieriger und gehetzter – lebt, wird in diesem Roman glaubhaft vorgeführt.

Die Form, in der Frisch sein Werk darbietet – Form in der ganzen Breite und Mehrschichtigkeit genommen, die dem Wort zukommen –, ist von einer überaus großen Farbigkeit, Eindringlichkeit und Einprägsamkeit. Die spielerische Vielfalt der Darstellung, die sich aus dem grundlegenden Kunstgriff ergibt, ist voll ausgenützt, die Aussage dicht und treffend. So verdient der Roman die Anerkennung, die er überall gefunden hat.

Zu seiner vollständigen Würdigung gehört aber noch die Feststellung des Lesers, daß ihn dieses Buch in eine lähmende und tödliche Traurigkeit versetzt. Er wird in ein Dunkel geführt, aus dem es keinen Ausweg gibt: Gerade, wer sein Menschentum ernst nimmt, ist ohnmächtig und dem Untergang ausgeliefert! Dies bedarf noch der näheren Erklärung und Aufhellung.

Ein Roman um den Sinn und die Bedingungen der Ehe und der Liebe überhaupt ist auch das Buch von Luise Rinser *Abenteuer der Tugend*. [...] Während bei Frisch Freizügigkeit und Ungebundenheit der menschlichen Gesellschaft vorausgesetzt werden – es ist das tatsächlich weithin herrschende Menschenbild –, verlangt bei Rinser der Mensch nach der von Gott in die Natur gelegten Ordnung, die dann im katholischen Christentum geheiligt und erhöht wird. [...]

Auch Rinser bedient sich eines Kunstgriffs: Sie schreibt einen Briefroman. [...]

Während der grundlegende Kunsteinfall bei Stiller eine große Freiheit und Mannigfaltigkeit ermöglichte, engt sich Rinser bewußt ein. Sie verzichtet sogar absichtlich auf Farbigkeit durch Schilderung von Landschaft und Natur, wofür sie nach Ausweis ihrer früheren Bücher eine große Begabung hat. Frisch klagt in seinem Roman:

> Das ist ja das Großartige an früheren Zeitaltern, beispielsweise an der Renaissance, daß die menschlichen Charaktere sich noch in Handlung offenbarten; heutzutage ist alles verinnerlicht (S. 476).

Innerlich ist auch bei Rinser alles, und doch gelingt es ihr, auch die Handlungen der Personen zu zeigen. Der Vielfalt der Frischschen Romanführung steht bei Rinser eine große Geschlossenheit gegenüber. In ihrem geordneten, von Gott aus gefügten Weltbild, in einem im Hinblick auf Gott geführten Leben liegt eine solche Fülle von Möglichkeiten der Freiheit, die dann doch alle wieder zusammengefaßt werden. So erblüht die Schönheit aus dem Innern, mit einer Kraft und Innigkeit, die immer wieder auch das menschliche Versagen, das Abirren, die Flucht vor sich selbst und in das absolute Ich zurückrücken, überwinden und allem Geschehen, Denken und Fühlen einen Platz sichern. Die »Kontaktschwierigkeiten« der Menschen unserer Gegenwart sind dabei nicht übersehen und abgeschwächt. Aber sie werden geheilt. Dies kommt dadurch zustande, daß über den Lebensäußerungen des naturhaften Individuums die Person steht. [...] Aber die geistige Person sieht die Mitperson als gleichberechtigt und gleich wertvoll, birgt die Schwächen und hebt sie in das Ganze der Ich-Du-Beziehung. [...] Die Liebe der »Abenteuer der Tugend« wurzelt im Geist und breitet sich von hier über den ganzen Menschen aus; bei Stiller wurzelt sie letztlich im Begehren, und selbst so sie schenken will, neigt sie sich einem Menschen zu, den man nach dem eigenen Bild formen möchte (S. 753). Schließlich stößt Rinser zur Erkenntnis vor und läßt durch sie die Abenteuerin der Tugend geprägt werden, daß die Kraft und Heilungsmacht der Ordnung erst dann sich auswirkt, wenn der

Mensch auf das, was er aus innerer, auch geistiger Triebhaftigkeit anstreben möchte, um eben dieser Ordnung willen verzichtet. In dem Maß dies geschieht, wächst und reift er. So geht von den *Abenteuern der Tugend* eine milde Güte aus, die froh und glücklich macht, während wir bei Stiller eine abgründige Traurigkeit und Melancholie feststellen mußten.

Die Welt- und Menschenbilder Rinsers und Frischs sind wesentlich verschieden, obwohl beide mit gleicher Offenheit und selbst Rücksichtslosigkeit die Gefahren und Übel der Gegenwart zeichnen. [...]

Von hier aus gesehen, wird man auch die Frage nach der zeitgebundenen oder zeitlosen Schönheit beantworten können. Die Farbigkeit des *Stiller* mutet an wie die Sicht- und Glanzwirkung eines zersplitterten Spiegels. Auch die größeren Überraschungen des absterbenden Herbstwaldes bieten sich zum Vergleich an. Das reizvolle Spiel und die Fülle der immer neuen Eindrücke entsprechen der Zerbrochenheit des Lebens, dem Narzißmus des Einzel-Ichs (S. 450), der unruhigen Angst, die immer wieder das Vergangene ungeschehen machen und auslöschen möchte, um bei jedem neuen Versuch dieselbe Erfahrung zu erleben, so daß am Ende nur der Tod, das Verlöschen in das Nichts übrigbleibt. Aus dieser Sicht wird man auch den Eindruck der Unsicherheit stärker fühlen, den Frisch in seiner Erzählung macht, wenn er von seiner »absoluten Instanz« spricht und von den Gedanken seiner Personen über Gott berichtet. Das bleibt alles im undeutlichen Nebel und gelangt nicht zur Gestalt. Es ist indessen begreiflich, daß ein Leser, dessen Welbild mit dem Stillers übereinstimmt, von dieser Darstellung mehr angezogen wird und sich hier vollendeter und meisterhafter ausgesprochen fühlt. Dennoch ist dies mehr eine äußere Schönheit ungeduldiger Mannigfaltigkeit.

Dagegen leuchtet der Roman Rinsers von innen heraus und erfüllt das Wort des Dichters »Was aber schön ist, selig scheint es in ihm selbst«. Das Buch atmet Stille, Größe und Friede und beglückt. Es sei jedoch nicht verkannt, daß Frisch mit größerer Gelassenheit erzählt, während bei Rinser ein inneres Feuer glüht. Das könnte Gedanken anregen, die Lessing in seinem Laokoon und Schiller in seinen ästhetischen Abhandlungen äußern. Allerdings wird man bei dem endgültigen Urteil bedenken müssen, daß der Brief eine viel unmittelbarere Ausdrucksweise ist als die für das Ich geschriebenen Gefängnisaufzeichnungen Stillers und das sachliche Nachwort des Staatsanwalts.

Man möchte darum abschließend sagen: das Bild der Schönheit wechselt, je nach dem Maß und dem Nachdruck, mit denen das Umfassende des Ewigen im Menschen angerührt und angenommen wird. Das Schöne hingegen, das die wechselnde Erscheinung in Raum und Zeit ausstrahlt, schlägt den in seiner Zeit aufgehenden Menschen in seinen Bann, wird auch bei einer Wiederkehr ähnlicher Verhältnisse wieder bedeutungsvoll werden. Im übrigen bleibt es Zeitdokument, bereichert aber nicht das Erbe der unveränderlichen Güter. Es ist mit der Schönheit wie mit der Wahrheit. Viele Teilwahrheiten reichen nicht an den Besitz der Grundwahrheit heran. So kann sich auch kein noch so buntes Farbenspiel mit dem ruhigen Licht messen, das die ewige Schönheit und Wahrheit ausstrahlt.

Stimmen der Zeit 83, Bd. 162, 1957/58

Anmerkung

1 Maximen und Reflexionen, Hamburger Ausgabe 12, S. 503 n. 977.

[39] Edwin Hartl
Nach vielen Jahren

[...]

Auch der Roman *Stiller* von dem Schweizer MAX FRISCH ist ein Welterfolg geworden und geblieben. 1953/54 entstanden, im gleichen Jahr erschienen und nun auch als Taschenbuch zu haben, stellt das Werk den typischen Schweizer, also den untypischen deutschen Sonderfall vor: Nie wird es trivial, nie verstiegen, hochwertigstes Lesefutter, das nur dadurch dem üblichen Vorwurf entgeht, eine kulinarische Lektüre zu bilden, weil es sich auch für den schlagfertigsten Kritiker als harte Nuß erweist. In unangreifbar runder Ironie bietet es sich dar und spottet allen Versuchen einer totalen Öffnung. Wer dennoch hinhaut, trifft sich selbst auf die Finger, es haut nie ganz hin mit diesem *Stiller* von Max Frisch. Der gefinkelte Autor verweigert sich, wie seine Romanfigur, jeder hanebüchenen Agnoszierung.

Der Held der Geschichte ist ein moderner Held. Er wird bei der Einreise in die Schweiz arretiert und in Untersuchungshaft genommen, weil er leugnet, der zu sein, als den ihn jeder zu erkennen glaubt: der Künstler (Bildhauer) Anatol Ludwig Stiller. Sein amerikanischer Paß auf den Namen White nützt ihm gar nichts. Der Büttel im Arrest und die Mithäftlinge, der Pflichtverteidiger und der Staatsanwalt, dessen Gattin sogar und erst recht die aus Paris herbeigeeilte Frau Stiller, Stillers Bruder und Freunde, ja die ganze Schweiz ist vom Kurort Davos bis in die Zelle hinein wohlmeinend und wohlwollend, exakt und korrekt, wohlstandsbewußt und wohlanständig, auch zu einem Delinquenten, seine Verköstigung ist famos – nur widert ihn das alles an, er will partout kein Stiller und kein Schweizer sein. Und nicht einmal das macht Land und Leute rabiat, es befremdet sie bloß.

Mag es also um die Frage der Identität gehen, um einen Eheroman oder um den der heutigen Kontaktlosigkeit, egal: wir haben eine umwerfende Satire vor uns. Das gesamte Establishment, gegen das kein böses Wort gesagt wird, fällt um wie die Kegeln, gefällt von treffsicherer Ironie. Ein meisterhafter Streich.

Die Furche 1973

[40] Dieter Fringeli
Im Rückblick

Nachhaltige und prägende Leseerlebnisse für einen heute Dreißig- oder Vierzigjährigen: die Dramen Friedrich Dürrenmatts [...] und die Romane Max Frischs. »Ich bin nicht Stiller« – solche Sätze gingen in den fünfziger Jahren noch ins Blut. Und heute? Wir litten mit dem Roboter-Menschen Walter Faber. Warum eigentlich? Das Schicksal des »Weichlings« Jürg Reinhart hingegen ließ uns eher kalt. Heute steht mir Reinhart nahe; Faber kann ich mit dem besten Willen nicht mehr so ganz ernst nehmen; die einst so scharf konturierte Gestalt des Anatol Ludwig Stiller kam mir bei der jüngsten Lektüre des Romans reichlich verschwommen vor. Hat Max Frisch überhaupt eine greifbare, eine »nachvollziehbare« und somit wirklich glaubwürdige Figur geschaffen? [...]

Basler Nachrichten v. 10. 10. 1975

Helene Karmasin/Walter Schmitz/Marianne Wünsch

Kritiker und Leser:
Eine empirische Untersuchung zur »Stiller«-Rezeption

1. Zielsetzung

Es gibt nicht eben wenige theoretische Traktate, die verkünden, wie wichtig es wäre, die Rezeption literarischer Texte zu untersuchen: obwohl ihre vielen apriorischen Behauptungen über den »Akt des Lesens« geradezu Arbeiten zu ihrer Falsifizierung herausfordern, ist doch die Zahl empirischer Untersuchungen an konkreten Beispielen sehr gering geblieben. Unsere Überlegungen zur tatsächlichen Rezeption des *Stiller* sind aus zwei Versuchen empirischer Beschreibung von Rezeptionsakten zusammengewachsen: zum einen handelte es sich um die Rezeption des Romans in einer Teilgruppe heutiger Leser, zum anderen um seine Rezeption in der Literaturkritik kurz nach Erscheinen des Romans. In einem zweiten Schritt wurde versucht, die Ergebnisse zu korrelieren, obwohl – und gerade weil – wir uns der beiden methodischen Probleme bewußt sind, die ein solcher Vergleich mit sich bringt. Denn erstens handelt es sich um zwei durch ungefähr 20 Jahre getrennte Rezeptionsakte: es muß aber damit gerechnet werden, daß die Rezeption auch von text-externen – somit in der Zeit veränderbaren – Faktoren abhängt. Und zweitens werden zwei sozial verschiedene Gruppen von Rezipienten, d. h. wohl auch zwei soziokulturell verschiedene Rezeptionstypen, verglichen: eine institutionalisierte Form der Rezeption in der Literaturkritik, die, wie alle Institutionen, bestimmten etablierten Regeln folgt, und eine informelle Rezeption, die zwar sicher auch nicht willkürlich und regellos ist, da sie ebenfalls kognitive Voraussetzungen in der Sozialisation hat, aber zugleich, wenn schon vielleicht nicht freier, so doch anders geregelt ist.

2. *Ausgangspunkte und Verfahren*

2.1. Empirische Untersuchung zum Leserverhalten: Projektbeschreibung

Die Untersuchung wurde im Rahmen eines germanistischen Seminars an der Universität München (Wünsch/Karmasin: Textbedeutung und Textdeutung. Zum Verhältnis von Interpretation und Rezeption, SS 77) geplant und vom Institut für Motivforschung (H. Karmasin)[1] durchgeführt und ausgewertet. Es ging dabei einerseits um die Beschreibung einiger Aspekte des Rezeptionsverhaltens gebildeter »Normalleser« (Studenten usw.), andererseits um das Verhältnis zwischen interpretatorisch nachweisbarer Textbedeutung und tatsächlichem Rezipientenverhalten. Einer Stichprobe aus dieser Personengruppe wurde ein Fragebogen vorgelegt, um ihr Rezeptionsverhalten bezüglich einiger Textaspekte zu erfassen. Im folgenden wird nur der Teil der Untersuchung wiedergegeben, der sich auf Aspekte der Charakterisierung und Bewertung der Romanfiguren und der jeweiligen Sympathiezuwendung an sie durch diese Lesergruppe bezieht. Dieser Problemkomplex spielt nun aber gerade auch in der Literaturkritik eine Rolle, so daß damit auch ein Ansatzpunkt zum Vergleich gegeben ist.

Zur Erstellung der Datenbasis: Konstruktion des Fragebogens. Auf den Problemkomplex der Romanfiguren bezogen sich die Fragen 2, 3, 6, 7 und 8:

2. Wenn Sie jetzt an vier Personen des Romans denken: Julika, Stiller, Sibylle, Rolf.
   Charakterisieren Sie diese vier Personen bitte so, wie Sie sie erlebt haben.
   Was für Typen von Personen sind das?
   Welche Eigenschaften würden Sie ihnen zuschreiben?
   Julika hat folgende Eigenschaften:
   Stiller hat folgende Eigenschaften:
   Sibylle hat folgende Eigenschaften:
   Rolf hat folgende Eigenschaften:
   Gehen Sie bitte jetzt nochmals diese Frage durch und kennzeichnen Sie jede Eigenschaft, die Sie verwendet haben, danach, ob Sie selbst, *Sie persönlich,* diese Eigenschaft als positiv oder negativ bei einer Person betrachten. Schreiben Sie ein + über die Eigenschaft, wenn Sie sie positiv empfinden, ein –, wenn Sie sie negativ empfinden, und 0, wenn sie Ihnen weder positiv noch negativ erscheint.
3. Beurteilen Sie jetzt, welche von den beiden Personen, die hier immer paarweise zusammengestellt sind, Ihnen im ganzen sympathischer ist. Schreiben Sie den Namen der Person neben das Paar.

Welche ist Ihnen sympathischer von:
Julika oder Stiller?
Julika oder Rolf?
Julika oder Sibylle?
Stiller oder Rolf?
Stiller oder Sibylle?
Rolf oder Sibylle?

6. Beurteilen Sie jetzt die Personen im Roman mit dem Maßstab danach, wie sympathisch sie Ihnen erscheinen.

1	2	3	4	5	6	7

1 bedeutet: sehr sympathisch
7 bedeutet: nicht sehr sympathisch
Dazwischen stufen Sie ab. Schreiben Sie die gewählte Zahl neben den Namen:
Stiller:
Sibylle:
Rolf:
Julika:

7. Der Roman besteht doch aus zwei Teilen.
Als Sie eben Ihre Beurteilung abgegeben haben: haben Sie da eher an die Person gedacht, wie sie im ersten Teil erscheint oder wie sie im zweiten Teil erscheint oder eher an ein Gesamtbild?
Bei Stiller: an
Bei Sibylle: an
Bei Rolf: an
Bei Julika: an
Wenn Sie bei den Personen Unterschiede zwischen den beiden Teilen erleben, geben Sie hier bitte nochmals eine Bewertung:
(Benützen Sie wieder den Maßstab!)
Wie sympathisch finden Sie:

	Im ersten Teil	Im zweiten Teil
Stiller:		
Rolf:		
Sibylle:		
Julika:		

8. Beurteilen Sie jetzt die Personen im Roman auf dieser Liste:
Geben Sie 1, wenn Sie meinen, daß die Eigenschaft auf diese Person voll zutrifft, 7, wenn Sie meinen, daß sie nicht zutrifft. Geben Sie 8, wenn Sie meinen, daß man nicht entscheiden kann oder will, ob die Person diese Eigenschaft hat.

Liste 1 – Stiller

aktiv	1	2	3	4	5	6	7	8
hilfsbereit	1	2	3	4	5	6	7	8
naiv	1	2	3	4	5	6	7	8
kritisch	1	2	3	4	5	6	7	8
kalt	1	2	3	4	5	6	7	8
intelligent	1	2	3	4	5	6	7	8
launenhaft	1	2	3	4	5	6	7	8
tolerant	1	2	3	4	5	6	7	8
sensibel	1	2	3	4	5	6	7	8
leichtsinnig	1	2	3	4	5	6	7	8
dominant	1	2	3	4	5	6	7	8
schüchtern	1	2	3	4	5	6	7	8
gerecht	1	2	3	4	5	6	7	8
warmherzig	1	2	3	4	5	6	7	8
unehrlich	1	2	3	4	5	6	7	8
humorvoll	1	2	3	4	5	6	7	8
gesellig	1	2	3	4	5	6	7	8
vital	1	2	3	4	5	6	7	8
streng	1	2	3	4	5	6	7	8
passiv	1	2	3	4	5	6	7	8

Liste 2 – Julika
Liste 3 – Sibylle
Liste 4 – Rolf

(Bei diesen Figuren wurden dieselben Merkmalslisten und Skalen vorgegeben)

Die Untersuchung hatte die Form einer schriftlichen Einzelerhebung, d. h. jede Person beantwortete den Fragebogen einzeln schriftlich. Dies wurde bei etwa der Hälfte der Interviews kontrolliert, die Fragebogen wurden hier unter Aufsicht ausgefüllt; bei dem Rest war eine derartige Kontrolle nicht möglich. Über die Erhebung der üblichen soziodemographischen Beschreibungsmerkmale wie Alter, Geschlecht usw. hinaus enthielt der Fragebogen u. a. als Frage 9 noch Fragen zur Einstellung der Rezipienten, die es erlauben, sie nach dem Grade ihrer Konservativität bzw. Liberalität zu charakterisieren. Diese Fragen sind hier der Kürze halber weggelassen, sie wurden den Skalen »Sexualmoral« und »Strafrechtsreform« eines bei Wakenhut 1974 veröffentlichten Tests zur Messung gesellschaftspolitischer Einstellungen entnommen und entsprechend den dort beschriebenen Meßeigenschaften eingesetzt. Dem Einsatz dieser Fragen lag die Hypothese zugrunde, daß das Maß an Konservativität/Liberalität eines Befragten im Zusammenhang mit der Bewertung einer Romanfigur und ihres Verhaltens, zumindest in diesem spezifischen Fall, stehen könnte.

Der Selektion und Konstruktion der einzelnen Fragen lagen grob die folgenden Überlegungen zugrunde:

1. Exakt vergleichbar sind Figurencharakterisierungen nur dann, wenn
   a) ein und derselbe Merkmalskatalog für alle Figuren vorgegeben wird, da andernfalls ein Leser die Figur A vielleicht nur bezüglich ihrer Intelligenz, die Figur B nur bezüglich ihrer Moralität beschreibt.
   b) eine quantitative Skala vorgegeben wird, dank derer entschieden werden kann, wie ausgeprägt ein Leser einer Figur das Merkmal X zuordnen möchte.

   Diese Bedingungen erfüllt *Frage 8*.
2. Da ein Rezipient des Textes
   a) den Figuren auch andere Merkmale als die der vorgegebenen Merkmalsliste zuordnen könnte und
   b) eine Selektion treffen kann, bezüglich welcher Persönlichkeitsdimensionen er eine Figur überhaupt charakterisiert, z. B. A nur hinsichtlich der Intelligenz, B nur hinsichtlich der Moralität,

   ist zudem eine freie Charakterisierung der Figuren durch die Leser als Korrektiv der Merkmalszuschreibung nach Listen erforderlich (*Frage 2*); diese muß jener vorangehen, um eine Beeinflussung des Lesers durch den vorgegebenen Katalog zu vermeiden.
3. Ein und dieselbe Eigenschaft kann von verschiedenen Lesern oder Lesergruppen verschieden – positiv oder negativ oder neutral – bewertet werden: daß jemand einer Figur etwa das Merkmal »dominant« zuordnet, kann erst dann wirklich interpretiert werden, wenn man weiß, ob er dieses Merkmal als positive, negative, neutrale Eigenschaft betrachtet. Daher wurde *Frage 2* um eine entsprechende Zusatzfrage ergänzt.
4. Der Merkmalskatalog in *Frage 8* wurde aus Tests auf der Basis impliziter Persönlichkeitstheorien entnommen und nur um drei Merkmale erweitert (sensibel, schüchtern, vital), die uns sowohl in der Literaturkritik wie im Text explizit oder implizit eine Rolle zu spielen scheinen. Die Untersuchungen zu *impliziten Persönlichkeitstheorien* testen die inzwischen gut bestätigte Hypothese, daß es gruppen-, schichten-, kulturspezifische Zuordnungen von Persönlichkeitsmerkmalen gibt, die den Individuen selbst meist nicht bewußt sind, aber dazu führen, daß aus der Annahme, Figur A habe das Merkmal X, eine weitere Merkmalsmenge Y, Z... gefolgert wird (vgl. dazu Herkner Kap. 5.1, 5.2), was u. U. bedeutet, daß aus einem einzigen an den Text anschließbaren Merkmal einer Figur ein ganzes ›set‹ von Merkmalen, ein vollständiger »Charakter« der Figur, vom Rezipienten erschlossen wird.
5. Über die Merkmalszuschreibung/Bewertung hinaus kann der Rezipient zudem noch jeder Figur einen Sympathiewert zuordnen. Ob er eine Figur sympathisch oder unsympathisch findet, und wie sehr, kann auf folgende Weise erfaßt werden:

a) durch einen *Paarvergleich* (vgl. dazu Karmasin Kap. 3.3.2), bei dem alle logisch möglichen Paar-Kombinationen der Figuren zusammengestellt werden und der Rezipient entscheiden soll, wen er jeweils in diesem Paar sympathischer findet (*Frage 3*),
b) durch eine Einzelbeurteilung der Figuren bezüglich ihres Sympathiewertes auf einer quantitativen Skala (*Frage 6*).

6. Da eine Figur dem Rezipienten nicht in allen Abschnitten der syntagmatischen Folge gleich (un-)sympathisch scheinen muß, kann er nach seiner Sympathiebewertung
   a) auf der Basis des Gesamttextes
   b) auf der Basis bestimmter Abschnitte

   befragt werden. *Stiller* umfaßt nun zwei Teile, bei denen aus verschiedenen Perspektiven (Stiller, Rolf) erzählt wird: wenigstens nach dieser Grobgliederung versuchten wir, eventuelle Unterschiede in den Sympathiewerten einer Figur in Teil I und II zu erfassen (*Frage 7*).

Alle Fragestellungen ließen sich natürlich, wenn hinreichend finanzielle Mittel und kooperationsbereite Rezipienten vorhanden wären, in doppelter Hinsicht verfeinern:
- durch präzisere und detailliertere Fragen
- durch andere Interview-Techniken, z. B. den Typ des mündlichen Einzelinterviews, das von psychologisch geschulten Interviewern durchgeführt werden müßte.

Doch handelte es sich bei diesem Projekt um einen ersten Versuch, der nur grob einige Klassen von Daten erfassen konnte, was freilich Voraussetzung detaillierterer Untersuchungen ist, da solche ersten Ergebnisse für die Formulierung präziser Hypothesen in jedem Falle unerläßlich sind.

Stichprobe und Durchführung. Die Untersuchung basiert auf 84 Interviews, die im Zeitraum von Mai bis Juli 1977 in München und Wien durchgeführt wurden.

Die Stichprobe setzte sich zusammen aus:

		Interviewort München	Interviewort Wien
	n = 84	n = 70	n = 14
Studenten	80	70	10
Germanistikstudenten	74	70	4
Studenten anderer Fakultäten	6	—	6
Personen mit höherer Schulbildung im Alter zwischen 30 und 40 Jahren	4	—	4
männliche Befragte	37	32	5
weibliche Befragte	46	37	9
ohne Angabe	1	1	–

Diese Gruppe von 84 Personen, die den Fragebogen tatsächlich beantwortet haben, stellt nur einen Teil derer dar, die wir persönlich oder durch Vermittlung von Kollegen um ihre Mitarbeit gebeten hatten.[2] Diese geringe Beteiligung scheint nur partiell durch Nicht-Kenntnis des Romans motiviert.[3] Bei denen, die Text-Kenntnis angaben, lassen sich, soweit sie ihre Verweigerung der Kooperation überhaupt motivierten, zwei Klassen von Gründen unterscheiden:

1. Eine Teilgruppe gab an, den Text zwar zu kennen, aber sich nicht genau genug an ihn bzw. an die Figuren um und neben Stiller erinnern zu können, um unsere Fragen zu beantworten.
2. Eine Teilgruppe begründete ihre Verweigerung damit, daß Fragen dieser Art dem Objekt »Literatur« »unangemessen« seien. In solchen Reaktionen manifestiert sich zweierlei:
   a) eine Verwechslung von Interpretation und Rezeption – eine Untersuchung von Rezeptionsakten und nur um diese ging es hier, kann aber niemals eine Interpretation des Textes, d. h. die wissenschaftliche Rekonstruktion der Textbedeutung, ersetzen.
   b) eine im Sozialisationsprozeß erlernte Praxis des soziokulturell üblichen Umgangs mit Literatur, die, wie es scheint, nur bestimmte Formen des Redens über Literatur und alles, was damit zusammenhängt, erlaubt und prinzipiell die Unmöglichkeit objektivierbarer, oder gar quantifizierbarer, Aussagen über derartige Phänomene annimmt. Doch dürften sowohl die Möglichkeit einer wissenschaftlichen Textanalyse als auch die einer sozialpsychologischen Rezeptionsforschung solche Annahmen hinreichend widerlegen.

2.2. Zur Literaturkritik – Beschreibung einer Inhaltsanalyse

»Ich bin hauptberuflich Kritiker.«[4] Die etablierte Buchkritik – nach dem ersten Höhepunkt der zwanziger Jahre – »betreute« in den fünfziger Jahren die Versuche junger deutscher Schriftsteller derart unangefochten, daß manche fürchteten, die Literatur selbst gehe im Literaturbetrieb unter.[5] – »Kritisch reagieren jedoch ist [...] kein abgeleiteter Impuls. [...] Der Trieb zur Äußerung eines für wahr erkannten oder für wahr gehaltenen Urteils kann ein ganz elementarer Trieb sein.« So beschreibt Joachim Kaiser, einer jener, die versuchten, »die Auseinandersetzung mit der zeitgenössischen Literatur zu bestehen«[6], sein Metier. – Institution und Spontaneität – diese beiden Faktoren prägen sich nach Anteil und Gewicht je verschieden in den Rezeptionsdokumenten aus. Dabei wäre »Spontaneität« das verbindende Glied zwischen dem Kritiker, dem sozusagen »offiziellen« Leser, und dem »normalen« Leser.

Die Verwertung des vorhandenen Materials scheitert freilich allzuoft an methodischen Schwierigkeiten; umfassende und exakte Analyse wird durch impressionistische Detailbeobachtungen ersetzt.[7] Mit der sog. »qualitativen Inhaltsanalyse« bieten die Sozialwissenschaften ein Verfahren an, mit dem sich wiederkehrende Inhaltszüge in größeren Textmengen feststellen und gegeneinander abwägen lassen.[8] Die Inhaltsanalyse läßt sich als zweifach geschachtelter Modellierungsprozeß verstehen (vgl. Wersig S. 15 u. 20); die isolierbaren Elemente eines »Aussageganzen«, der Datenbasis A werden semantischen Kategorien eingeordnet, die Kategorien ihrerseits in Dimensionen zusammengefaßt. Die Dimensionen dienen in einem Satz von Hypothesen über das Aussageganze als Variable, denen vermittelt durch die Kategorien ein statistischer Wert zugewiesen wird; die schließlich bestätigten Hypothesen bilden das Modell B des Aussageganzen. Aus B läßt sich ein abstrakteres Modell C erschließen; dabei gilt, daß C mittelbar auch A abbildet. In unserem Fall ist C ein sog. »Kommunikatormodell« (vgl. Wersig S. 23), bezieht sich also auf den Sender von A, die etablierte Literaturkritik der frühen fünfziger Jahre. – Unsere Erhebung basiert auf den 36 in diesem Band abgedruckten Rezensionen von Max Frischs *Stiller,* die vom Oktober 1954 bis Mitte 1956 erschienen sind; ausgenommen wurde der Essay von Cesare Cases, hinzu kam eine Besprechung, die Samuel Bächlin im *Landboten Winterthur* erscheinen ließ.[9] Das Material läßt sich nach zwei Kategorien aufschlüsseln; zum einen geographisch – erschien die Kritik in Deutschland oder in der Schweiz? –, zum anderen soziologisch nach Streuung und Größe des anvisierten Publikums. Nur regional verbreitete Zeitungen wenden sich im allgemeinen an ein kleineres, weniger heterogenes Publikum als nicht standortgebundene, überregionale Blätter.[10] Danach ergibt sich die folgende Verteilung[11]:

	BRD	Ch	
regional	8	7	15
überregional	17	5	22
	25	12	37

Für die statistische Auswertung, bei der das »Thema«[12] als Untersuchungseinheit diente, wurden nach mehreren Probeläufen[13] folgende Dimensionen, die jeweils zwei oder mehr, zum Teil nochmals geschachtelte Kategorien umfassen[14], festgelegt:

1) Figurenbewertung
2) Interpretationsformel
3) Schlußdeutung
4) Wertung
5) Stellung zur Schweiz
6) Einordnung

Die so gewonnenen Ergebnisse konnten durch manche Detailbeobachtungen an den Rezeptionsdokumenten bestätigt und vervollständigt werden; schließlich ordneten sie sich einem kulturhistorischen Erklärungsraster ebenso ein, wie einem sozialpsychologischen. Denn einmal fragten wir, wie die Kritik als Institution am literarischen Leben teilhat, das andere Mal versuchten wir, bei der »Spontaneität« des Kritikers, dem »Trieb der Äußerung«, anzusetzen, um seine Ergebnisse besser zu verstehen.

3. Auswertung

3.1. Ergebnisse der empirischen Untersuchung

3.1.1. Sympathiezuwendung

Die Ergebnisse der Sympathiezuwendung an die Hauptfiguren durch die Rezipienten (*Frage 6*) werden von *Graph 1* wiedergegeben:

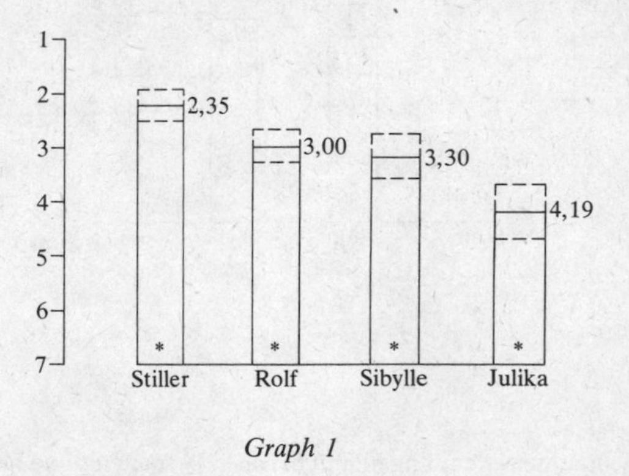

Graph 1

Die obere Begrenzung der vier Säulen gibt den jeweiligen *Mittelwert* an; die gestrichelten Linien oberhalb und unterhalb des Mittelwertes geben das *Konfidenzintervall* an, d. h. die Grenzen, innerhalb derer der Mittelwert stichprobenbedingt schwanken kann. Sternchen (*) bedeuten, daß die Unterschiede zwischen den Mittelwerten signifikant sind (5 % Irrtumswahrscheinlichkeit eingerechnet), d. h. daß es sich um *überzufällige*, nicht stichprobenbedingte Unterschiede handelt.

Während *Graph 1* die *Gesamtheit* der Befragten umfaßt, gliedert *Graph 2* das Ergebnis nach *Geschlecht* der Rezipienten auf:

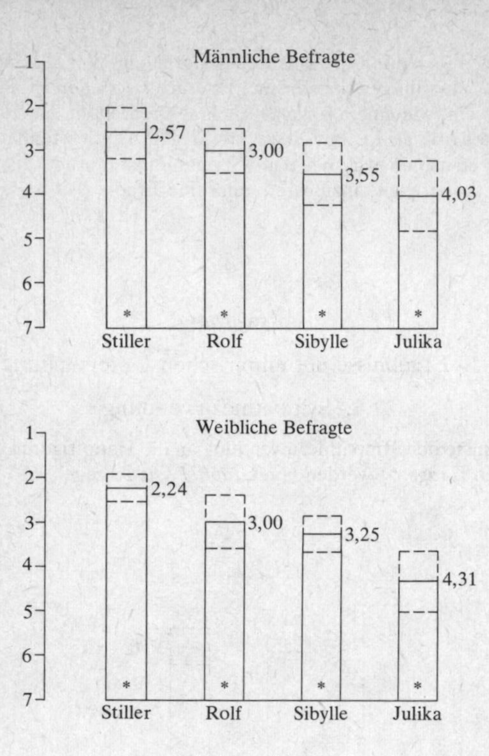

Graph 2

Daraus folgt:

1. Die Sympathiezuwendung nimmt bei allen Befragten ohne Rücksicht auf ihr Geschlecht in der Reihenfolge Stiller–Rolf–Sibylle–Julika ab.
2. Doch divergieren männliche und weibliche Befragte quantitativ im Grad der Sympathiezuwendung: Weibliche Befragte bewerten Stiller und Sibylle besser, Julika schlechter als männliche Befragte.

Die jeweilige Sympathieverteilung erwies sich als verknüpft mit dem Grad an Konservativität/Liberalität der Befragten. Da diese Einstellungsmessung nicht bei allen Befragten durchgeführt wurde (werden konnte), ergibt sich hier nicht der entsprechende Mittelwert der Gesamtgruppe. Die Zahl der Befragten erlaubt methodisch leider keine Korrelation zwischen der Einteilung in männlich/weiblich und der in gemäßigt liberal/sehr liberal.

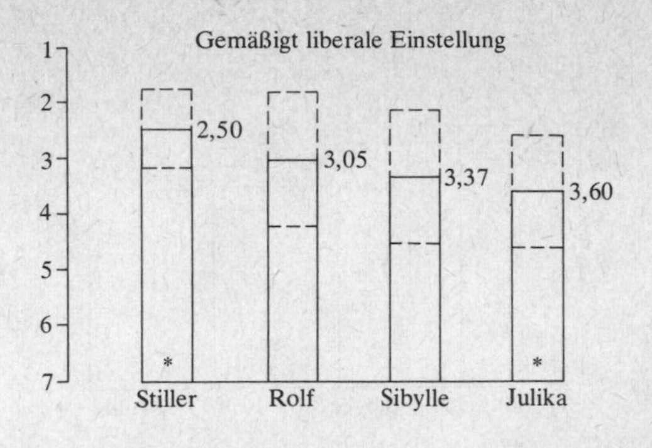

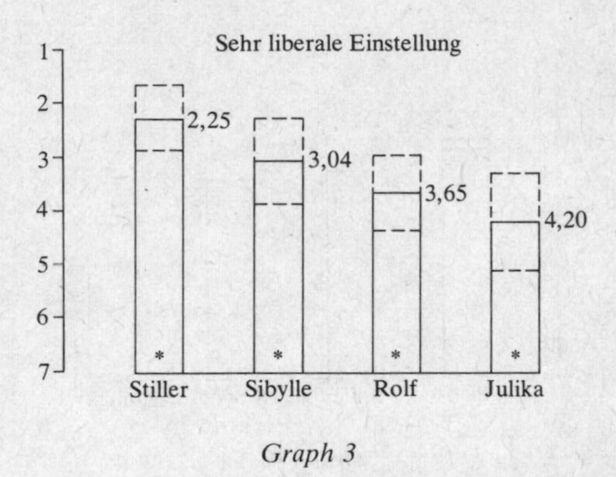

Graph 3

Es gilt also:

3. Die Gruppe mit gemäßigt liberaler Einstellung weist dieselbe Sympathiehierarchie Stiller–Rolf–Sibylle–Julika wie die Gesamtgruppe auf (*Graph 1*), aber sie beurteilt quantitativ Stiller schlechter und Julika besser als die Gesamtgruppe.
4. Die sehr liberale Gruppe stellt eine andere Hierarchie her, bei der Rolf und Sibylle den Platz tauschen: Stiller–Sibylle–Rolf–Julika. Außerdem bewertet sie nicht nur deutlich Rolf schlechter und Sibylle besser, sondern auch Stiller besser und Julika erheblich schlechter.

Insgesamt 48 % der Befragten gaben an, daß sie die Figuren in den beiden Teilen des Romans verschieden bewerteten:

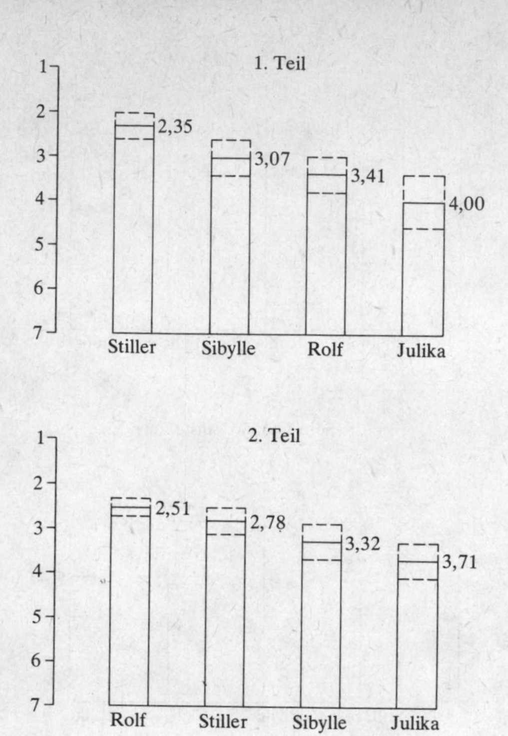

Graph 4

5. In Teil II verändert sich die Bewertung der Figuren gegenüber Teil I deutlich: Stiller und Sibylle werden etwas schlechter, Julika etwas besser, Rolf deutlich besser beurteilt.

Die Sympathiezuwendung wurde auch durch den *Paarvergleich* (*Frage 3*) getestet. Dieses Skalierungsverfahren erlaubt es, die Zuschreibung eines Merkmals für die einzelnen Elemente – hier der Romanfiguren – einer gegebenen Menge von Elementen (Stimulusfeld) über den Vergleich jedes Elements mit jedem anderen zu bestimmen; daraus folgt, in welchem Verhältnis ein Element, verglichen mit allen anderen, das fragliche Merkmal – hier die Sympathie des Rezipienten – besitzt. Bei diesem Verfahren wird das Element des Feldes, das das Merkmal am wenigsten besitzt, gleich Null gesetzt; in unserem Falle ist dies nach *Graph 5* Julika:

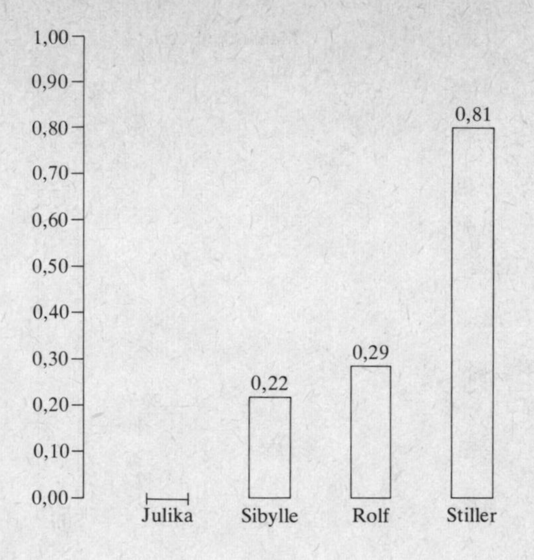

Graph 5

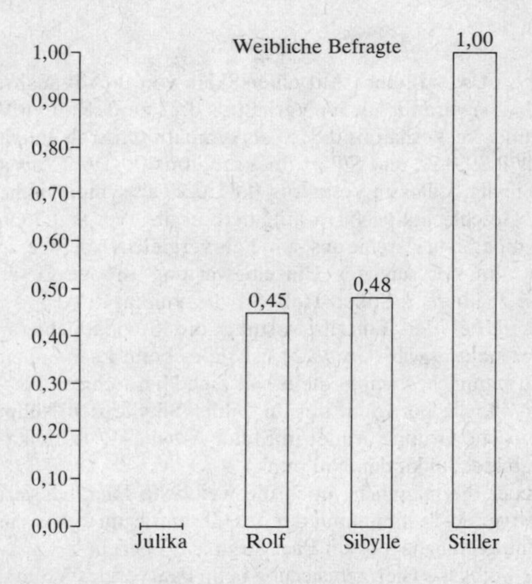

Graph 6

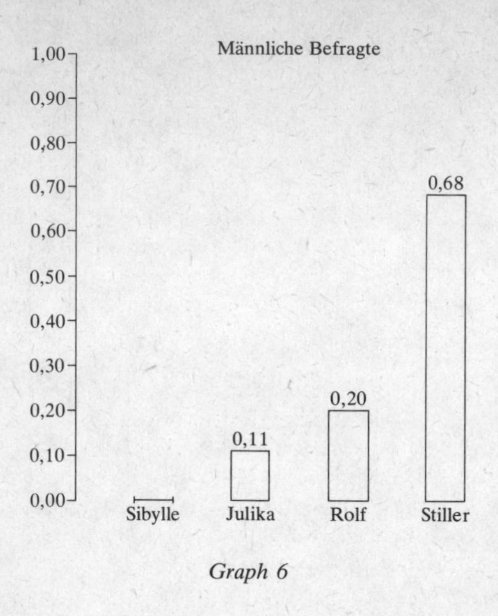

Graph 6

Der *Graph* ist so zu lesen: Auf einer Skala von 0 (Minimalwert) bis 1 (Maximalwert) wird Sibylle im Verhältnis 0,22 zu 0, Rolf im Verhältnis 0,29:0, Stiller im Verhältnis 0,81:0 als sympathischer als Julika, Rolf im Verhältnis 0,29:0,22 und Stiller im Verhältnis 0,81:0,22 als sympathischer als Sibylle, Stiller im Verhältnis 0,81:0,29 als sympathischer als Rolf bewertet. Geschlechtsspezifisch aufgeteilt ergibt sich (s. *Graph. 6*):

6. Die Sympathiehierarchie aus dem Paarvergleich in der Gesamtgruppe stimmt mit der aus der Einzelbewertung in der Gesamtgruppe (*Graph 1*) überein: Stiller–Rolf–Sibylle–Julika.
7. Während bei der Einzelbewertung die Sympathiehierarchie geschlechtsneutral war (*Graph 2*), ist sie es beim Paarvergleich nicht:
   a) Die männliche Gruppe stellt hier eine Hierarchie Stiller–Rolf–Julika–Sibylle her, d. h. bei ihr bildet Sibylle den Nullpunkt; die weibliche Gruppe ordnet in Stiller–Sibylle–Rolf–Julika, d. h. bei ihr bildet Julika den Nullpunkt.
   b) Weder die männliche noch die weibliche Hierarchisierung beim Paarvergleich stimmt mit der der Gesamtgruppe, sei es in der Einzelbewertung, sei es im Paarvergleich, überein.
   c) Die weibliche Hierarchisierung beim Paarvergleich stimmt mit den Hierarchisierungen überein, die nicht geschlechtsspezifische

Gruppen für den Gesamttext vorgenommen haben, wenn sie sehr liberal eingestellt waren (*Graph 3*), und für den Teil I vorgenommen haben, wenn sie für Teil I und Teil II verschiedene Bewertungen der Figuren abgegeben haben (*Graph 4*).

Somit lassen sich die folgenden Hypothesen formulieren:
I. Mindestens in dieser Rezipientengruppe ist die jeweilige Sympathiezuwendung an die Romanfiguren eine Funktion sowohl der Geschlechtszugehörigkeit als auch des Liberalitätsgrades der Rezipienten.
II. Daß aber die Sympathiebewertungen nach den Merkmalen männlich/weiblich und gemäßigt liberal/sehr liberal *divergieren,* und daß die Bewertungen der weiblichen Gruppe beim Paarvergleich und der sehr liberalen Gruppe – wie auch immer diese untereinander korreliert sein mögen – *konvergieren,* und zu der von den jeweiligen Mittelwerten der Gesamtgruppe abweichenden Reihenfolge Stiller–Sibylle–Rolf–Julika führen, und zudem zu einer Aufwertung Stillers und einer Abwertung Julikas tendieren, scheint uns kein Zufall. Diese spezifische Rezeption dürfte auch eine Funktion der Textstruktur selbst sein. Denn erstens erlaubt die Perspektivierung im Text leichter divergente Rezeptionen als ein Text, bei dem eine normative Instanz die Figurenbewertungen schon festlegt. Zweitens spielen sowohl die Geschlechter(rollen) männlich/weiblich und die Opposition zwischen Erfüllung und Nicht-Erfüllung dieser Rollen als auch die Opposition zwischen eher konservativ eingestellten und eher liberalen Figuren im Text selbst eine Rolle. Und beide Problemkomplexe werden im Text ebenso korreliert, wie sie wohl in der heutigen Gesellschaft korreliert sind: Rolf, der eine klassische Männerrolle mindestens zunächst ungebrochen erfüllt, ist sicher auch konservativer als Stiller, der u. a. Probleme mit seiner Geschlechterrolle hat; Sibylle, die auch Emanzipationsversuche unternimmt, setzt sich über konservative Moralnormen (Ehebruch) hinweg. Der Text selbst verführt also geradezu zur verschiedenen Aufteilung der Rezipientengruppen.
III. Da sicherlich in den letzten beiden Jahrzehnten eine Evolution der sozialen Geschlechterrollen stattgefunden hat, deren Ergebnis die Mann-Frau-Differenz in der *Stiller*-Rezeption mitmotiviert, ist zu bedauern, daß es keine ähnliche Untersuchung aus dem Erscheinungszeitraum gibt, wo eventuell das Geschlecht noch keine Rolle in der Rezeption gespielt haben könnte, mut-

maßlich aber schon die Liberalität/Konservativität. Man kann jedenfalls vermuten, daß die damalige Primärrezeption in vergleichbaren Gruppen sich nicht auf dieselbe Weise abgespielt hat. Je stärker z. B. die Geschlechterrollen intakt waren, um so provozierender müßte der Titelheld erschienen sein.

IV. Da bei der Aufgliederung der Sympathiezuwendung auf die beiden Teile des Romans weder die zu Teil I noch die zu Teil II mit der des Gesamttextes übereinstimmt, vermuten wir, daß diese beiden Textteile in der Rezeption als gleichgewichtig und eigenständig gegenüber dem Gesamttext wahrgenommen werden.

V. Daß die weibliche Gruppe (beim Paarvergleich) und die sehr liberale Gruppe (bei der Einzelbewertung) genau die Figurenhierarchie vertreten, die der Teil der Gesamtgruppe, der sich zu einer Differenzierung in Teil I und II überhaupt geäußert hat, für Teil I vornimmt, legt die Hypothese nahe, daß für jene beiden Gruppen eher Teil I entscheidend sein könnte. Zur Bestätigung dieser Hypothese könnte angeführt werden, daß einige Personen mit sehr liberaler Einstellung eine vom Mittelwert massiv abweichende Bewertung für Teil II vorgenommen haben, indem sie etwa Rolf nicht nur nicht Stiller vorzogen, sondern sogar gegenüber Teil I schlechter einstuften. Im Text selbst erscheint Rolf sicher in beiden Teilen verschieden: v. a. in Teil II arbeitet er mit – eher konservativen Einstellungen nahen – sehr generell und normativ formulierten moralischen und religiösen Postulaten.

VI. Wenn Rolf dennoch im Durchschnitt für Teil II Stiller in der Hierarchie ablöst, wenn er sich damit auch gegen den sicher nicht unwichtigen Textfaktor, wer Hauptfigur ist, durchsetzt, dann müssen sich offenbar bestimmte andere Textfaktoren gegen die Disposition der Leser durch Geschlecht und Einstellung durchsetzen können, zumal der Mittelwert für Teil II auch nicht mit dem Mittelwert für den Gesamttext übereinstimmt. Als solche textuellen Faktoren kommen in Frage:

a) der Faktor, aus wessen Perspektive erzählt wird und wer erzählt: hier beide Male Rolf;
b) der Faktor, ob jemand und wer ein die »Fakten« der erzählten Welt verknüpfendes und ›Ordnung‹ herstellendes ideologisches Angebot macht: Rolf interpretiert aber in diesem Text die Fakten im Sinne einer solchen – wenn auch eher konservativen – überindividuell-objektiven Ordnung;
c) der Faktor, wer als souveräne Figur erscheint, die zwar mit

der Erzählperspektive verknüpft, ihr aber nicht eindeutig zugeordnet ist: in Teil II verliert nun aber Stiller seine Fähigkeit des elegant-überlegenen Umgangs mit der Welt.

VII. Daß Julika in Teil II höher bewertet wird als in Teil I, dürfte Ergebnis eines durch ihre Erkrankung bedingten Mitleidseffekts sein; solche Wirkungen sind auch aus anderen Kontexten in sozialpsychologischen Untersuchungen bekannt (vgl. den »underdog-effect« im Kontext der Wahlforschung, dazu Simon 1954).

VIII. Wenn man annehmen kann, daß ein für die Sympathiezuwendung relevanter Textfaktor auch die Häufigkeit ist, mit der sich eine Figur im Text durch (non-)verbale Handlungen manifestiert, erstaunt es, daß Sibylle für Teil II überhaupt noch diesen – hohen – Sympathiewert erhält; denn Rolf eliminiert sie in seiner Erzählung fast völlig. Eine Hypothese wäre (»primacy effect«, vgl. Herkner 1975, S. 256ff.), daß einer Figur einmal – für den Rezipienten überzeugend – zugeschriebene Werte nur dann abgesprochen werden, wenn *widersprechende* Textdaten auftreten, nicht aber, wenn *keine* Daten auftreten; d. h., daß einmal vorgenommene Zuordnungen soweit als irgend möglich aufrechterhalten werden.

Um die Rezeptionsrelevanz dieser verschiedenen Faktoren seitens des Textes und seitens der Rezipienten zu trennen und zu entscheiden, und um ihre Rolle in ihren jeweiligen Kombinationsmöglichkeiten zu bestimmen, wären weitere, zweifellos äußerst komplexe und aufwendige Untersuchungen notwendig.

3.1.2. Charakterisierung der Figuren

Die freie Charakterisierung. Bei den Antworten zu *Frage 2* wurden die Figuren nicht nur durch Persönlichkeitsmerkmale, sondern auch durch Einstellungen und für sie typische Verhaltensweisen beschrieben. Ihrem Umfang nach waren die Beschreibungen von Stiller die reichhaltigsten, die von Julika die magersten, die Variationsbreite der Urteile war am geringsten bei Rolf und Sibylle. Für Julika wurden die spezifischen Beschreibungskategorien gewählt, d. h. solche, die jemandem nur bei einer ganz bestimmten und sehr umfangreichen Menge von Bedingungen zugeordnet werden können.

Stiller:

Als Hauptmerkmal wird ihm das negativ bewertete Merkmal »egozentrisch« zugeschrieben: er erscheint also als nur mit seinen Problemen beschäftigt, so daß er auch auf berechtigte Ansprüche seiner Umwelt nicht eingehen kann. Damit werden teilweise die Merkmale »rücksichtslos«, »sozial desinteressiert«, manchmal auch »gefühllos« und »aggressiv« verbunden. Als zweite Dimension seiner Person erscheint die Merkmalskombination »geringe Ich-Stärke« und »Tendenz zur Realitätsflucht«, die weder negativ noch positiv bewertet ist, also keine Abwertung impliziert, sondern offenbar als Abweichung zur traditionellen Männerrolle wahrgenommen wird – was sich in Merkmalen wie feminin, weich, zärtlich, sensibel und – v. a. bei weiblichen Befragten – »nicht dominant« ausdrückt. Positiv wird ihm außer Mut zu Individualität und Emotionalität auch Intelligenz – als kreative Intelligenz – zugeschrieben. Eine kleine, wenig liberale Gruppe bewertet ihn ausschließlich negativ, sei es als abnorme Person (neurotisch, schizophren), sei es wegen abnormer Einstellung (anarchistisch). Je weniger liberal die Rezipienten sind, desto mehr betonen sie seine – als negativ wahrgenommenen – Merkmale »Ich-Bezogenheit«, »Unangepaßtheit«, »Realitätsflucht«.

Rolf:

Im Unterschied zu Stiller werden Rolf primär im allgemeinen positiv bewertete Merkmale zugeschrieben: er habe durch Erfahrung gelernt und sich positiv entwickelt, indem Sensibilität, Toleranz, Selbständigkeit, Nicht-Oberflächlichkeit bei ihm zugenommen und seine Relationen zu Frau und Umwelt sich verbessert hätten; dabei werden oft seine moralische Integrität und sein Verständnis für Stiller betont. Als zweite Dimension wird seine – v. a. analytische – Intelligenz hervorgehoben. Als Gegenbild Stillers erscheint er auch durch die Merkmale »sozial gut angepaßt und erfolgreich« und »große Ich-Stärke«; die letztere wird meist positiv als Stärke und Sicherheit, z. T. aber auch als Dominanzstreben, Rigidität, Kälte interpretiert. Teilweise wird argumentiert, er habe diese positiven Eigenschaften weniger, als er sie nach außen vorführe, wobei seine subjektive Ehrlichkeit nicht bestritten wird; auch gebe er sich Sibylle gegenüber toleranter und selbstsicherer, als er sei. In Einzelfällen wird ihm reine Verstandesbezogenheit, Spießigkeit, Bürgerlichkeit vorgeworfen. Wenn er durchgehend negativ charakterisiert wird, dann über die Dimension als der Tradition der Geschlechterrollen verhafteter, stark dominanter Mann.

Sibylle:

Sibylle wird überwiegend nach rein positiven Dimensionen charakterisiert: ihr werden Ich-Stärke, Entschlossenheit, Innenleitung, Warmherzigkeit, Kommunikationsfähigkeit, Erfahrungsbereitschaft, Liberalität, Emanzipiertheit, Partnerschaftlichkeit, Vitalität, Weiblichkeit, Attraktivität, problemlose Sexualität, sexuelle Freizügigkeit, Intelligenz, Sensibilität zugeschrieben. Sehr positiv wird sie v. a. durch die weiblichen Befragten charakterisiert. Bei neutraler Einstellung macht sie den Eindruck positiver Normalität, den man den anderen Figuren nicht zuschreibt. Eine kleine Gruppe sowohl männlicher wie weiblicher Befragter, die durch geringe Liberalität charakterisiert ist, lehnt sie unter Verweis auf ihren Ehebruch ab und schreibt ihr dabei negativ bewertete Merkmale wie ich-bezogen, rücksichtslos, verwöhnt, launisch, opportunistisch zu.

Julika:

Julika werden hauptsächlich Merkmale zugeordnet, die negativ bewertet werden: so Introvertiertheit, Kommunikationsunfähigkeit, Isoliertheit, Kontaktangst, Passivität, Entschlußlosigkeit, Ängstlichkeit, sexuelle Gestörtheit, emotionale, vereinzelt auch sexuelle Kälte. Wenn sie eine kleine Gruppe als willensstark und herrschsüchtig klassifiziert, entsteht kein Widerspruch: Julika schließt Verhaltensweisen anderer ihr gegenüber durch eigene Verhaltensweisen massiv aus und erzwingt so trotz und mit Passivität Verhaltensweisen der anderen. So wird z. T. ihre Krankheit als psychisch bedingt *und* als Kampfmittel gegen Stiller bezeichnet. Teilweise werden ihr Merkmale zugeordnet, die die Grenzen des sozial als normal Erachteten überschreiten: Masochismus, Narzißmus, übersteigerte Verletzlichkeit, Gier nach Anerkennung. In die Charakterisierung ihrer – und nur ihrer – Person gehen auch wiederholt Aspekte ihres Aussehens bzw. ihres Eindrucks ein (so z. B. »gläsern«, »puppenhaft«, »zerbrechlich«, »ästhetisch schön« usw.), die sie weniger als physisch attraktiv, sondern eher als apersonal, als anschaubar, aber nicht anfaßbar, charakterisieren. Auf ihre Intelligenz wird kaum Bezug genommen; oder doch nur so, daß sie als eher weniger intelligent erscheint. Nur eine kleine Gruppe, vorzugsweise männlicher Befragter, schreibt ihr positive Merkmale zu, z. B. tapfer, geduldig, opferbereit, das Beste für Stiller wollend; dabei kann auch argumentiert werden, sie erscheine nur als kalt und egozentrisch, sei aber eigentlich nur gehemmt und hilflos. Wichtig ist, daß manche Befragte darauf hinweisen, wie schwierig es für sie sei, Julika überhaupt irgendwelche Merkmale zuzuschreiben.

Charakterisierung anhand vorgegebener Merkmalslisten. Der in *Frage 8* vorgegebene Merkmalskatalog wurde im wesentlichen von Rosenberg/Nelson/Vivekananthan 1968 entwickelt, um festzustellen, ob und welche Merkmale als korreliert wahrgenommen werden. Er umfaßt eine soziale Bewertungsdimension, deren positiver Pol etwa aus verläßlich, ehrlich, tolerant, hilfsbereit, warmherzig, gesellig, humorvoll und deren negativer Pol etwa aus kalt, humorlos, pessimistisch, launenhaft, ungesellig, unehrlich besteht, und eine intellektuelle Bewertungsdimension (positiver Pol: intelligent, fleißig, beharrlich, phantasievoll, ernsthaft, usw., negativer Pol: unintelligent, leichtsinnig, naiv, unbeholfen, usw.). Weitere Achsen stellen aktiv-passiv und stark-schwach dar, wobei sich innerhalb dieser streng, kritisch, klug, dominant und unterwürfig, naiv, leichtsinnig, nicht klug gegenüberstehen. Die Merkmale eines Pols werden normalerweise als zusammenhängend wahrgenommen: wem z. B. »warmherzig« zugeschrieben wird, dem ordnet man in gewissem Grad

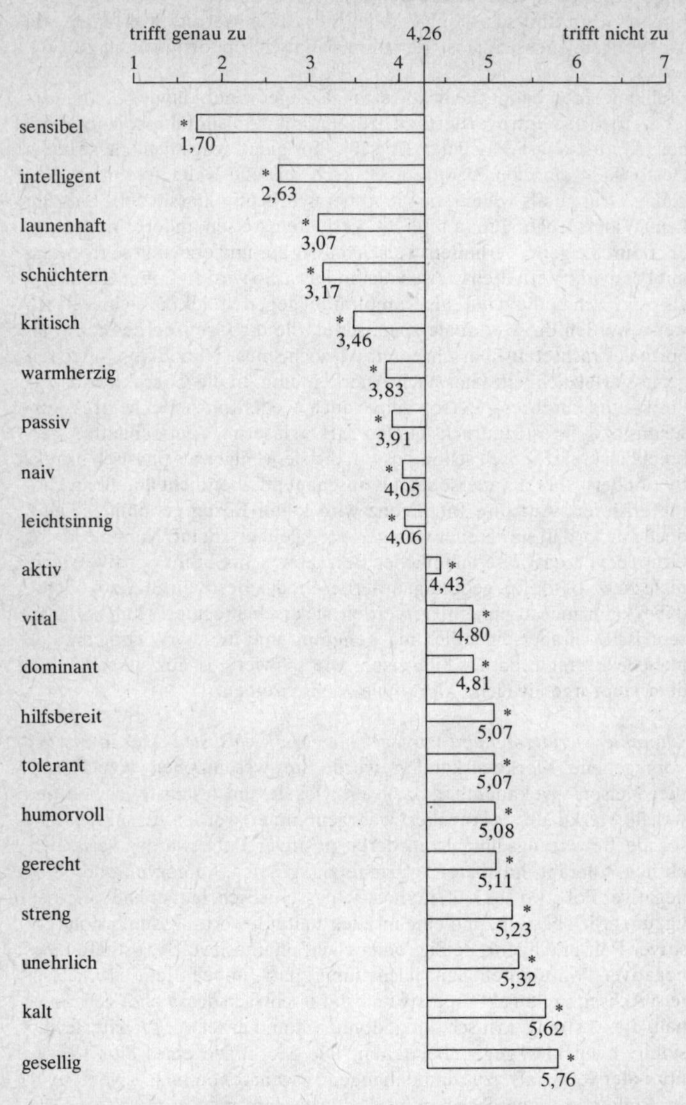
STILLER
trifft genau zu
4,26
trifft nicht zu
1
2
3
4
5
6
7
sensibel
* 1,70
intelligent
* 2,63
launenhaft
* 3,07
schüchtern
* 3,17
kritisch
* 3,46
warmherzig
* 3,83
passiv
* 3,91
naiv
* 4,05
leichtsinnig
* 4,06
aktiv
* 4,43
vital
* 4,80
dominant
* 4,81
hilfsbereit
* 5,07
tolerant
* 5,07
humorvoll
* 5,08
gerecht
* 5,11
streng
* 5,23
unehrlich
* 5,32
kalt
* 5,62
gesellig
* 5,76

Graph 7a

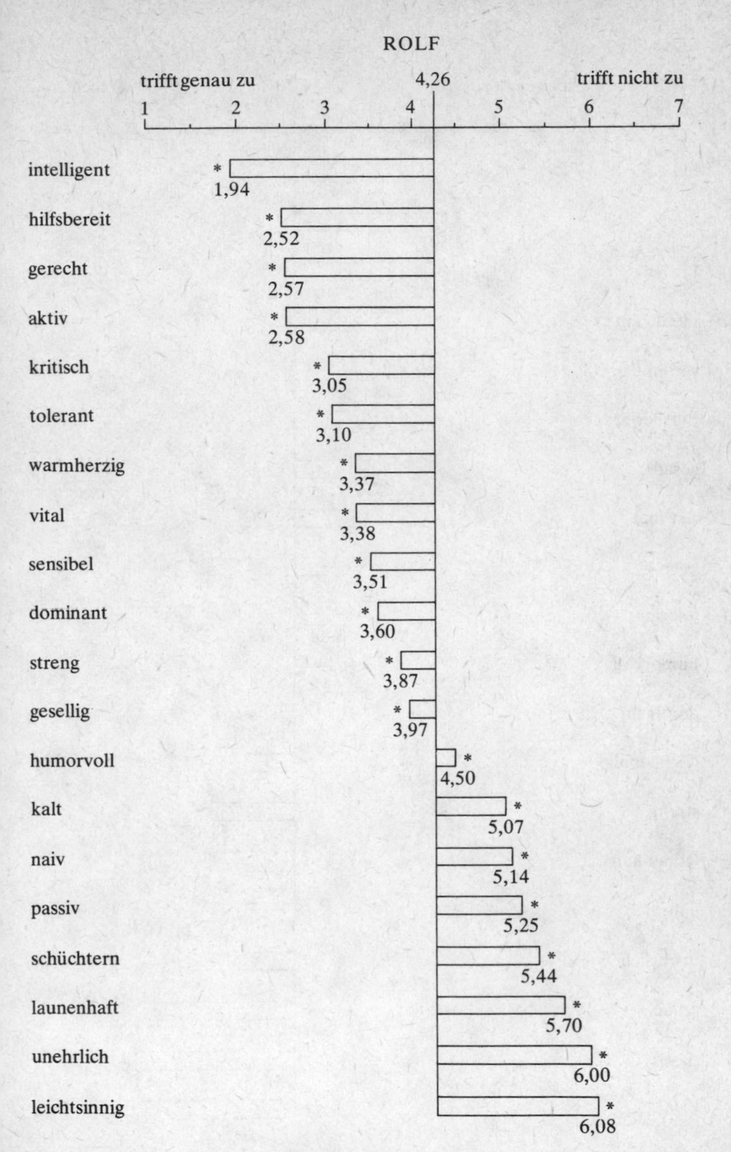
ROLF
trifft genau zu
4,26
trifft nicht zu
1
2
3
4
5
6
7
intelligent
* 1,94
hilfsbereit
* 2,52
gerecht
* 2,57
aktiv
* 2,58
kritisch
* 3,05
tolerant
* 3,10
warmherzig
* 3,37
vital
* 3,38
sensibel
* 3,51
dominant
* 3,60
streng
* 3,87
gesellig
* 3,97
humorvoll
* 4,50
kalt
* 5,07
naiv
* 5,14
passiv
* 5,25
schüchtern
* 5,44
launenhaft
* 5,70
unehrlich
* 6,00
leichtsinnig
* 6,08

Graph 7b

SIBYLLE

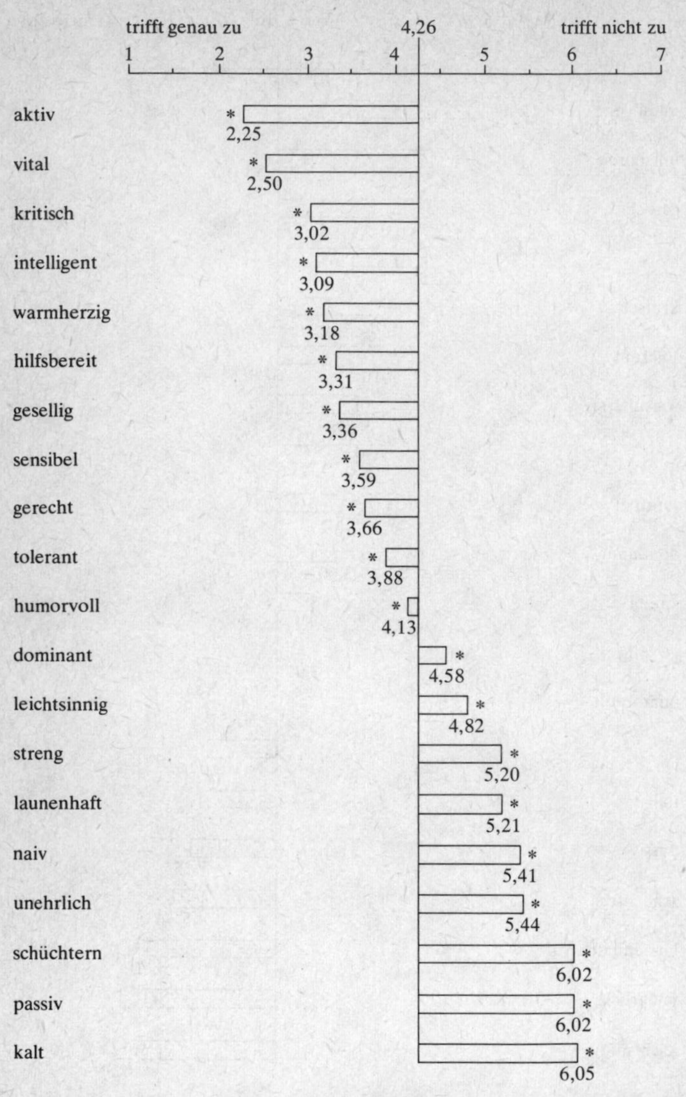
trifft genau zu
4,26
trifft nicht zu
1
2
3
4
5
6
7
aktiv
* 2,25
vital
* 2,50
kritisch
* 3,02
intelligent
* 3,09
warmherzig
* 3,18
hilfsbereit
* 3,31
gesellig
* 3,36
sensibel
* 3,59
gerecht
* 3,66
tolerant
* 3,88
humorvoll
* 4,13
dominant
* 4,58
leichtsinnig
* 4,82
streng
* 5,20
launenhaft
* 5,21
naiv
* 5,41
unehrlich
* 5,44
schüchtern
* 6,02
passiv
* 6,02
kalt
* 6,05

Graph 7c

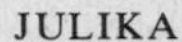
JULIKA

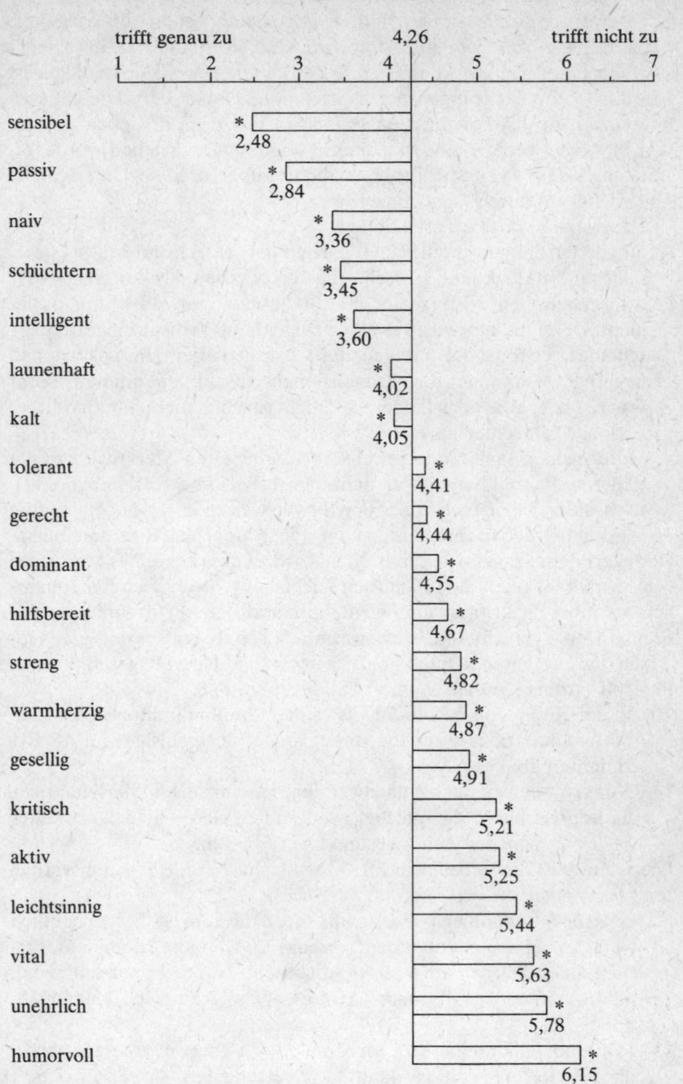
trifft genau zu
4,26
trifft nicht zu
1
2
3
4
5
6
7
sensibel
* 2,48
passiv
* 2,84
naiv
* 3,36
schüchtern
* 3,45
intelligent
* 3,60
launenhaft
* 4,02
kalt
* 4,05
tolerant
* 4,41
gerecht
* 4,44
dominant
* 4,55
hilfsbereit
* 4,67
streng
* 4,82
warmherzig
* 4,87
gesellig
* 4,91
kritisch
* 5,21
aktiv
* 5,25
leichtsinnig
* 5,44
vital
* 5,63
unehrlich
* 5,78
humorvoll
* 6,15

Graph 7d

auch »humorvoll«, »gesellig« usw. zu. Die positiven Pole der verschiedenen Bewertungsdimensionen sind im allgemeinen ebenfalls korreliert: wer z. B. als »sozial gut« eingestuft wird, wird meist auch als »intelligent gut« eingestuft (vgl. Herkner 1975, S. 240). Objektive Mitte der Skala ist 4,0; doch kann sie gruppenspezifisch variieren: hier 4,26. Die äußeren Begrenzungen der horizontalen Balken in den *Graphs* geben an, wie sehr bzw. wie wenig ein Merkmal einer Figur zugeschrieben wurde. Signifikante, d. h. nicht stichprobenbedingte, überzufällige Unterschiede sind wiederum durch * gekennzeichnet.

Es ergeben sich die Feststellungen:

8. Sibylle (sozial gut, intellektuell partiell gut, aktiv) und Julika (sozial schlecht, intellektuell schlecht, passiv) werden als komplementär wahrgenommen, Rolf (sozial gut, intellektuell gut, stark) und Stiller nicht. Denn dieser wird zwar als intelligent und kritisch eingestuft, erscheint aber sonst als ambivalenter Charakter, bei dem positive und negative Merkmale der Dimensionen zusammenkommen (zwar warmherzig, aber auch launenhaft, nicht gesellig, nicht humorvoll); er ist sozial schlechter als Rolf.
9. Unter gemeinsamen und jeweils hochbewerteten Merkmalen ergibt sich eine Paarbildung Stiller–Julika (sensibel) und Rolf–Sibylle (kritisch-aktiv); aber auch Stiller und Sibylle weisen unter den ersten fünf Merkmalen Überschneidungen auf, nicht hingegen Rolf und Julika.

Der Wert 8 im Fragebogen, d. h. Nicht-Anwendbarkeit eines Merkmals, wurde am häufigsten für Julika (bei: leichtsinnig, streng, gerecht, unehrlich, warmherzig, kritisch, intelligent, humorvoll), dann für Stiller (leichtsinnig, streng, gerecht, unehrlich, warmherzig, naiv, hilfsbereit), dann für Sibylle (streng, gerecht, intelligent, humorvoll, hilfsbereit, gesellig), dann für Rolf (streng, gerecht, humorvoll) gegeben, d. h.:

10. In der Reihenfolge Rolf–Sibylle–Stiller–Julika nimmt also die Charakterisierbarkeit durch die vorgegebene Merkmalsliste für die Rezipienten ab.
11. Nur sehr wenige der als unanwendbar klassifizierten Merkmale sind figurenspezifisch: die meisten wiederholen sich – manche bei allen Figuren, manche bei mindestens zwei Figuren.

Die schon postulierte Relevanz des Geschlechts beim Rezeptionsverhalten bestätigt sich (*Graph 8a, 8b, 8c, 8d*):

12. Geschlechtsabhängige und signifikante Differenzen gibt es deutlich weniger bei Stiller (dominant, streng) und Sibylle (dominant, kritisch, unehrlich) als bei Rolf (dominant, aktiv, passiv, tolerant, vital, naiv, schüchtern) und Julika (aktiv, passiv, tolerant, vital, launenhaft, hilfsbereit).
13. Rolf und Julika teilen vier Merkmale (aktiv, passiv, tolerant, vital), die geschlechtsspezifisch quantitativ verschieden verteilt werden.
14. Ein relevantes Merkmal, das die geschlechtsspezifische Bewertung

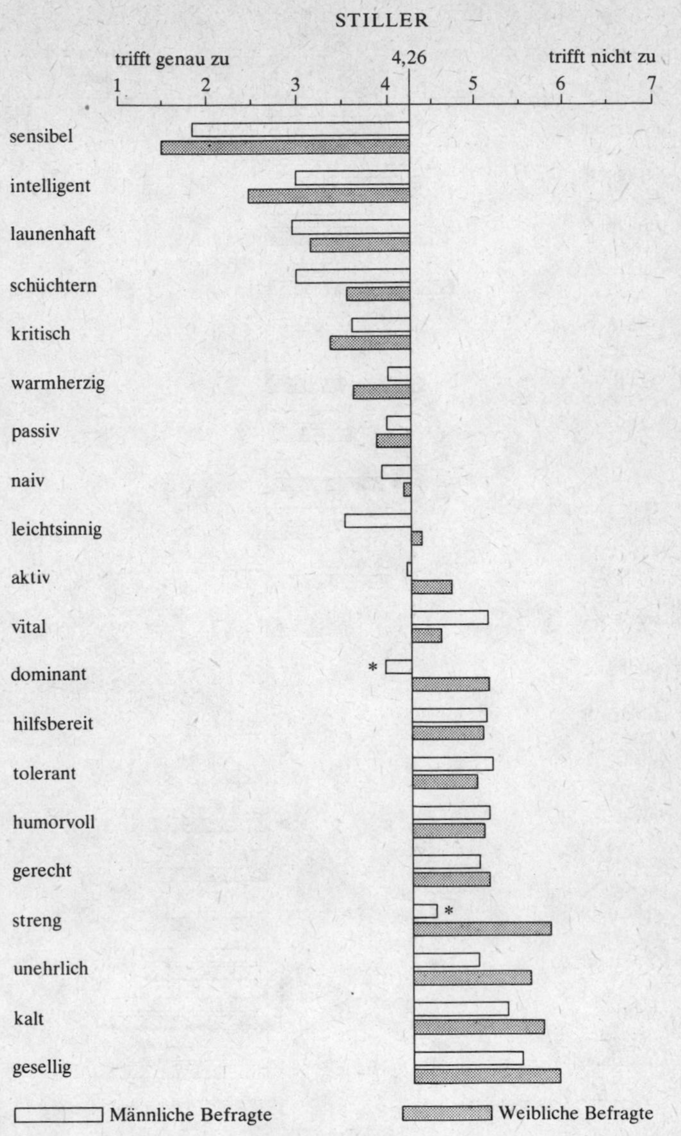
STILLER
trifft genau zu
4,26
trifft nicht zu
1
2
3
4
5
6
7
sensibel
intelligent
launenhaft
schüchtern
kritisch
warmherzig
passiv
naiv
leichtsinnig
aktiv
vital
dominant
*
hilfsbereit
tolerant
humorvoll
gerecht
streng
*
unehrlich
kalt
gesellig
Männliche Befragte
Weibliche Befragte

Graph 8a

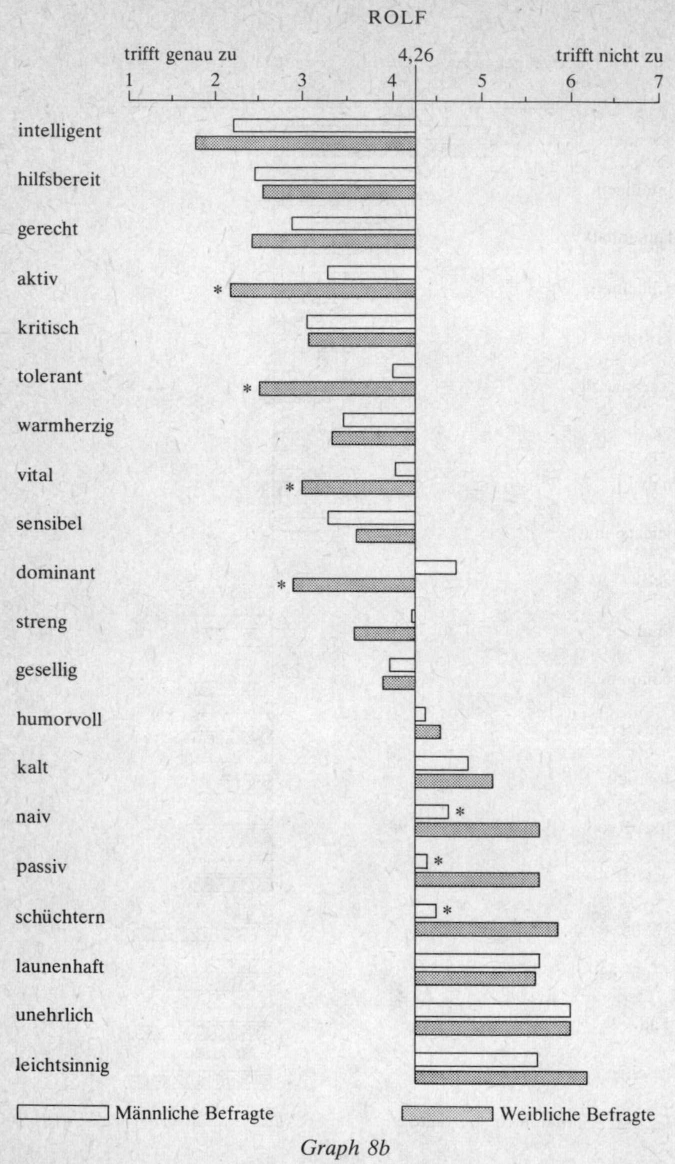
ROLF
trifft genau zu
4,26
trifft nicht zu
1
2
3
4
5
6
7
intelligent
hilfsbereit
gerecht
aktiv
kritisch
tolerant
warmherzig
vital
sensibel
dominant
streng
gesellig
humorvoll
kalt
naiv
passiv
schüchtern
launenhaft
unehrlich
leichtsinnig
*
Männliche Befragte
Weibliche Befragte

Graph 8b

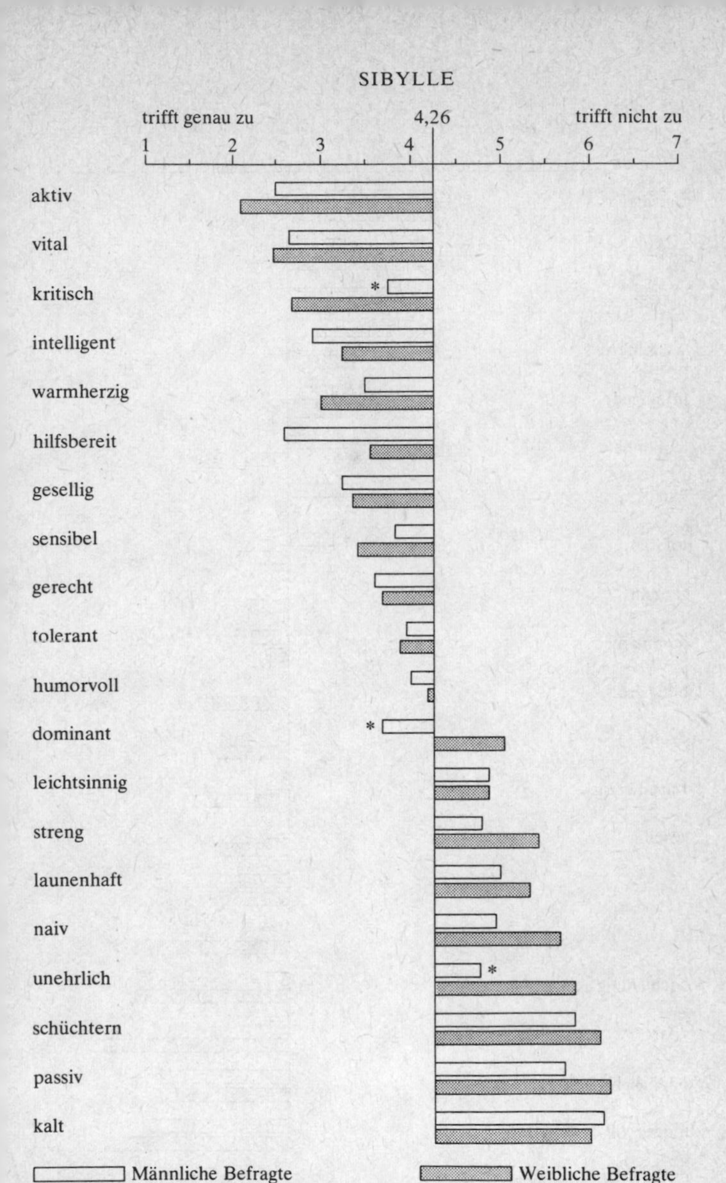
SIBYLLE
trifft genau zu
4,26
trifft nicht zu
1
2
3
4
5
6
7
aktiv
vital
kritisch
*
intelligent
warmherzig
hilfsbereit
gesellig
sensibel
gerecht
tolerant
humorvoll
dominant
*
leichtsinnig
streng
launenhaft
naiv
unehrlich
*
schüchtern
passiv
kalt
Männliche Befragte
Weibliche Befragte

Graph 8c

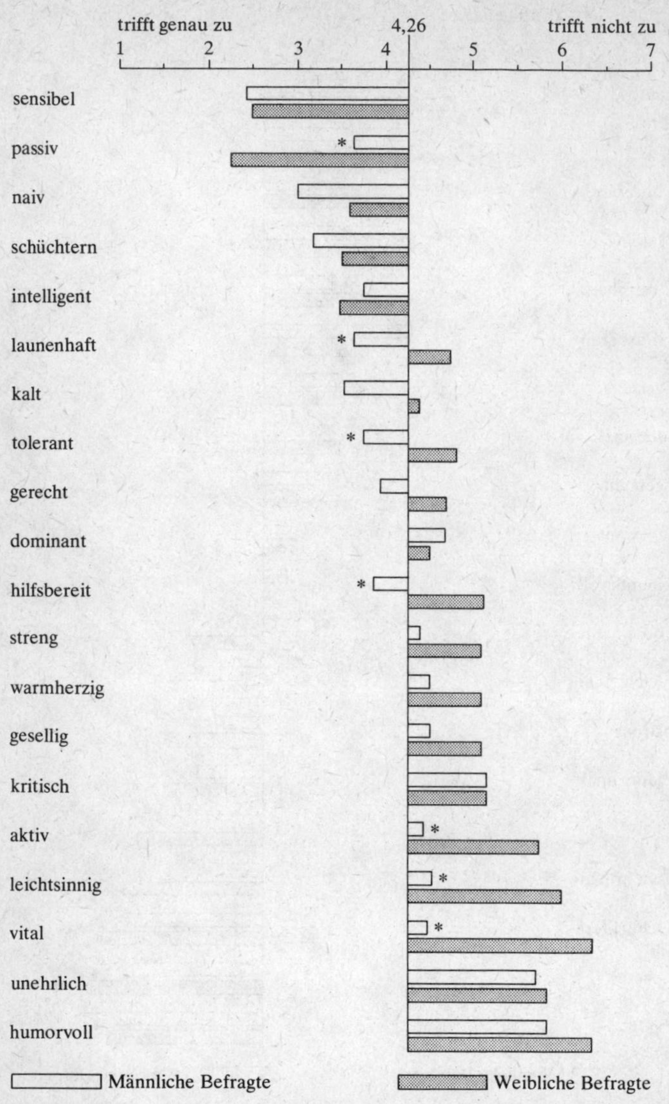
JULIKA
trifft genau zu
4,26
trifft nicht zu
1
2
3
4
5
6
7
sensibel
passiv
naiv
schüchtern
intelligent
launenhaft
kalt
tolerant
gerecht
dominant
hilfsbereit
streng
warmherzig
gesellig
kritisch
aktiv
leichtsinnig
vital
unehrlich
humorvoll
Männliche Befragte
Weibliche Befragte

Graph 8d

differenziert, ist der Grad an (Nicht-)Dominanz: Frauen finden Stiller weniger dominant, Rolf dominanter, Sibylle weniger dominant als Männer.
15. Männliche Befragte kreiden Sibylle stärker den Bruch des erotischen Vertrags mit Rolf an (unehrlich); Frauen bewerten Julika negativer.

Die Ergebnisse der freien Charakterisierung (A) und der nach vorgegebenen Merkmalslisten (B) bestätigen jedenfalls die Hypothese über die Wichtigkeit der Geschlechtszugehörigkeit der Rezipientengruppe.
IX. Als besonders umstrittene Figuren erscheinen nun aber Rolf und Julika (vgl. 12). Männer finden offenbar eher Julika eine akzeptable Frau und Rolf einen akzeptablen Mann als Frauen. Männer tendieren somit eher dazu, einen Abstand der Geschlechterrollen aufrechtzuerhalten als Frauen: Rolf erscheint auch im Text zeitweilig sehr deutlich als beherrschender Mann. Julika ist nun zwar sicher kein idealer Repräsentant einer traditionellen Frauenrolle, aber sie wird ihrem Partner weniger durch selbständige Aktivitäten ›bedrohlich‹ als Sibylle.
X. In der Differenzierung nach Geschlechtern in B ist jedenfalls Herrschaftsausübung (»dominant«) ein entscheidender Faktor: beide Geschlechter schreiben dieses Merkmal den Figuren jeweils stärker zu, die sie ablehnen. Daß Dominanz nicht einmal von Männern bei männlichen Figuren positiver gewertet wird, dürfte mit der relativ hohen Liberalität der Gesamtgruppe zu tun haben.
XI. Die implizit vorgenommenen Paarbildungen (vgl. 9) entsprechen genau denen, die auch in der Geschichte relevant werden: Stiller–Julika, Rolf–Sibylle, in gewissem Maße Stiller–Sibylle. Sie bestätigen also die Zusammengehörigkeiten, die sich im Text schließlich herausstellen. Die Frage wäre, inwieweit solche Paarbildungen von den Rezipienten hervorgebracht werden, um implizit die erotischen Beziehungen zu begründen, wobei dann die Annahme zugrundeliegen müßte, daß Gemeinsamkeit in mindestens einer wesentlichen Persönlichkeitsdimension Voraussetzung der Partnerschaft ist.
XII. Daß die Merkmalsmengen aus B, deren Anwendbarkeit auf die jeweiligen Figuren häufig verneint wurde (vgl. 11), relativ viele Gemeinsamkeiten aufweisen, scheint kein Zufall: sie kreisen in verschiedenem Ausmaß um eine Dimension sozialen Verhaltens, die als (Nicht-)Normerfüllung und (Nicht-)Rigidität bei

der Normerfüllung umschrieben werden kann (z. B. leichtsinnig, streng, gerecht, unehrlich). Die Textfiguren tendieren in der Tat dazu, bezüglich sozialer Normen keine strikten Positionen zu vertreten, d. h. sich wenig schematisch zu verhalten.
XIII. Auch werden bei A sehr häufig Merkmale genannt, die im Text selbst explizit eine Figur einer anderen zuschreibt. Doch wenn auch immer wieder sichtbar wird, daß die Rezeption nicht unabhängig von den Textdaten verläuft, spielen doch offenkundig text-externe Faktoren eine große Rolle: so hier außer Geschlecht und Liberalitätsgrad auch soziokulturell bedingte *implizite Persönlichkeitstheorien.* So bestätigt sich an Rolf (in A und B) die Tendenz zur Zuordnung »sozial gut«–»intellektuell gut«. Denn daß Rolf immer als hoch intelligent erscheint und diesbezüglich bessere Werte als Stiller erhält, ist sicher aus dem Text nicht abzuleiten; zwar wertet Stiller selbst wiederholt seine eigene Intelligenz ab, doch liefert Rolf umgekehrt eher konventionelle Erklärungsmuster, wenn er deutet. Julika, der am stärksten das Merkmal »kalt« zugeschrieben wird, erscheint als besonders negative Figur: nun ist aber bekannt (Asch 1946, Wishner 1960), daß »warmherzig« bzw. »kalt« stärker als andere Merkmale die weitere Merkmalszuordnung steuern; »warmherzig« hat erhöhte Zuordnung positiver, »kalt« eindeutig negativer Merkmale im Gefolge. Außerdem existiert ein Zusammenhang zwischen Sympathiezuwendung und Verständnisleistung, der sich etwa bei der Untersuchung von Werbefilmen[15] gut bestätigt hat: einerseits führt mangelnde Sympathiezuwendung oft zur Einschränkung der kognitiven Leistung bei der Charakterisierung, andererseits führen kognitive Schwierigkeiten oft zur Einschränkung der Sympathiezuwendung. Beides könnte z. B. bei Julika vorliegen, die etwa in A am wenigsten charakterisiert wurde.
XIV. Doch spielt bei den Bewertungen/Charakterisierungen sicher noch ein anderer Faktorenkomplex eine Rolle. Der Vergleich der Ergebnisse zu A und B legt die Vermutung nahe, daß Rolf und Sibylle leichter als Stiller und Julika in erlernte und soziokulturell verfügbare Raster von Merkmalsbündeln eingeordnet werden können. Die Annahmen über implizite Persönlichkeitstheorien, die der Merkmalsliste in B zugrundeliegen, bestätigten sich sowohl in A wie in B v. a. für Rolf und Sibylle, deren Charakterisierung deutlich höhere Konsistenz als die Stillers aufweist (vgl. auch X). Wenn man aber nicht nur bei der vorge-

gebenen Liste, sondern auch bei freier Wahl mit der Charakterisierung Stillers und Julikas Schwierigkeiten hatte, dann versagt demnach bei ihnen am ehesten die Alltagspsychologie bzw. das normalsprachlich verfügbare Klassifizierungssystem und die Rezipienten müßten einen anderen Raster der Persönlichkeitsbeschreibung wählen.

XV. Von den verfügbaren Beschreibungsrastern weichen Stiller und Julika für die Rezipienten also offenbar auf verschiedene Weise ab. Während über Stiller viel ausgesagt werden kann und ihm einige Merkmale in sehr hohem oder geringem Grad zugeschrieben werden (A und B), kann über Julika nur wenig gesagt werden und man spricht ihr allenfalls negative Merkmale sehr ausgeprägt zu. Die Abweichung beider dürfte sich also in zwei verschiedenen Dimensionen abspielen: Stiller, der auch zwei (im Text wie in der Rezeption) sehr verschiedene Frauen lieben kann und inkonsistent charakterisiert wird, wird sich wohl dem Raster eher als verwirrend gemischt-vielschichtig-widersprüchlicher Charakter entziehen, Julika eher als zwar einheitlicher, aber abnormer, unzugänglicher Charakter, der mit »normalen« Kategorien nicht zu erfassen ist. Um hier einen befriedigenden Beschreibungsraster zu finden, müßte der Rezipient wohl direkt psychologische Theorien anwenden, im Falle Julikas z.B. wohl Neurose-Theorien – freilich hat kaum einer der Rezipienten diese Möglichkeit in der freien Charakterisierung gewählt.

XVI. Sympathiezuwendung hängt im allgemeinen von einer hohen Zahl an Eigenschaften ab, die der Rezipient oder seine Gesellschaft positiv bewertet: da Stiller nur partiell in A und B eindeutig positive Merkmale zugeschrieben werden, ist die hohe Sympathiezuwendung an ihn erstaunlich, während etwa bei Rolf beide Faktoren übereinstimmen. Der bloße Faktor, daß er eine Hauptfigur ist, kann nicht entscheidend sein: das würde auch für Julika gelten, die dennoch negativ erscheint. Hier lassen sich sehr verschiedene Hypothesen entwerfen; die verfügbaren Daten erlauben kaum eine engere Wahl. Die Zuwendung könnte z. B. dadurch motiviert sein, daß er von allen Figuren das interessanteste und weitreichendste Problem hat (Identität), sein Problem gut zu artikulieren vermag, und sein Problem am ehesten eine generelle Identifikation mit ihm erlaubt: bei den drei anderen Figuren treffen nicht so viele Faktoren zusammen. Dazu könnte kommen, daß er gerade als vielschichtig-überraschender Charakter erscheint, den zu dechiffrieren weder mühelos noch unmöglich ist.

3.2. Perspektiven der Literaturkritik

In der empirischen Untersuchung ergab sich eine klare Abstufung der Sympathie, die der Leser für die Romanfiguren empfand; Stiller führte die Liste an, gefolgt von Rolf–Sibylle–Julika (vgl. *Graph 1*). Solche genau quantifizierenden Angaben lassen sich zwar aus den Literaturkritiken nicht gewinnen; immerhin ergibt sich aus dem ungefähren Umfang der Figurencharakteristiken eine vergleichbare Hierarchie:

Die Figurenbeurteilung konzentriert sich auf die Person des Stiller; er wird ausführlich charakterisiert, mit wertenden Adjektiven bedacht, gescholten, selten gelobt.[16] Rolf, den immerhin noch 27 % der Kritiker beachten – während die Aussagen zu Sibylle und Julika statistisch nicht mehr bedeutsam sind[17] –, erfreut sich großer Wertschätzung und gilt manchen geradezu als positive Gegengestalt zu Stiller.[18] Ihm vertraut man sich denn auch gerne an, wenn es darum geht, Ordnung in Stillers widersprüchlichen Lebensgang zu bringen, und weiß ihm Dank, wenn er mit seinem »Nachwort« dafür sorgt, »daß wir wieder, [...] auf einen einigermaßen festen Boden gelangen«.[19] Von denen, die das »Nachwort« als Interpretationsformel wählen, beurteilen immerhin 54 % Rolf ausdrücklich positiv. Dieses Vertrauen zu Rolf, dem Anwalt des Staates und der Ordnung (vgl. i. d. B. S. 654) zu Emmel), teilen die »Berufsleser« mit den »normalen« Lesern, genauer: mit den Rezipienten, die für Teil II des Romans Rolf an die Spitze ihrer Sympathieskala hoben.

Der Trugschluß, den man typisch für die von uns untersuchten Kritiken nennen möchte, verknüpft die Figurenebene mit der Romanebene. Wenn der Autor eine Gestalt mit angenehmen oder abstoßenden Eigenschaften ausstattet, so ordnet er sie als »Kunstfigur« in das Personal dieses Werkes ein und die Charakteristik wird Teil der vielfach abgeschatteten Bedeutung des Romans.[20] Das Ganze – die Textbedeutung – geht nicht im Teil – der Personencharakteristik – auf. Wer den *Stiller* nur vom »Nachwort« her verstehen will, beschreibt nicht den Roman, sondern den »Freund und Staatsanwalt« Rolf, dessen Rolle im Gesamttext allererst aufzuhellen wäre.

Mit dem Nachweis eines Trugschlusses ist freilich noch nicht erklärt, warum er zustandekommt. Vermutlich stemmen sich beim Leser tiefverwurzelte psychische Strukturen einem – interpretationslogisch einleuchtenden – Deutungsverfahren entgegen. Tatsächlich befriedigt Rolf mit seinen Räsonnements angesichts der verwirrenden Romanhandlung das elementare Streben nach ›Konsistenz‹, das die Sozialpsychologie seit geraumer Zeit zu erforschen versucht (vgl. Herkner S. 24 ff.).

Der Kurzschluß verwundert noch weniger, wenn man bedenkt, welche Aufgabe eine nach Marktgesetzen arbeitende Literaturkritik zu erfüllen hat[21], nämlich unvorbelastete Leser zu moderner Literatur hinzuführen. Das Neue wird nicht als Eigenständig-Fremdes dargeboten, sondern als das nur verhüllte Vertraute. Das kritische Echo sagt meist mehr über die Lieblingsideen einer Zeit aus – denn ihnen ordnet der Kritiker das Werk zu –, als über den besprochenen Text. Die »Sehnsucht nach dem Glauben«[22] war in den frühen fünfziger Jahren immerhin groß genug, um einigen eher beiläufigen Hinweisen Rolfs das ganze Gewicht eines Romanabschlusses zu verleihen.[23]

Wenn nun der Roman *Stiller* derart an vorgängige Welterklärungsmodelle angeschlossen wird, entspricht dies sowohl dem Verlangen nach Konsistenz seitens des (Berufs-)Lesers als auch dem Vermittlungsauftrag des Feuilletons. Das Feuilleton als Institution stellt sich genau die Aufgabe, die der Kritiker für sich als Person zu lösen versucht: die Irritation durch Kunst nicht zum Dissonanzproblem werden zu lassen (vgl. Korn S. 21–22).

Indessen zeigt sich auch eine alternative Deutung für das Ende des *Stiller,* die freilich abermals an einen der Handlungsträger fixiert ist. – Die Überzahl der Rezensenten[24] nämlich stellt sich angesichts des Romanausgangs – Stillers Lebenslauf gleichsam weiterdichtend – der Frage: Bleibt er ein Versager für alle Zukunft?[25] Oder fand er durch Schuld den Weg zur (künftigen) Wirklichkeit?[26] Nicht allein, daß die Antwort auf solches Fragen dem oben aufgewiesenen Trugschluß von der Figur auf den Roman erliegt[27], ist bemerkenswert, sondern vor allem, daß bei (einem unveröffentlichten Teil) der empirischen Untersuchung die Leser gerade in dieser Frage – »Wie endet der Roman?« – argumentierten, es sei eine Zumutung, hier eine eindeutige Entscheidung zu verlangen. Tatsächlich scheint der Wunsch, klar den Ausgang einer Geschichte festzustellen, ein Inhaltsmerkmal der

Gattung »literarische Kritik« zu sein[28], das man aus der Bindung ans Objekt zwar nicht herleiten kann, wohl aber aus jener Vermittlungsstrategie des Feuilletons, Irritation durch Unbekanntes zu vermeiden.

Dazu gehört auch das entschiedene Werturteil, das nicht umsonst als zentrales Anliegen der Literaturkritik gilt.[29] In zwei Brennpunkten bündeln sich die Argumente, die letzten Endes die Wertung des *Stiller* bestimmen.

Während uns bisher die von der Kritik vorgenommene Einschätzung der Hauptfigur einige Befunde interpretieren half, stellt sich jetzt heraus, daß diese Einschätzung selbst zu begründen ist – und zwar durch die Reaktion auf die Schweizkritik. Verständlicherweise interessierte ein solches Thema vor allem die Betroffenen; es wird denn auch in sämtlichen Schweizer Kritiken angesprochen, dazu in 24 % der bundesdeutschen.

Die Stellungnahmen freilich sind komplementär; alle deutschen Kritiker amüsieren sich über Stillers Ausfälle gegen seine Heimat, während alle Schweizer Kritiker in Harnisch geraten – nach dem Motto: »Wer mir die Schweiz verschimpft, hat es verspielt bei mir.«[30] Mit Stiller, dem Tadler selbst, gehen seine Landsleute hart ins Gericht, so etwa Max Rychner:

> »Hat Stiller irgendein Ziel in die Zukunft hinaus? [...] Was will er gestalten? Was ist sein Entwurf? Hat er eine schöpferische Hoffnung?« Diese Fragen sind für Stiller alle negativ zu beantworten. [i.d.B. S. 404]

Das ist der Tenor der Schweizer Kommentare[31]; die Sympathieerklärung, die Hermann Hesse – damals Suhrkamp-Autor und mit Frischs Verleger eng befreundet – in der Zürcher *Weltwoche* erscheinen ließ, fügt sich im Widerspruch diesem Gesamtbild ein. Von den überregionalen deutschen Zeitungen verwarfen nur 17 % den Charakter des Helden, während die regionalen eine recht hohe Korrelation mit der Schweizer Presse zeigen.[32]

Wir können also in den Schweizer Kritiken deutlich eine Kettenreaktion nachweisen: Wem die Schelte auf die Schweiz mißfällt, der hält Stiller für einen unsympathischen Charakter, der wiederum nur die Hauptperson eines »unsympathischen« Romans sein kann.[33] Dieser Begründungszusammenhang macht verständlich, daß Frischs Roman in der Schweiz kaum wohlwollend besprochen wurde.[34]

Dem steht das einhellige Lob in der bundesrepublikanischen

Presse für den Roman (und seinen Autor) gegenüber.[35] Und auch dieses Lob hängt mittelbar mit den Ansichten über Anatol Ludwig Stiller zusammen, unmittelbar aber mit einem Syndrom[36], das wir mit der Dimension »Einordnung« in den Griff bekommen wollten.[37] Mit dem *Stiller* durchbrach die deutschsprachige Nachkriegsliteratur ihr etwas provinzielles Sonderdasein und gewann den Anschluß an die europäische Moderne.[38] Besonders in den überregionalen deutschen Zeitungen galt die repräsentativ-moderne Eigenart als wichtigster Beweis für den hohen Rang dieses Romans.[39] Man empfand den Protagonisten als charakteristischen Zeitgenossen – mit seinem Versagen und seiner Schwäche[40], die man ihm gerade deshalb nicht übelnahm.

Zum »modernen Helden« paßte die moderne Form: die deutschen Rezensenten[41] sind des Lobes voll über die jeweiligen »Kennzeichen der neuen Form des Romans« (Rode i.d.B. S. 413) – recht wenige freilich suchen eine Verbindung von Form und Gehalt[42], die von den Schweizer Kritikern sogar mehrheitlich geleugnet wird. Dort bestreitet man aus gehaltlichen Bedenken (»Stiller, der jämmerliche Zeitgenosse«) die Qualität des Buches, gesteht aber dann hohen künstlerischen Rang und souveräne Beherrschung der erzählerischen Mittel zu, ohne deshalb die vorige Wertung zu überprüfen.[43] – Das stereotype Mißtrauen gegen die Moderne – Formel: Nihilismus, aber brillant formuliert – mag auch die Beschwichtigungen veranlaßt haben, die sich in einigen Rezensionen regionaler Zeitungen finden: Formspielerei sei von einem »großartigen Fabulierer« wie Max Frisch nicht zu erwarten.[44] Auch wenn »modern« als lobendes Prädikat gebraucht wird, ist damit keineswegs die gleichzeitige deutschsprachige Literatur gemeint, sondern überwiegend die ausländische und deutsche Literatur der »klassischen Moderne« eines Joyce, Proust oder Musil.[45] Dem nur »Modischen« wird die positive Aura des »Modernen« ausdrücklich abgesprochen[46] und man registriert mit Erleichterung, daß der *Stiller* nichts mit Psychoanalyse[47] und Existentialismus[48] zu tun habe, hingegen sehr gut zur Widerlegung der »modischen« These vom »Tod des Romans« taugt.[49]

Und gerne stellte man als Paten für die literarischen Versuche seines jüngeren Landsmanns den Schweizer Realisten Gottfried Keller den neueren Autoren gegenüber.[50] – Hier verfestigte sich das Autorstereotyp[51] von der »gemäßigten Modernität« eines Schweizer Moralisten und »mitleidenden Diagnostikers« seiner

Zeit, von dem die existentiell-typologisch argumentierende Frisch-Literatur bis in die siebziger Jahre hinein zehrt.[52]

Ob man nun aber den Roman seiner gescheiten Weltläufigkeit wegen schätzt, oder die Verkennung des Regional-Eigenartigen tadelt, immer verläßt eine derartig thematisch fixierte Kritik sich auf das Einverständnis des Publikums. Daher erübrigt sich auch eine genaue Textanalyse: statt dessen bietet man eine deutende Inhaltsparaphrase.[53] *Gerade an die gängigen Denkmuster, die das Werk erschüttern will, appelliert die Kritik.*[54]

4. Zum Verhältnis der beiden Rezeptionstypen: einige Überlegungen

Wenn ältere (damalige Stiller-Kritik) und jüngere (heutige Befragte) Rezipientengruppen sich darin unterscheiden, wieweit für sie die problematische und abweichende Figur des Helden sozial akzeptabel ist, sind dabei sicher verschiedene Faktoren am Werke. Offenbar konnte die ältere Gruppe Stiller allenfalls theoretisch – als Repräsentanten zeitgenössischer Probleme – »annehmen«, während die jüngere Gruppe für ihn tatsächlich Sympathie – und d. h. potentiell: Identifikationsbereitschaft – aufbringt. Anders formuliert: Auch gegenüber der überregionalen Kritiker-Gruppe ist die heutige Gruppe von Nicht-Kritikern sehr viel stärker bereit, eine Person mit einem Problem zu akzeptieren, das auch eine Kontroverse mit der Gesellschaft beinhaltet. Zwar hat die frühere Gruppe, soweit sie deutsch war, auch die Schweiz-Kritik Stillers hingenommen oder gutgeheißen, doch mag sie diese eben als *Schweiz*-Kritik gewertet haben. Zwei (unpublizierte) Fragen des Fragebogens ergaben in der Auswertung, daß die heutige Gruppe der Schweiz-Kritik eher geringere Bedeutung beimißt, während sie die Wichtigkeit von Sozialkritik im Roman viel stärker akzentuiert. Nun ist im Text Sozialkritik aber nur als Schweiz-Kritik gegeben: Die Gruppe abstrahierte also offenbar vom lokalen Phänomen »Schweiz«, das sie – als deutsche bzw. österreichische – nicht sonderlich interessierte, ein Problem »Sozialkritik«, das sie interessierte und dem sie somit irgendeine Generalisierbarkeit für eigene lokale Verhältnisse zugeschrieben haben müßte. Welche gruppenbedingte oder rezeptionsbedingte Faktoren auch immer bei dieser Veränderung noch eine Rolle gespielt haben mögen – wir vermuten doch, daß mindestens auch der Wandel des sozialen Bewußtseins in den letzten Jahren wichtig ist, der zunehmend systeminterne politische und soziale Kritik legitimierte. Die raffinierte Kommunikationsstruktur des Textes führt im übrigen dazu, daß jene damaligen Schweizer Kritiker, die sich über die Schweiz-Kritik empörten, zu Mitspielern des Textes werden: denn Stiller hatte schon behauptet, daß eben diese Gruppe keine Kritik vertrage...

Beide Gruppen konnten nicht genau nach denselben Fragen ausgewertet werden: denn die eine war durch ungesteuert-freie Rezeptionsdokumente repräsentiert – bei der anderen wurden »Rezeptionsdokumente« im Rahmen einheitlich vorgegebener Fragen erhoben. Trotz dieses Unterschieds scheint es uns signifikant, daß die damalige Gruppe zur Isolierung und ausschließlichen Bevorzugung des Titelhelden tendiert: selbst wenn sie ihn abwertet, scheinen die anderen Figuren ihr kaum bedeutsam – mit der einen Ausnahme Rolfs, der ihr in ihren sehr konservativen Varianten als Rettungsanker der Weltordnung dient. Selbst wenn die jüngere Gruppe von vornherein nach dem ganzen Figurenensemble gefragt war und somit auch zu den anderen Figuren Stellung nehmen mußte, glauben wir doch, daß ihre Reaktionen den Schluß auf eine u. U. sozial interessante Veränderung erlauben. Während die ältere Gruppe viel mehr in der Kategorie des isolierten Individuums dachte, scheint die heutige Gruppe von vornherein dieses Individuum stärker auf seine Umwelt zu beziehen und in seinem Verhältnis zu anderen Figuren zu sehen. Auch diese Veränderung könnte einen Wandel des sozialen Bewußtseins in den letzten Jahren andeuten, wozu schließlich auch die Tendenz der weiblichen Befragten gehören würde, andere Frauen- bzw. Männerleitbilder zu vertreten.

Die jüngere Gruppe dürfte – schon aus Gründen der Zugänglichkeit der Dokumente – kaum Wissen von den Ansichten der älteren gehabt haben: interessant wäre hier sicher die Untersuchung einer vergleichbaren heutigen Gruppe, die mit jenen Kritiken vertraut ist. Sie würde eine Behandlung der Frage erlauben, inwieweit Literaturkritik tatsächlich normierend die »allgemeine« Rezeption eines Textes steuert. Auch wäre ein Vergleich heutiger nicht-institutionalisierter Rezeption mit heutiger offizieller Literaturkritik wichtig, um die Hypothese zu bestätigen oder zu widerlegen, daß die eine Rezeption und die andere im allgemeinen nicht qualitativ verschieden sind, wenn man sie mit einer interpretatorisch nachweisbaren Textbedeutung vergleicht. Daß unsere heutige Gruppe sogar eher der Textbedeutung näher kam, mag daran liegen, daß sie weitgehend aus Germanistik-Studenten bestand.

So wenig man auch an einer einzelnen, zudem auf wenige Aspekte beschränkten empirischen Rezeptionsuntersuchung verallgemeinern darf, so scheint uns doch der Vergleich eine bekannte sozialpsychologische Hypothese zu bestätigen, daß das wahrnehmende Subjekt, wenn es nicht durch zusätzlich-restriktive Regeln, etwa solche der Wissenschaftlichkeit, darin eingeschränkt wird, immer versucht, die Komplexität eines Objekts zu reduzieren, d. h. »Konsistenz« im sozialpsychologischen, »Kohärenz« im semantischen Sinne, herzustellen, was bei jedem sehr komplex-vielschichtigen Objekt wie *Stiller* notwendig bedeutet, den Text durch Datenselektion zu »verarmen«. Welche textinternen und text-externen Faktoren freilich jeweils diesen Prozeß bestimmen, kann aufgrund unserer Untersuchung weder generalisierend-theoretisch noch, ohne weitere Untersuchungen, auch nur für diesen Text entschieden werden. Und damit wären wir wieder bei unserer kritischen Bemerkung vom Anfang.

1977

Anmerkungen

1 Institut für Motivforschung im Rahmen des Österreichischen Gallup-Instituts, 1090 Wien, Schlagergasse 6.

2 Es war ursprünglich geplant, die Untersuchung an je einer Universität in Deutschland, Österreich und der Schweiz – also dem deutschsprachigen Verbreitungsraum von Max Frisch – durchzuführen. Doch schon in Wien fanden sich so wenige Testpersonen, daß wir uns entschlossen, die Gruppe durch einige Nicht-Studenten, aber Personen mit höherer Schulbildung, aufzustocken; an der Universität Zürich, an der die Interviews acht Wochen in der Bibliothek des Germanistischen Instituts auslagen, fand sich überhaupt kein kooperationswilliger Leser.
Wir danken herzlich den Teilnehmern des in 2.1. erwähnten Münchner Seminars für ihre Mitarbeit, ferner Dozent Dr. A. Berger und Dr.

F. Karmasin, Wien, die in ihren Lehrveranstaltungen die Durchführung der Interviews ermöglichten, sowie allen Wiener Befragten, schließlich Herrn Dozent Dr. K. Weimar, Zürich.

3 In Zürich z. B. hatten viele Studenten angegeben, den Text zu kennen; in München, wo er zudem zur Seminarlektüre gehörte, behaupteten solche Kenntnis jedenfalls erheblich mehr Personen, als dann den Fragebogen de facto beantworteten.

4 Kaiser S. 7.

5 Diesen Vorwurf erhob man besonders gegen die gemeinsamen Tagungen von Kritikern und Autoren in der Gruppe 47; vgl. dazu Lattmann (Hg.), S. 82–98, u. Nöhbauer, S. 513–514. Typisch für die überspitzte »Kritik der Kritik« ist der von Peter Hamm herausgegebene Sammelband, abgewogener Schwencke (Hg.). Einführender Überblick zur Entwicklung der Literaturkritik nach 1945 bei Carlsson, S. 342–375.

6 Nöhbauer, S. 507.

7 Daran fehlt es auch in Manfred Durzaks Aufsatz, dem wir im übrigen manche methodische Anregung verdanken.

8 Name und Begriff der »Inhaltsanalyse« (IA) gehen auf Bernard Berelson zurück, ergänzend dazu der von Ithiel de Sola Pool herausgegebene Sammelband. Gegen den positivistisch-quantifizierenden Ansatz Berelsons verfocht Siegfried Kracauer mit im ganzen überzeugenden Argumenten eine »qualitative« Ausrichtung der IA. Zum neueren Stand der IA vgl. die bibliographische Übersicht von Wersig, den grundlegenden Artikel von Silbermann (Lit.angaben S. 317–339) und die Monographie von J. Ritsert, der die »qualitative IA« um hermeneutische und ideologiekritische Überlegungen ergänzt. A. P. Frank gibt einen im wesentlichen zuverlässigen forschungsgeschichtlichen Abriß; als Methode der Literaturwissenschaft lehnt er die IA ab, da sie nur den »gesellschaftlichen«, nicht aber den psychologischen, artistischen und literaturhistorischen Gehalt eines Werkes erfassen könne. Frank verwechselt hier den Untersuchungsgegenstand der IA mit ihrer Herkunft; natürlich entziehen sich z. B. Stilmerkmale (als Träger von »Bedeutung« – vgl. Ritsert, S. 32–44) nicht der statistischen Erfassung durch die soziologische Methode der IA. – Darüber hinaus erprobt Frank die IA am untauglichen Objekt: Ein Verfahren, das konstante Bedeutungsstrukturen in größeren Textmengen erfaßt, scheitert notwendig, wenn man es auf einen einzigen (dazu noch sehr komplexen) Text anwendet. – Wir halten die IA für eine sinnvolle Ergänzung des literaturwissenschaftlichen Instrumentariums, wenn es darum geht, Stereotypen innerhalb einer Kultur oder Teilkultur zu rekonstruieren, vgl. zu dieser Ausweitung des Objektbereichs Mandelkow, S. 83, zum »Stereotyp« als Erkenntniskategorie Quasthoff.

9 Der erste Erscheinungsort der Arbeit von Cases ließ sich nicht feststellen; von Bächlins Kritik fehlt das genaue Datum, das für unsere Untersuchung unerheblich ist, weil wir hier an der Auffächerung und Entfaltung im Ablauf der Diskussion nicht interessiert sind, vgl. aber dazu i. d. B. S. 387 u. 421, 380 u. 464, 443 u. 478.

10 Nützliche Hilfe bei der Einordnung leisteten Glotz, S. 163–186, sowie die entsprechenden Stichworte bei Koszyk/Pruys; außerdem für die literarischen Zeitschriften King.

11 Z. T. durch die Materialauswahl vorentschieden: Kriterium waren Länge und Eigenständigkeit der Stellungnahme. Solche Besprechungen finden sich gewöhnlich in überregionalen Zeitungen, während sich kleinere Blätter oft mit einer kurzen Anzeige begnügen. In die Tabelle wurden mit gestrichelten Linien die beiden »Binnengrenzen« in unserem Korpus eingetragen, vgl. unten S. 527, sowie Anm. 32 und 44.

12 Vgl. Ritsert, S. 56: »›Themen‹ (Motive) können als Aussagen (Ausführungen) über einen Sachverhalt oder als zusammenhängende Sinnstrukturen gelten.«

13 Vgl. zum Verfahren die Übersichtstafel bei Ritsert, S. 46–47, und Silbermann, S. 310–316.

14 Die endgültig als sinnvoll erkannten Kategorien gehören bereits zu den Ergebnissen der Arbeit.

15 So bei den innerhalb des Instituts für Motivforschung durchgeführten Untersuchungen zur Rezeption von Werbefilmen.

16 Eine ausführliche Beurteilung von Stiller findet sich in 52 % der untersuchten Rezensionen; sie fällt in 80 % der Fälle negativ aus.

17 Beide werden nur dreimal erwähnt; Sibylle zweimal tadelnd, Julika zweimal lobend. Vgl. unten S. 529.

18 Die Wertungen sind zu 80 % positiv. – Vgl. dagegen die Studie von Butler i. d. B. S. 195–200.

19 Staiger i. d. B. S. 394. –30 % der Kritiken deuten den Roman mit Zitaten aus dem »Nachwort«.

20 Ich-Form und Rollenprosa bei Frisch legen Verwechslungen von Figurenperspektive und Romanaussage freilich nahe. Doch handelt es sich im *Stiller* und im *Homo faber* um »unzuverlässige Erzähler«. Eine Sichtung der Rezensionen zum späteren Roman ließ eine analoge Konstellation erkennen: Die Kritik fixiert sich in der Wertung an Faber und nimmt Hannas Erklärungen als Autorkommentar, vgl. Schmitz, S. 64 u. 137, Anm. 7.

21 Kritische Darstellung bei Schloz; vgl. außerdem Kaiser, S. 15.

22 Die 1950 erstmals erschienene Monographie von Wilhelm Grenzmann thematisiert den religiösen Aspekt; Günter Blöckers Buch mag als Beleg für ein allgemeines Bedürfnis nach Sinnstiftung dienen, vgl. z. B. S. 13 die »Annahme [...], daß Kunst und Dichtung heute in ihr

eigentliches, ihr sakramentales Stadium treten.« – 24 % aller Kritiker nennen das Kierkegaardmotto als Interpretationsformel. 40 % der deutschen Kritiker betonen, der Roman verweise auf eine »metaphysisch-religiöse« Dimension – in einer religiös ausgerichteten Zeitschrift wie die *Zeitwende* (vgl. King, S. 21) vermißt man größere Entschiedenheit; dagegen freut sich Karl Korn, daß Frisch es beim Verweis belassen habe und nicht ins »pastorale Fach« übergewechselt sei, vgl. i. d. B. S. 464 u. 385. In der Schweiz wird das Thema nur von Emil Staiger angesprochen. – Noch im Echo auf den *Homo faber* artikuliert sich ein starkes Interesse am Mythisch-Sinnhaften, vgl. Schmitz, S. 56f., außerdem Hamm, S. 31–33. Auch die Debatte um Thomas Mann (vgl. Blume u. Carlsson, S. 354–357) muß als Beleg für den Wunsch nach metaphysischer Eindeutigkeit genannt werden.

23 Erst Hans Mayer zog den Schlußsatz des Romans in die Betrachtung ein, vgl. i. d. B. S. 251.

24 Nämlich 62 %.

25 So 38 %; hierher stellen sich 75 % der Schweizer Zeitungen, vgl. Anm. 28.

26 So 32 %; die Ansicht wird fast ausschließlich von deutschen Rezensenten vertreten (40 % aller deutschen Zeitungen).

27 Alle Schweizer Kritiker, die den Schluß deuten, hatten Stiller negativ beurteilt.

28 In 92 % der Dokumente wird eine Deutung des Schlusses versucht.

29 Theoretisch hat Sengle diese Zielsetzung erhellt; zur kritischen Praxis vgl. die bei Hinderer, S. 309, festgestellte Trennung von »Interpretation und Wertaxiomatik«.

30 Trümpy i. d. B. S. 479.

31 75 % der Schweizer Kritiker vollziehen explizit den von Rychner beispielhaft vorgeführten Schluß von der »Schweiz-Kritik« zur »Stiller-Kritik«.

32 In beiden Gruppen gehen mehr als 50 % auf den Charakter Stillers negativ wertend ein. – Die Gruppierung wiederholt sich noch Anfang der siebziger Jahre bei der Rezeption von Frischs *Wilhelm Tell für die Schule,* vgl. Frühwald/Schmitz, S. 108–112.

33 Auch das wenig beifällige Schweizer Echo auf Frischs *Andorra* erklärt sich als Reaktion auf die Schweizkritik dieses Stücks, vgl. Frühwald/Schmitz, S. 76.

34 Die Wertung des Romans wurde nach drei Kategorien untersucht: sehr positiv, eingeschränkt positiv, negativ; »sehr positiv« ist im Schweizer Korpus nicht belegt; 25 % loben mit zum Teil weitgehenden Einschränkungen, 75 % tadeln. – Ebenfalls 75 % begründen ihre Wertung mit dem Charakter der Hauptfigur, vgl. Anm. 32.

35 88 % der Kritiken; allein 64 % fallen in die Kategorie »sehr positiv«.

36 Vgl. Ritsert, S. 31.

37 Zerfällt zunächst in die beiden Kategorien »Modernität« und »Zusammenhänge«; diese in die Subkategorien »intern (= im Werk Frischs)« und »extern«, jene in »Gehalt« und »Form«.
38 Vgl. etwa i. d. B. S. 429 den Untertitel der Rezension von Sanders; allgemein Korn, Lattmann (Hg.), S. 213–219, und Nöhbauer, S. 504–507.
39 Vgl. Korn, S. 20: »Die entscheidende Kategorie ist [...] die der Echtheit. [...] Echt ist, was im Zeit- oder Epochensinn liegt.« – Im ganzen sprachen 79 % der deutschen Zeitungen das Thema an, 72 % lobend. Unter diesen finden sich sämtliche überregionalen Zeitungen. – In der Schweiz lobte nur Emil Staiger – sozusagen ausnahmsweise (vgl. i. d. B. S. 394) – die moderne Form des *Stiller*, Hermann Hesse die Figur Stiller als Zeitgenossen. Die restlichen der 33 %, denen »Modernität« überhaupt ein Thema ist, lehnen sie ab, vgl. Trümpy i. d. B. S. 478.
40 So 60 %.
41 So 56 %.
42 Vor allem der Hochschulgermanist Emil Staiger bejaht diese Verbindung, vgl. i. d. B. S. 394, dazu Frühwald i. d. B. S. 267.
43 Beispielhaft von Dach i. d. B. S. 440; insgesamt 42 %.
44 Statistisch irrelevant; vgl. aber i. d. B. S. 426. – Regionale Zeitungen verzichten denn auch fast durchweg auf den Nachweis von »Zusammenhängen«. Dies teilen sie abermals mit den Schweizer Zeitungen.
45 Blöcker S. 7; Blöckers Buch ist selbst eine der einflußreichsten Darstellungen der »modernen Klassiker« zum Ende der fünfziger Jahre.
46 Diese Argumentation erklärt sich aus der Begriffsgeschichte von »modern«, vgl. dazu den erhellenden Aufsatz von Jauss, S. 14. – Zu dieser Ambivalenz in der damaligen Kritik vgl. Schonauer.
47 Darauf gehen 22 % aller Rezensionen ein, bes. scharf Trümpy i. d. B. S. 479. 75 % der Belege stammen aus deutschen Zeitschriften, dort typisch die Argumentation von Horst: »Frischs Psychologie ist nicht analytisch-abstrakt, sondern konkret«; vgl. außerdem i. d. B. S. 459.
48 So bei 5 und 19.
49 Darauf gehen immerhin 28 % der deutschen Zeitungen ein, vgl. i. d. B. S. 413.
50 So vor allem Ferber i. d. B. S. 452. Das zwiespältige Gefühl gegenüber der Moderne (vgl. Anm. 47) mag hier den Rückgriff hinter das aktuelle auf das »dauernde« Kulturgut motiviert haben. – Von den überregionalen deutschen Zeitungen nennen 41 % als Lesehilfe Frischs *Tagebuch 1946–1949,* dessen zentrale Bedeutung für Frischs Schaffen offenbar schon damals abzuschätzen war.
51 Vgl. Mandelkow, S. 79–80, zur »Autorerwartung«.
52 Schlagworte aus Heißenbüttel und Reich-Ranicki. – Vgl. Frühwald/Schmitz, S. 7–9.

53 Einzige Ausnahme: die Rezension von Siegfried Unseld. – Ähnliche Tendenzen in der Literaturkritik der frühen fünfziger Jahre bemerkt z. B. Müller-Hanpft, S. 116–123; vgl. bei Korn, S. 20, die Forderung: »Darum muß das Buchreferat immer auch ein Inhaltsreferat sein.«
54 Als theoretischen Hintergrund vgl. Iser, z. B. S. 12–37.

Literaturangaben

1. Soziologie und Sozialpsychologie

Asch, S. »Forming impressions of personality«. *J. Abnorm. Soc. Psychol.* 41, 1946, S. 258–290.

Berelson, Bernard. *Content Analysis in Communication Research.* Glencoe, Ill.: Free Press 1952.

de Sola Pool, Ithiel (Hg.). *Trends in Content Analysis.* Urbana: Univ. of Illinois Press 1959.

Frank, Armin Paul. »Wider den voreiligen Soziologismus: die Grenzen der Inhaltsanalyse.« In: A. P. F. *Literaturwissenschaft zwischen Extremen. Aufsätze und Ansätze zu aktuellen Fragen einer unsicher gemachten Disziplin.* de Gruyter Studienbuch. Berlin: de Gruyter 1977. S. 63–88.

Friedrichs, Jürgen. *Methoden empirischer Sozialforschung.* rororo studium 28. Reinbek: Rowohlt 1973.

Herkner, Werner. *Einführung in die Sozialpsychologie.* Bern: Hans Huber 1975.

Karmasin, Fritz und Helene. *Einführung in Methoden und Probleme der Umfrageforschung.* Böhlaus wissenschaftliche Bibliothek. Wien/Köln: Böhlau 1977.

Koszyk, Kurt, u. Karl Hugo Pruys. *dtv-Wörterbuch zur Publizistik.* München: dtv 1973.

Kracauer, Siegfried. »The Challenge of Qualitative Content Analysis.« *Public Opinion Quarterly* 16, 1952, S. 631–641.

Osgood, C. E., Suci, G. J., u. Tannenbaum, P. H. *The measurement of meaning.* Urbana: Univ. of Illinois Press 1957.

Quasthoff, Uta. *Soziales Vorurteil und Kommunikation. Eine sprachwissenschaftliche Analyse des Stereotyps.* FAT Sprachwissenschaft. Frankfurt: Athenäum Fischer 1973.

Ritsert, Jürgen. *Inhaltsanalyse und Ideologiekritik. Ein Versuch über kritische Sozialforschung.* Frankfurt: Athenäum 1972.

Rosenberg, S., Nelson, C., u. Vivekananthan, P. S. »A multidimensional approach to the structure of personality impressions.« *J. Pers. Soc. Psychol.* 9, 1968. S. 283–294.

Silbermann, Alphons. »Systematische Inhaltsanalyse«. In: René König

(Hg.). *Handbuch der empirischen Sozialforschung*. Bd. 4: *Komplexe Forschungsansätze*. 3. Aufl. München/Stuttgart: dtv/Enke 1974.
Simon, Herbert A. »Bandwagon and underdog effects and the possibility of election predictions.« *Public Opinion Quarterly* 18, 1954. S. 245–253.
Wakenhut, Roland. *Messung gesellschaftspolitischer Einstellungen mit Hilfe der Raschskalierung*. Bern: Hans Huber 1974.
Wersig, Gernot. *Inhaltsanalyse. Einführung in ihre Systematik und Literatur*. Schriftenreihe zur Publizistikwissenschaft 5. Berlin: Verlag Volker Spiess 1968.
Wishner, J. »Reanalysis of ›impressions of personality‹.« *Psychol. Rev.* 67, 1960. S. 96–112.

2. Literaturkritik und Rezeptionsforschung

Arnold, Heinz Ludwig. »Über die Vergangenheit der alten und die Notwendigkeit einer neuen Literaturkritik.« In: H. L. A. (Hg.). *Geschichten der deutschen Literatur aus Methoden. Westdeutsche Literatur von 1945–71*. FAT 2030. Frankfurt: Athenäum Fischer 1972. S. X–XXVII.
Blöcker, Günter. *Die neuen Wirklichkeiten. Linien und Profile der modernen Literatur*. München: dtv. 1968 (1. Aufl. 1957).
Blume, Bernhard. »Perspektiven des Widerspruchs. Zur Kritik an Thomas Mann.« *Germanic Review*. 31, 1956. S. 176–190.
Carlsson, Anni. *Die deutsche Buchkritik von der Reformation bis zur Gegenwart*. Bern: Francke 1969.
Durzak, Manfred. »Rezeptionsästhetik als Literaturkritik.« In: Olaf Schwencke (Hg.). *Kritik der Literaturkritik*. Sprache und Literatur 84. Stuttgart: Kohlhammer 1973. S. 56–70.
Frühwald/Schmitz. Vgl. i. d. B. S. 654.
Glotz, Peter. *Buchkritik in deutschen Zeitungen*. Schriften zur Buchmarkt-Forschung 14. Hamburg: Verlag für Buchmarkt-Forschung 1968.
Grenzmann, Wilhelm. *Dichtung und Glaube. Probleme und Gestalten der deutschen Gegenwartsliteratur*. 6. Aufl. Frankfurt: Athenäum 1967.
Hamm, Peter. »Der Großkritiker.« In: Hamm (Hg.). S. 20–39.
– (Hg.). *Kritik – von wem/für wen/wie. Eine Selbstdarstellung deutscher Kritiker*. RH 12. München: Hanser 1968.
Hinderer, Walter. »Zur Situation der westdeutschen Literaturkritik.« In: Manfred Durzak (Hg.). *Die deutsche Literatur der Gegenwart. Aspekte und Tendenzen*. Stuttgart: Reclam 1971. S. 300–321.
Iser, Wolfgang. *Der Akt des Lesens. Theorie ästhetischer Wirkung*. UTB 636. München: Fink 1976.
Jauß, Hans Robert. *Literaturgeschichte als Provokation*. edition suhr-

kamp 418. Frankfurt: Suhrkamp 1970.
Kaiser, Joachim. »Kritik als spontaner Impuls.« In: Hamm (Hg.). S. 15–19.
King, Janet K. *Literarische Zeitschriften 1945–1970.* SM 129. Stuttgart: Metzler 1974.
Korn, Karl. »Buchkritik in der Tageszeitung.« *Akzente* 2, 1955. S. 15–22.
Lattmann, Dieter (Hg.). *Die Literatur der Bundesrepublik Deutschland.* München: Kindler 1973.
Mandelkow, Karl Robert. »Probleme der Wirkungsgeschichte«. *Jahrbuch für internationale Germanistik* 2, H.1; 1970. S. 71–84.
Müller-Hanpft, Susanne. *Lyrik und Rezeption. Das Beispiel Günter Eich.* Literatur als Kunst. München: Hanser 1972.
Nöhbauer, Hans F. »Die Situation der Buchkritik.« In: Thomas Koebner (Hg.). *Tendenzen der deutschen Literatur seit 1945.* KTA 405. Stuttgart: Kröner 1971. S. 502–519.
Schloz, Günther. »Literaturbetrieb im Feuilleton.« In: Heinz Ludwig Arnold. (Hg.) *Literaturbetrieb in Deutschland.* München: Edition Text + Kritik 1971. S. 200–205.
Schmitz. Vgl. i. d. B. S. 660.
Schonauer, Franz: »Literaturkritik und Restauration.« In: Hans Werner Richter (Hg.). *Bestandsaufnahme. Eine deutsche Bilanz 1962.* München: Desch 1962. S. 477–493.
Schwenke. Vgl. Durzak.
Sengle, Friedrich. »Zur Einheit von Literaturgeschichte und Literaturkritik.« *DVjs* 34, 1960. S. 327–337.
Hier nicht aufgeführte Titel sind im bibliographischen Anhang dieses Bandes nachgewiesen.

8.
Interpretationsmodelle

8.1. Strukturale Textinterpretation

Marianne Wünsch

»Stiller«: Versuch einer strukturalen Lektüre

Vorbemerkung

Die enorme Komplexität dieses Textes, in dem alles und jedes signifikant und alles mit jedem korreliert scheint, zwingt zur selektiven Analyse. Ob Max Frisch nun diese komplexe semantische Ordnung intendiert hat oder nicht: er hat sie jedenfalls gemacht. Da die Analyse wenigstens etwas von dieser Ordnung sichtbar machen soll, habe ich einerseits auf alle Fragestellungen, die über dieses Werk hinausgehen, Situierung des Romans im Œuvre des Autors, im literarhistorischen und geistesgeschichtlichen Kontext usw., andererseits auf die explizite Auseinandersetzung mit der Forschung verzichten müssen. Daß sie implizit Anlaß zu Fragestellungen, nicht selten aufgrund von Widerspruch zu ihr, gegeben hat, wird ihr Kenner ohnedies sehen. Zu danken habe ich vor allem Walter Schmitz für zahlreiche Informationen, die, ebenfalls nicht explizit in der Analyse genannt, doch viele Fragen angeregt haben. Zur strukturalen Methodologie und Terminologie verweise ich auf die Arbeiten von J. M. Lotman (*Die Struktur literarischer Texte,* UTB 103, München 1972) und M. Titzmann (*Strukturale Textanalyse,* UTB 582, München 1977).

1. Aspekte der Erzählsituation

Nach *J'adore ce qui me brûle oder Die Schwierigen* (1943) hat Max Frisch bislang ausnahmslos in seinen Romanen die Ich-Erzählsituation gewählt. Im *Stiller* sind die Perspektivenprobleme dieser Erzählform von zentraler Relevanz: das wird schon dadurch deutlich, daß in den beiden Teilen des Romans, »Stillers Aufzeichnungen im Gefängnis« und »Nachwort des Staatsanwalts«, einander zugleich die Perspektiven zweier verschiedener – durch den Untertitel identifizierter – Ich-Sprecher gegenübergestellt werden. Was der Leser über die vom Text aufgebaute »Welt« wissen kann, erfährt er im wesentlichen nur aus der Rede der beiden Erzähler. Die Aussagen der Sprecher jedoch, ihre Wahrnehmungen, Deutungen, Wertungen einfach als objektiv richtig bzw. wahr innerhalb der fiktiven Welt des Textes zu nehmen, wird aber nicht nur durch divergierende Äußerungen der beiden Redesubjekte über ihre mindestens partiell gemeinsamen Redeobjekte verhindert: das Wahrheitsproblem ist von Anfang an schon durch die Situation der juristischen Untersuchung eingeführt. Was bezüglich der vom Text gesetzten und nur durch die Äußerungen der Sprecher selbst zugänglichen Welt als wahre oder falsche Äußerung eben dieser Sprecher über eben diese Welt gelten kann, ist also eine zentrale Frage jeder Interpretation des Textes, die sie bewußt oder unbewußt notwendig immer beantwortet.

Doch erschöpft sich das Perspektivenproblem des Romans nicht darin, daß die Opposition *»wahr«* vs *»falsch«* vom Text als relevante Kategorie aufgebaut wird, bezüglich derer Äußerungen von Figuren zu klassifizieren sind, ob es sich nun um Aussagen der beiden Erzähler oder um von ihnen berichtete Aussagen anderer Figuren handelt. Jeder der beiden Erzähler, der Angeklagte Stiller und der Staatsanwalt Rolf, spricht sowohl über sich als auch über andere Figuren; jeder der beiden äußert sich dabei auch über den je anderen. Objekt der Rede kann also jeweils der Sprecher selbst oder eine andere Figur sein (*»Objekt der Rede = Subjekt der Rede«* vs *»Objekt der Rede ≠ Subjekt der Rede«*). Im Falle Stillers ist dabei zwischen $Stiller_1$ (St_1) und $Stiller_2$ (St_2) zu unterscheiden: St_1 sei das gegenwärtig erzählende Individuum, das leugnet, Stiller zu sein ($St_1 \neq St_2$); St_2 jener verschollene Stiller, mit dem seine Umwelt den Sprecher identifizieren will ($St_1 = St_2$). Der Erzähler Stiller spricht sowohl von St_1 als auch von St_2. Wenn er aber von St_1 spricht, spricht er direkt und zugestandenermaßen von sich; wenn er von St_2 spricht, spricht er indirekt und uneingestanden von sich. Auf der Ebene der Namensgebung gilt das Umgekehrte: wenn er von dem spricht, der er sein will, nennt er sich »White«; wenn er von »Stiller« spricht, spricht er von dem, der er nicht sein will. Innerhalb der Stillerschen Erzählung werden also erneut zwei Perspektiven, die von ihm vertretene, P_1, und die von ihm nicht vertretene, aber berichtete Perspektive seiner Umwelt, P_2, relevant und einander als oppositionelle konfrontiert (*»$P_1 : St_1 \neq St_2$« vs »$P_2 : St_1 = St_2$«*). Stillers Erzählung endet, sobald sich sozial – d. h. durch das Urteil – P_2 durchgesetzt hat; Rolfs Erzählung setzt nach diesem Ereignis ein und setzt es voraus.

Da Stiller behauptet, nicht St_2 zu sein und nichts über ihn zu wissen, kann er, solange er seine Identität mit diesem leugnet, von St_2 nur insofern erzählen, als andere ihm von St_2 erzählt haben. Seine Erzählung von St_2 ist das Erzählen der Erzählungen anderer: jeder der Hauptbeteiligten an der Geschichte des St_2, dessen Ehefrau Julika, dessen Geliebte Sibylle, dessen Rivale Rolf, erzählt St_1 die je eigene – meist direkt oder indirekt auf St_2 bezogene – Geschichte. Für die Erzählung Stillers ist also die Opposition zweier Typen von Erzählungen – »*Erzählung des Ich über Erlebtes*« vs »*Erzählung des Ich über Erzählung anderer über Erlebtes*« – konstitutiv, während Rolfs Erzählung, von einer Ausnahme abgesehen (Geschichte der mexikanischen Farm, S. 744), eindeutig nur Erzählung des Ich über Erlebtes ist. Wann Stiller unmittelbar erzählt und wann er Erzählungen Julikas, Sibylles oder Rolfs erzählt, ist fest geregelt: in den sieben Heften seiner Niederschrift dienen im wesentlichen die Hefte mit ungerader Nummer den Aussagen über seine Gegenwart als St_1, und die Hefte mit gerader Nummer den Aussagen über die Aussagen anderer von seiner Vergangenheit und St_2.

Wie aber – natürlich – in I, III, V, VII immer wieder St_2 als Redegegenstand eine Rolle spielt, so wird – nicht natürlich – jede der erzählten Erzählungen in II, IV, VI durch Einschübe Stillers über seine Gegenwart als St_1 unterbrochen. Die Symmetrie in der Distribution der Erzähltypen auf die syntagmatische Folge besteht aber nicht nur in der alternierenden Anordnung und der Einrahmung durch I und VII: auch steht die Erzählung Rolfs, der St_2 nicht kennt und nur als indirekte Wirkung auf seine Existenz erlebt, zwischen den Erzählungen der beiden Frauen, die St_2 kennen und als direkte Einwirkung auf ihre Existenz erleben; ferner nimmt in der Folge Julika – Rolf – Sibylle auch der Anspruch ab, den sie zur Zeit ihres Erzählens gegenüber Stiller erheben. In dieser Reihenfolge nimmt das Ausmaß der Verpflichtungen ab, die sie ihm auferlegen wollen, und das Ausmaß an Freiheit zu, die sie ihm lassen. Denn Julika beansprucht ihn »total«, nämlich als seine »immerhin gesetzliche Gattin« (S. 495); Rolf beansprucht ihn nur »partiell«, zunächst in seiner Rolle als Staatsanwalt, dann in seiner Rolle als Freund; Sibylle beansprucht ihn gar nicht.

In Stillers Erzählung sind jedenfalls die Perspektivenprobleme komplizierter als in der Rolfs. Denn Rolfs Text kennt nur eine Erzählebene und Erzählinstanz, nämlich Rolf selbst, während

Stillers Text in den Heften II, IV, VI sekundäre und untergeordnete Erzählinstanzen einführt. Der Erzähler Stiller (St) erzählt von sich (O_{St} = St) oder anderen (O_{St} = X, Y) als Objekt seiner Rede (O), wobei ein Teil dieser Figuren X, Y (Rolf, Sibylle, Julika) in Stillers Rede selbst wiederum zum – sekundären – Erzähler wird und über sich (O_X = X), über Stiller (O_X = St), oder über Dritte (O_X = Y) erzählen kann:

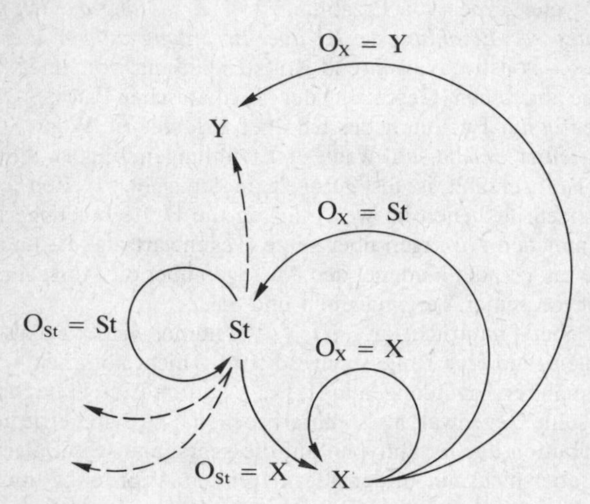

In zwei dieser drei sekundären Erzählungen, in denen Julikas und Sibylles, wird aber St_2, von dem sie u. a. erzählen, selbst nochmals zum (tertiären) Sprecher, der von seiner Spanienepisode erzählt. An diesen beiden Stellen handelt es sich also um eine Erzählung E_1 des St_1 von einer Erzählung E_2 eines X (Julika oder Sibylle) von einer Erzählung E_3 des St_2 vom früheren St_2: St_1 erzählt hier also über das Medium anderer Erzähler davon, wie er als St_2 von sich als dem früheren St_2 erzählt hat. Insofern stehen Julika und Sibylle als Gruppe in Opposition zu Rolf.

Jede der zentralen Figuren der Geschichte des St_2 wird also an einer Stelle der Erzählung des St_1 selbst zum sekundären Erzähler, nur die Hauptfigur Stiller nicht, die unter diesem Aspekt zu den drei anderen Figuren in Opposition steht. In jeder der drei sekundären Erzählungen spielt St_2 eine wichtige Rolle. Nur in Sibylles Rede jedoch kommen alle vier Zentralfiguren vor; in Julikas Rede spielen außer ihr nur St2 und Sibylle (als unbekannte Rivalin) eine Rolle; in Rolfs Rede tritt außer ihm nur Sibylle und St2 (als unbekannter Rivale) auf. In dieser Hinsicht bilden also die »Betrüger« (Sibylle und St2) eine Gruppe in Opposition zu den »Betrogenen« (Julika und Rolf). Jeder der primären oder sekundären Erzähler verfügt also über einen *perspektivisch bedingten Weltausschnitt*: alle solche Weltausschnitte stehen in *partieller Überschneidung*.

Wenn zwei Erzähler von derselben Figur berichten, berichten sie wiederum nur partiell dasselbe, partiell anderes von ihr. Zu dieser jeweiligen Selektivität kommt noch eine partielle Divergenz in der Deutung der Figur hinzu. Als Beleg dafür mögen Rolfs und Sibylles Erzählungen von ihrer Ehekrise gelten: die gemeinsame Szene mit Sturzenegger wird bei Rolf relativ ausführlich beschrieben (S. 558f.), bei Sibylle überhaupt nur angespielt (S. 603); die Szene in Rolfs Büro wird von ihm (S. 580f.) und von ihr (S. 636f.) sehr verschieden erlebt und gedeutet. In der Deutung ihres Verhaltens divergieren *Selbstdeutung* und *Fremddeutung* durch den je anderen massiv. Darin liegt aber zugleich ein weiteres Perspektivenproblem des Textes: das von »*Innenperspektive*« vs »*Außenperspektive*«. Denn nur sich selbst kann die Figur von innen sehen: ihr Innenleben ist ihr mindestens partiell durch *direkte Beobachtung* zugänglich. Die je andere Figur kann nur von außen in ihren wahrnehmbaren Äußerungen, d. h. ihrer Gestik und Mimik, ihren Reden und Verhaltensweisen, beobachtet werden: ihr Innenleben ist nur durch *indirekte Folgerung* zugänglich. Das Problem ist zentral: denn jede Hauptfigur mit Ausnahme von St2, d. h. jeder dieser Erzähler stellt sich irgendwann *aus eigener Perspektive* dar und wird irgendwann *aus fremder Perspektive* dargestellt.

In Rolfs primärer Erzählung, dem »Nachwort«, bleibt der Unterschied zwischen Innenperspektive bei der Darstellung des Selbst und Außenperspektive bei der Darstellung des Anderen weitgehend gewahrt. Freilich spricht Rolf kaum über sich und noch weniger über Sibylle bzw. seine jetzige Relation zu ihr, sondern vor allem über Stiller, Julika und deren Relation; Aussagen über sein Innenleben macht er praktisch nur, insoweit sie seine Reaktionen auf Erfahrungen mit diesem Paar betreffen. In Stillers »Aufzeichnungen« hingegen kompliziert sich wiederum das Perspektivenproblem. Über seine gegenwärtige Person St1 spricht er oft und von innen, über seine frühere Person St_2 selten und von außen. Über St_2 wird vor allem von den sekundären Erzählern gesprochen, die gegenüber St_2 notwendig eine Außenperspektive einnehmen. Indem er sie über St_2 erzählen läßt, spricht er somit über sich als St_2 wie über einen anderen. Wenn er aber die Erzählungen der anderen referiert, dann spricht er aus deren Innenperspektive wie über das eigene Selbst: er versetzt sich in sie hinein, während er sich von sich distanziert. Nur gelegentlich wird sein Erzählen aus der Perspektive anderer durch distanzierende Anmerkungen Stillers unterbrochen, die auf die Erzählakte der anderen als Quelle oder auf die gegenwärtige Situation von St_1 verweisen. Im Vergleich zu Rolfs einfachem Erzählstil erzählt Stiller also in doppelter oppositioneller Abweichung, was offenbar mit Begriff und Problem der Person und ihrer Identität korreliert ist.

Nicht nur wer spricht, sondern auch, wer wie worüber mit wem und warum spricht, ist in diesem Text signifikant. Denn einerseits sind die Motivationen des je so und so gearteten spezifischen Erzählaktes vom Text als *komplexe Produkte zweier Reihen von Faktoren* gesetzt. Am Nicht-Verstehen eines anderen mögen Nicht-Wissen und Nicht-Wollen in variablem Maß beteiligt sein: denn worauf basiert z. B. Julikas Aussage gegenüber Rolf in dessen Erzählung, sie verstehe Stiller nicht? In die Deutungen eines Selbst oder eines Fremden, einer Figur oder eines Sachverhaltes mögen mit verschiedenem Anteil Merkmale des Gedeuteten und des Deutenden eingehen: denn worauf basiert z. B. die Divergenz der Deutungen Stillers und Sturzeneggers zur Schweizer Architektur? Wenn Julikas und Sibylles Deutungen von St_2 divergieren: hat er sich dann verschieden präsentiert oder wurde er verschieden wahrgenommen? Wie ein sekundärer Erzähler sich oder St_2 darstellt: das kann auf das Konto eben dieses Erzählers oder des primären Erzählers St_1 gehen: denn sind Selbstdarstellung und Fremddarstellung in Rolfs, Julikas, Sibylles Erzählungen authentische Reproduktion des von ihnen Gesagten oder durch St_1 manipulierte Versionen? Rolf darf in Teil II dem Erzähler St_1 »Mutwilligkeit«, »Subjektivität«, »gelegentliche Fälschungen« nachsagen (S. 749), aber er gibt nicht an, worauf sich diese Verdächtigungen beziehen und ihr eigener Wahrheitswert bleibt Problem. Ganz allgemein gilt, daß es Ergebnis sowohl der Sprechsituation mit ihren diversen Komponenten als auch der persönlichen Merkmale der Figur ist, wenn eine Figur A auf die Weise B über das Objekt C zu einer Figur D spricht. Denn daß z. B. Stiller sehr stark direkt oder indirekt von sich spricht, aber Rolf in Teil II kaum von sich und noch weniger von Sibylle redet, hat Motivationen sowohl in der Sprechsituation, da Stiller von sich erzählen soll und Rolf nur diese Geschichte fortsetzen will, als auch in der Person, da Stiller, der seinen Schreibauftrag ohnedies nicht erfüllt, doch über ganz anderes schreiben könnte, und Rolf seinen selbstgegebenen Schreibauftrag auch dann noch erfüllen würde, wenn er mehr Informationen über sich und Sibylle gäbe. Andererseits aber bleibt immer wieder gerade der jeweilige Anteil zweier Motivationsreihen an einem Phänomen *Leerstelle* im Text.

2. Die erkenntnistheoretische Struktur der dargestellten Welt: »Wahrheit« und »Wahrnehmung«

Das Problem der Wahrheit von Figurenaussagen wird in diesem Text nicht nur durch die komplexen Formen der Perspektivierung von Erzählakten, sondern auch durch explizite Thematisierung eingeführt. An der Textoberfläche entspricht dem Problem eine Fülle von Lexemen, die die Wahrheit einer Aussage behaupten, bestätigen oder bestreiten (z. B. gestehen, leugnen, glauben, schwören, beweisen, wissen, täuschen, protokollieren, zugeben; Geflunker, Verlogenheit, Geständnis, Beichte, Märchen, Selbstbelügung, Verstellung, Selbsterkenntnis usw.), die den beanspruchten Wahrheitswert modifizieren (z. B. scheinen, glauben; wohl, vielleicht usw.), die nach der Wahrheit fragen (z. B. grammatische Frageformen). Schon der erste Satz – »Ich bin nicht Stiller« – ist zugleich die Bestreitung der Wahrheit einer vorausgesetzten Annahme: sie führt sich nicht durch die Behauptung, sondern durch die Leugnung einer Identität ein.

Das Problem der Wahrheit im *Stiller* ist ein doppeltes: ein methodisches des Rezipienten, der vor der Frage steht, wann wem zu glauben sei; ein strukturelles der dargestellten Welt: was ist das für eine Welt, in der ein Wahrheitsproblem in dieser Form auftritt und in dieser Form gelöst wird?

Unbestreitbar wahre und nachprüfbare Aussagen lassen sich in der dargestellten Welt über die Geschichte der komplexen Relationen zwischen den vier Hauptfiguren nur machen, soweit sie äußere Daten der Existenz und ihrer Umwelt betreffen. Wenn Stiller »die Wahrheit meines Lebens« erzählen soll, dann erwartet sein Verteidiger von ihm solche und ähnliche Fakten, »insbesondere Ortsnamen, Daten, die man nachprüfen kann, beispielsweise Angaben über Beruf oder sonstiges Einkommen, Dauer von Aufenthalten, Anzahl der Kinder, Anzahl der Scheidungen, Konfession usw.« (S. 371). Mit Hilfe seiner früheren Bekannten kann Stiller ebenso eindeutig identifiziert werden, wie sich seine Mordgeschichten falsifizieren lassen. Aber dieser Ebene der äußeren *Faktizität eines Lebens mit entscheidbarem Wahrheitswert* steht das *Innenleben einer Figur* gegenüber. Wie Stiller selbst anmerkt (S. 680f.), ist die Wahrheit bzw. Falschheit der Selbst- oder Fremdaussagen über eine Figur in diesem Text nicht in derselben Weise durch zwingenden Beweis entscheidbar. Generell besteht nun bezüglich des Wahrheitswertes der Aussagen eine Opposition *»deskriptive«* vs *»deutende oder verstehende Aussagen«*, der die Opposition *»Aussage über physische Gegebenheiten«* vs *»Aussage über nicht-physische Gegebenheiten«* entspricht. Zwar wird letztlich von keiner Figur die Ehrlichkeit einer anderen in Frage gestellt; auch Rolf gesteht sie Stiller zu (S. 749), obwohl er ihm faktische Verzerrungen vorwirft. Doch da zwei Figuren dasselbe verschieden wahrnehmen können, führt damit der Text eine Opposition *»subjektiv-individuelle«* vs *»intersubjektiv-soziale«* vs *»objektiv-absolute Wahrheit«* ein. Denn einerseits kann die subjektiv ehrliche Aussage dennoch falsch sein; andererseits wird eine individuelle Meinung im Text nicht schon dadurch falsifiziert, daß sie in Opposition zur Meinung einer Gruppe steht: d. h. Übereinstimmung mehrerer subjektiver Wahrheiten bedeutet nicht schon objektive, sondern nur intersubjektive Wahrheit. So wird etwa Stillers Kritik an der Schweiz und ihrem Selbstverständnis nicht einfach dadurch widerlegt, daß Rolf, Sibylle, Bohnenblust und Sturzenegger sie übereinstimmend ablehnen. Besonders auffallend und eigentümlich ist auch der soziale Konsensus, daß Julika ein wundervoller Mensch, »ein so feines und im Innersten vornehmes Wesen« (S. 461) sei; er wird geteilt von Freunden (S. 461), von Ärzten (S. 471) und schließlich – karikiert – vom Verteidiger (S. 718), obwohl dank Julikas Schweigsamkeit keiner von ihnen viel über Julika wissen kann. Wichtig ist jedenfalls, daß bezüglich der Wahrheit ihrer Aussagen keine der Figurenperspektiven eindeutig gegenüber allen anderen privilegiert ist, d. h. die gottgleiche Rolle des auktorialen Erzählers spielen würde. Stiller relativiert sich in seinen eigenen Aufzeichnungen hinreichend selbst, aber auch Rolfs Nachwort kann keinen solchen Anspruch höherer Objektivität erheben. So behauptet Rolf etwa, Stiller habe Julika in seiner Darstellung vergewaltigt (S. 749, 753): aber er liefert nicht nur keine Argumente für diese Behauptung, sondern gibt auch selbst zu, keinen rechten Zugang zu ihr zu finden (S. 742) und liefert jedenfalls auch keine alternative Deutung. Überhaupt sind Rolfs Aussagen auch über Stiller bemerkenswert postulativ: er behauptet, ohne zu belegen. Zur Zeit seines Schreibaktes besitzt er zwar von allen Figuren das meiste Wissen über alle anderen: denn er kennt auch Stillers Aufzeichnungen. Doch hat dieses Wissen bei ihm keine erkennbaren Folgen. So bedauert er, daß es keine Aufzeichnungen Stillers »in der Freiheit« gäbe, ohne auch nur auf Stillers Problematisierungen des Freiheitsbegriffs einzugehen, und erklärt sich Stillers Weigerung durch dessen »innere Befreiung« (S. 730) und das Verstummen von Stillers Schweiz-Kritik durch dessen Selbstannahme: beides folgt aber aus dem von ihm über Stiller Berichteten keineswegs zwingend: Stillers verändertes Verhalten ließe sich z. B. ebensogut durch einen Akt der Resignation erklären.

Weder das Selbstverständnis noch das Fremdverständnis einer Figur ist generell wahr. Wenn St_2 sich über die Außenstehenden entrüstet, die das Verhalten der Ehepartner deuten und beurteilen, »ohne auch nur ein Drittel der Geschichte zu kennen« (S. 461), wird die Problematik des Fremdverstehens gegenüber dem Selbstverständnis deutlich. Umgekehrt bestätigt sich aber etwa das Fremdverständnis gegenüber dem Selbstverständnis, wenn der kranke Jesuit Julika vorhält, sie deute sich immer nur als passives Opfer (S. 483), da Julikas Reden, soweit sie wörtlich berichtet sind, in der Tat dazu tendieren.

Die Frage nach der Wahrheit einer Aussage über nicht-physische Gegebenheiten ist also immer nur von Fall zu Fall zu beantworten, und sie ist nur in den eher seltenen Fällen zu beantworten, wo es zugleich Aussagen über physische Manifestationen der gedeuteten Figur gibt, aus denen sich logisch die deutende Aussage folgern läßt. Ansonsten bleiben die Aussagen im Status einer *fakultativen Wahrheit*: nichts spricht gegen sie – es *kann* sein, daß sie wahr sind. Aber auch jede faktisch – d. h. im Sinne der textinternen Bestätigung – wahre Aussage ist dies doch immer nur unter dem Vorbehalt, daß die bestätigenden Daten nicht nur das Ergebnis einer Verzerrung durch die Selektion in der jeweiligen Redeperspektive sind, also die Bestätigung nicht nur dadurch zustande kommt, daß der Sprecher nicht bestätigende oder widerstreitende Daten ausläßt. Wenn deutende/wertende Aussage und bestätigende Daten auf verschiedene Sprecher verteilt sind, steigt zwar die Wahrscheinlichkeit, daß die Übereinstimmung nicht nur das Ergebnis willkürlicher Selektion ist, aber die bestätigte subjektive oder intersubjektive Wahrheit bleibt dank ihrer Konstitution durch perspektivische Redeakte immer eine *bedingte Wahrheit* – eine Wahrheit, die von der Erfüllung bestimmter Prämissen abhängt, deren tatsächliche Erfüllung wiederum nie mit Sicherheit angenommen werden kann. Über Wahrheit läßt sich bei diesem Text, genau genommen, nur in der Form reden: »Wenn die Bedingungen x erfüllt sind, dann ist die Aussage y wahr«. Für die praktische Textanalyse bedeutet das, daß alle Aussagen über die dargestellte Welt zunächst nur Aussagen über die Welt des jeweiligen Sprechers sein können, wobei die Welt der sekundären Erzähler doppelt bedingt ist, und erst im zweiten Schritt eventuelle Invarianten einer intersubjektiven Welt des Textes abstrahiert werden können.

Das Fehlen bestätigender Daten im Text ist zweideutig und kann ebenso Ergebnis der Selektion des Sprechers in seinem Redeakt wie Folge ihrer Nicht-Existenz in der dargestellten Welt sein. Daß die Wahrheit nur von Fall zu Fall entschieden werden kann, bedeutet in diesem Text aber auch, daß *keine Extrapolation des Wahrheitswertes einer Aussage* auf die anderen Aussagen einer Figur oder über eine Figur möglich ist: daß also eine Figur einmal wahre oder falsche Aussagen gemacht hat, bedeutet nicht, daß ihre anderen Aussagen ebenfalls wahr oder falsch seien. Eine Figur kann also im Besitze *partieller Wahrheit* sein. St1 weist selbst darauf hin, daß es problematisch sei, wenn jemand »immer nur alles glauben will oder nichts« (S. 525). Über die Wahrheit von Aussagen muß aber noch in einem dritten Sinne von Fall zu Fall entschieden werden: Wahrheit wird – mindestens von Stiller (S. 711) – als *temporale Wahrheit* konzipiert; sie ist nicht eine außerzeitliche Größe, sondern Veränderungen in der Zeit unterworfen.

Von besonderem Interesse ist eine bestimmte Redeebene des

Textes, die Stiller oder Rolf, d. h. den männlichen Figuren, vorbehalten bleibt: die *ideologische Rede-* bzw. *Leseebene.* Es handelt sich um die Klasse von Aussagen, die philosophisch-moralische Generalisierungen vornehmen und die erzählten Einzelfälle in allgemeine Probleme einbetten; dazu gehören etwa die expliziten Ausführungen über die Ehe oder zum Problem des ›Sich-Selbst-Annehmens‹ im allgemeinen. Bei St_1 treten derartige Aussagen in eher unsystematischer, bei Rolf in eher systematisch-kohärenter Form auf. Bezüglich der ideologischen Redeebene scheint St_1 überhaupt zwischen Rolf, der sich im Laufe der Erzählung zunehmend auf christliches Denken festlegt, und St_2 zu stehen, der offenbar atheistische Tendenzen (S. 592) hatte. Gegenüber beiden läßt sich St_1 keinem erkennbaren intersubjektiven Glaubenssystem zuordnen. Diese verführerische Textebene verheißt die Möglichkeit generalisierbarer und aussprechbarer Erkenntnis über die dargestellte Welt; ihre Wahrheitsproblematik wird aber beiläufig von Stiller formuliert: »All dies ... redet er ins allgemeine, dieweil ich das Foto seiner Gattin betrachte ..., viel fesselnder als seine Rede, die doch nur wahr ist, indem er seine verschwiegene Erfahrung mit diesem Gesicht meint ...« (S. 549). Laut Stiller kommt demnach solchen abstrakt-generellen Aussagen nur die subjektive Wahrheit der konkret-individuellen Erfahrung zu, die ihnen zugrunde liegt. Derartige Aussagen postulieren jedenfalls, das individuelle Beispiel, an das sie angeschlossen werden, sei eine in der dargestellten Welt repräsentative Erfahrung, wie etwa Rolfs Ausführungen zur »Selbstüberforderung« belegen (S. 668ff.): »›Ich sehe Stiller nicht als Sonderfall‹, sagt mein Staatsanwalt. ›Ich sehe einige meiner Bekannten und mich selbst darin, wenn auch mit anderen Beispielen von Selbstüberforderung ...‹« (S. 669). Vom Text werden jedenfalls solche überindividuellen Deutungsschemata allenfalls insofern als wahr gesetzt, als es tatsächlich mehrere Beispielfälle für das von ihnen gelöste Problem gibt, die zum einen von verschiedenen Sprechern repräsentiert werden und zum anderen dem Schema eindeutig subsumierbar sind. Wenn z. B. Rolf behauptet, nur »so etwas wie Gott« könne helfen, sich »wirklich anzunehmen« (S. 775f.), so bleibt dieses Theorem im angegebenen Sinne ohne Bestätigung: es gibt keinen Fall im Text, wo eine Figur eindeutig und nachweisbar sowohl an Gott glaubt als auch sich angenommen hat.

Die den bedingten subjektiven oder intersubjektiven Wahrheiten konfrontierte *objektiv-absolute* Wahrheit wird vom Text ›gedacht‹, aber nicht gegeben. Als perspektivenfreie, atemporale, unbedingte erfordert sie in der Tat, wie Rolf sagt, »eine absolute Instanz außerhalb menschlicher Deutung« (S. 670), die – Stiller merkt es an – »Gott« genannt werden kann. In der perspektivischen, menschlich-bedingten Welt des Textes bleibt diese Instanz »Gott« freilich eine nur gedachte Größe, ein theoretisch postulierbarer Term, der zudem explizit nur – achtenswert – bei Rolf und – karikiert – bei Bohnenblust postuliert wird, während Stiller auf keinerlei Behauptung bezüglich seiner (Nicht-)Existenz festlegbar ist. Die Möglichkeit der objektiv-absoluten Wahrheit ist im Text also selbst nur eine subjektiv-bedingte Wahrheit: die sie verbürgende Größe »Gott« bleibt ein absenter Term jenseits der Welt des Textes, dessen Existenz ungewiß ist.

Die Annahme der subjektiven Ehrlichkeit der Sprecher war bislang Prämisse der Argumentation: aber St_1 scheint manchmal eindeutig zu »lügen«, so in der Bestreitung seiner Identität, so beim Erzählen eindeutig erfundener Geschichten, wie etwa seinen »Morden« oder der ersten Version der Florence-Geschichte (S. 402ff.). Für den Status dieser Erzählungen ist aber wichtig, daß er auch Geschichten wie die »Anekdote« von Isidor oder das »Märchen« von Rip van Winkle erzählt, bei denen er als Erzähler eindeutig nicht mit dem Helden identisch ist, oder wie die Grottengeschichte, deren Ich-Form die Identifizierung von Held und Erzähler nahelegt, welche freilich am Ende vom Erzähler selbst ausgeschlossen wird (S. 521): dennoch behauptet er, »genau das gleiche« erlebt zu haben, womit offenkundig nicht gemeint sein kann, auch er habe in einer Grotte unter ähnlichen Bedingungen einen Freund getötet. Wenn also St_1 nicht nur »falsche« Geschichten über sich erzählt, sondern auch Erzählungen mit fremdem Helden als seine – oder zur Erläuterung seiner – Lebensgeschichte liefert, muß gefolgert werden, daß eine weitere Unterscheidung verschiedener Wahrheitsbegriffe nötig ist. St_1 spricht selbst davon, daß Rolf sich nicht ärgere, »wenn unsere Begriffe von Wahrheit sich nicht immer decken« (S. 528). Während also Stillers Adressaten von seinen Geschichten Aussagen über ihn selbst erwarten (Erzähler = Held), die in dem Sinne wahr sind, daß ihrer wörtlichen Bedeutung (primäres Signifikat) ein realer Sachverhalt (Referent) genau entspricht (Signifikat = Referent), erzählt er ihnen Geschichten über Fremde (Erzähler ≠ Held), oder Geschichten, die zwar formal von ihm handeln (Erzähler = Held), aber, als erfundene, mindestens partiell unwahre Aussagen über ihn enthalten (Signifikat ≠ Referent). Wenn er dennoch behauptet, daß sie eine Wahrheit über ihn aussagen, so kann diese Wahrheit demnach nur in einer nicht wörtlichen Bedeutung (sekundäres Signifikat) der Äußerung liegen. Sie können etwas Wahres also nur in dem Sinne aussagen, wie ein fiktiver literarischer Text es kann, dessen dargestellte Welt ebenfalls keine referentielle Entsprechung in der Realität hat. Zwischen dem sozialen Wahrheitsbegriff seiner Umwelt und dem individuellen Stillers besteht also die Opposition *»(referentielle Wahrheit + wörtliche Sprachverwendung)«* vs *»(literarische Wahrheit + nicht-wörtliche Sprachverwendung)«*. Stillers Erzählungen stellen also das Problem, auf welcher Ebene und in welcher Hinsicht sie jeweils wahr sind: sie bedürfen der Interpretation durch die Adressaten. Manche der fiktiven Geschichten können gänzlich oder teilweise mit einer referentiellen Wahrheit des Textes verglichen werden: so etwa die Mordgeschichten, die Episode vom Tode des (Stief-)Vaters in der Bowery, die Florence-Geschichte, das Märchen von Rip, das mit Stillers eigenem Lebenslauf zu vergleichen wäre. Eine genaue strukturale Interpretation des Textes hätte die *Transformationen zwischen »Realität« und Geschichte* in diesen Fällen zu untersuchen: welche Größen werden transformiert, wie werden sie transformiert, was bedeutet es, daß sie so transformiert werden? Bei der Isidor-Geschichte gibt es gar zwei Versionen, die Transformationen voneinander und von der konkret-realen Geschichte Stillers und Julikas sind. Bei der Rip-Geschichte wird vom Erzähler selbst die direkte Quelle – Sven Hedin (S. 422) – angegeben, so daß auch sie als doppelte Transformation – des literarischen Originals einerseits, der realen Erfahrung Stillers andererseits – erscheint.

Daß St_1 identisch mit St_2 sei: darüber besteht von Anfang an ein sozialer Konsens. Schon bei seiner Festnahme wird der allenfalls Verdächtige als ein Überführter behandelt: auf die Aussage eines Fremden hin, der ihn nicht einmal persönlich kennt, apostrophiert ihn der Kommissar als »Herr Stiller« (S. 365) und verlangt seinen »richtigen Paß« (S. 367), als wäre der vorgelegte schon als Fälschung erwiesen. Zwar kenne ich die Schweizer Gesetze nicht, die der Text als kulturelles Wissen voraussetzt, doch scheint es auch sonst nicht ohne juristische Merkwürdigkeiten abzugehen. Gegen Vorlage des »richtigen Passes« ließe der Kommissar Stiller offenbar laufen: auch als sein Paß als gefälscht erwiesen ist, hat das keine juristischen Folgen für Stiller. Wenn er »*gestehen*«, d. h. die Wahrheit einer bislang bestrittenen Aussage über seine Identität zugeben würde, ließe man ihn offenbar frei:

> Mit Lügen ist es ohne weiteres zu machen, ein einziges Wort, ein sogenanntes Geständnis, und ich bin »frei«, das heißt in meinem Fall: dazu verdammt, eine Rolle zu spielen, die nichts mit mir zu tun hat. (S. 435f.)

Die Wahrheit steht zwar sozial schon fest, aber sie muß noch gestanden werden. Sie läßt sich freilich durch Gegenüberstellung mit Frau, Bruder, Freunden auch dann eindeutig bestätigen, wenn Stiller sie leugnet. Doch nicht auf den Wahrheitsbeweis kommt es hier an, sondern eben auf das Geständnis: nicht darauf, daß einer überführt ist, sondern daß er zugibt, daß er überführt ist. Die Wahrheit über eine Person soll auch von dieser Person anerkannt werden: denn um ihre Bereitschaft, die Persönlichkeit und die soziale Rolle auch zu akzeptieren, die ihr mit der Identifizierung zugeschrieben wird, geht es. Denn mit der *physischen Identität* (I_1) – Frau und Freunde belegen es gleichermaßen – verknüpft die Gesellschaft auch eine *nicht-physische Identität* (I_2), Annahmen über Merkmale und Verhaltensweisen dieser Figur, Erwartungen und Ansprüche an diese Figur. Da St_1 nun aber die nicht-physische Identität (I_2) mit St_2 leugnen will, leugnet er – gemäß der zuvor formulierten Regel – die physische Identität (I_1) mit St_2; Stiller könnte aber sinnvollerweise nur die Implikation zwischen I_1 und I_2 bestreiten; er aber bestreitet I_1, bezüglich derer er notwendig überführt wird. Das heißt: Stiller kehrt nur den sozialen Schluß von I_1 auf I_2 um, indem er aus seiner Negation von I_2 die Negation von I_1 folgert und somit also die soziale Annahme einer Implikation zwischen beiden Identitätsbegriffen bestätigt. Das aber bedeutet: Stiller verhält sich genau nach den Regeln der Welt, mit der er sich auseinandersetzt. Die Opposition »Stiller« vs »Welt« ist nur eine solche komplementärer Varianten desselben Systems. Er provoziert die Justiz als normative, die Erfüllung der Regeln überwachende Instanz zu einer Auseinandersetzung, die er nur verlieren kann: warum muß er sich bei der Einreise ausgerechnet des falschen Passes bedienen, warum durch angebliche Mordgeständnisse die Justiz zur Beschäftigung mit ihm zwingen? Die geheime Komplizenschaft der Kontrahenten wird auch in der (juristisch wohl eher kuriosen) Umkehrung der Rollen von Verteidiger und Ankläger deutlich. Daß Stiller aus diesem Weltsystem nicht herauskommt, zeigt sich nicht nur in seinen Argumentationsformen, sondern auch darin, daß er diese Welt nicht einmal lokal wirklich definitiv verlassen kann, sondern zurückkehrt, und daß er die Beziehung zu Julika wiederaufnimmt. Daß man diese Welt nicht verlassen kann, scheint ihren anderen Mitgliedern selbstverständlich: man fragt, mit der einzigen Ausnahme Sibylles, ihn nicht, warum er zurückgekehrt sei, sondern nur, wo er die Zeit verbracht habe. Auch seine Schweiz-Kritik dient seinem Verteidiger nur als Anlaß zum Schluß auf Stillers Zugehörigkeit zur dargestellten Welt (S. 545). Wenn er dieser Welt aber nicht entgehen kann, dann ist das Gefängnis, in dem er sich physisch befindet, tatsächlich ein repräsentativer Ort für eine nicht-physische Erfahrung: Stiller selbst stellt die Äquivalenz des Physischen und des Nicht-Physischen her, wenn er behauptet: »... das Gefängnis ist nur in mir« (S. 373). Und in der Tat: Stiller ist im Gefängnis, weil das Gefängnis in ihm ist – er hat sich der Struktur dieser Welt nicht wirklich entziehen können.

»*Mit jemandem reden*« stellt in diesem Text das Medium der Konstitution einer intersubjektiven Welt dar, was nicht mit intersubjektiver Wahrheit identisch ist. Denn diese entsteht zwischen Redepartnern, wenn und insoweit ihre Reden zu einer Übereinstimmung gelangen und einen gemeinsamen Durchschnitt bilden. Aber auch da, wo das nicht der Fall ist, führt das Reden miteinander doch zu einem Wissen über die subjektive Wahrheit des je anderen; selbst wenn sie nicht geteilt wird, ist doch mindestens das Wissen über sie intersubjektiv. Soweit Julika durch Schweigen, zumal über sich, charakterisiert ist, entzieht sie sich der Konstitution einer wenigstens insofern gemeinsamen Welt, als man außer der eigenen Meinung über sich und andere auch die Meinung der anderen kennen kann. Auch außerhalb des juristischen Kontextes ist nun das »Geständnis« – als privilegierte Sonderform des Redens miteinander – in diesem Text eine zentrale Kategorie: es ist die asymmetrische Form des Redens miteinander. Wenn Stiller den anderen nicht gesteht, so gestehen die anderen ihm – ob Julika, ob Rolf, ob Sibylle. Stiller, selbst nicht zum Geständnis bereit, verlangt ein (Liebes-)Geständnis von Julika (S. 713). Wenn die asymmetrische Kommunikationssituation des Geständnisses – exemplarisch in der juristischen Situation – einmal hergestellt ist, muß gestanden werden: zur Not werden eben die Rollen ausgetauscht und der projektierte Empfänger des Geständnisses wird zum Sender des Geständnisses. Die Geständnissituation entsteht aber, wenn eine soziale Beziehung gestört und eine Entfremdung eingetreten ist: das Geständnis ist das Medium der Überbrückung einer Fremdheit. So überlegt z. B. Sibylle nicht nur, ob und wie Rolf der Ehebruch zu gestehen sei, sondern auch, ob das Geständnis nicht umgekehrt einen Verrat an der Beziehung mit Stiller darstelle (S. 622): wenn der Abstand zwischen Rolf und Sibylle verringert wird, dann vergrößert sich der zwischen Stiller und Sibylle. Auch St_1 erwägt schließlich, Fremdheit durch ein Geständnis gegenüber Julika zu reduzieren (S. 687).

»*Sich nicht äußern*« und »*jemandes Äußerung nicht wahrnehmen*« sind in diesem Text äquivalent: in beiden Fällen wird – entweder vom Sender oder vom Empfänger – die Konstitution einer intersubjektiven Welt, in der durchaus verschiedene subjektive Wahrheiten in Opposition stehen können, verhindert. »*Jemand nicht sehen*« bzw. »*jemand nicht hören*« gehört zu den auffällig rekurrenten Formulierungen des Textes. Jemands subjektive Wahrheit nicht zur Kenntnis nehmen ist äquivalent mit »ihn nicht wahrnehmen«. Wahrnehmbar ist aber nicht nur das physisch Präsente, sondern auch das raumzeitlich Entfernte, so z. B. die Wüste von Chihuahua, der Rand von Mexico City, der Markt von Amecamea: »Ich sitze in meiner Zelle, Blick gegen die Mauer, und sehe...« (S. 378f.). Nicht wahrnehmbar ist nicht nur das Absente, sondern z. B. auch der gegenübersitzende Partner, das greifbar Nahe also, das raumzeitlich Präsente. Der Text baut also eine viergliedrige Serie von Möglichkeiten auf: »*(präsent + wahrgenommen)*$_1$« vs »*(präsent + nicht wahrgenommen)*$_2$« vs »*(absent + nicht wahrgenommen)*$_3$« vs »*(absent + wahrgenommen)*$_4$«.

3. Zur raumzeitlichen Struktur der dargestellten Welt

Quantitative Angaben in Zahlen spielen in diesem Text eine ungewöhnlich große Rolle: schon eine flüchtige Auszählung der Zahlenangaben ergab mindestens 420 Belege, d. h. etwa so viele, wie der Roman in den *Gesammelten Werken* an Seiten einnimmt; ungefähr zwei Drittel von ihnen sind Zeitangaben, die Uhrzeiten oder Mengen von Minuten, Stunden, Monaten oder Jahren spezifizieren. Nicht selten sind dabei Angaben vom Typ »n oder n + 1« (z. B. »sechs oder bald sieben Jahre später«, S. 501; »nun etwa 27 oder 28 Jahre alt«, S. 447), oder solche, die durch Adverbien die Angabe als ungefähre kennzeichnen (z. B. »das war vor etwa sieben Jahren«, S. 444; »in seiner Neuyork-Woche vor etwa fünf Jahren«, S. 526; »fast zwei Jahre lang«, S. 658). Solche Angaben führen einen *Unbestimmtheitsspielraum* in die Datierung ein. Bemerkenswert selten angesichts der Menge an Zeitangaben sind Daten der absoluten Chronologie: neben dem 3. 9. 1939 (dem Eintritt Englands in den 2. Weltkrieg), das als Datum freilich nur in Stillers Traum genannt wird, und dem 18. 1. 1946 (dem Datum der sogenannten »Smyrnow-Affaire« im Text), kann ein weiteres Datum mit Hilfe kulturellen Wissens erschlossen werden: Stillers Spanien-Episode beim Kampf um den Alcázar muß 1936 stattgefunden haben (vgl. die Zeittabelle i. d. B. S. 135–136). Während der Roman im Herbst 1954 erscheint, stirbt Julika erst im März 1955; Rolfs Schreibakt liegt notwendig nochmals deutlich später (»Stiller blieb in Glion und lebte allein«, S. 78); »Später, nach Jahr und Tag«, S. 772).

Stillers Ehe vor der ›Flucht‹ dauert ebenso ungefähr sieben Jahre wie seine Absenz nach der Flucht (genauer: 6 Jahre + 9 Monate + 21 Tage). Die Daten der Eheschließung und der Trennung von Stiller und Julika rahmen Anfangs- und Enddaten des Weltkrieges ein. Die wichtigste Feststellung ist freilich die, daß das Ende der erzählten Geschichte später als der Publikationstermin liegt: wenn die ersten Leser das Buch in die Hand bekommen, hat ein Teil der Ereignisse (Julikas Tod) noch gar nicht stattgefunden und ist Rolfs Nachwort noch gar nicht geschrieben. Was der Leser liest, ist hier also etwas, worüber man zum Publikationstermin noch nichts wissen oder was es noch nicht geben kann; doch wird darauf noch zurückzukommen sein.

Die Kategorie »*Zeit*« ist aber nicht nur insofern relevant, als sich die Geschichte in der Zeit abspielt und in der Erzählung Zeit rekonstruiert und bewahrt wird, sondern spielt in vielerlei Gestalt und in verschiedensten Kontexten eine Rolle. Die oppositionellen Tageszeiten, »*Tag*« vs »*Nacht*«, werden eindeutig semantisiert. In der Angst ihrer Sanatoriumsnächte läßt Julika das Licht brennen, das den Tag imitiert und ersetzt (S. 467). Bei der Wiederkehr vom ersten Grottenbesuch löscht das Ich trotz heller Nacht seine Lampe nicht: »Als müßte, wenn meine Laterne erlischt, alles erlöschen« (S. 512); in der Grotte spielt sich beim zweiten Besuch eine Auseinandersetzung um die Lampe als Unterpfand der Rückkehr »ans Tageslicht..., ans Leben« (S. 518) ab. St2 erwartet vom Selbstmordversuch ein »Licht aus« (S. 725) und erlebt den Zustand zwischen Leben und Tod als Dunkelheit mit »Tagesschein« in der Ferne (S. 725). Es gilt somit: »*Tag*≈*Licht*≈*Leben*« (eine Serie von Äquivalenzen, die ähnlich auch im *Homo Faber* – dort S. 199 – aufgebaut wird). Auch die *Jahreszeit,* mit Ausnahme des praktisch ausgesparten *Winters* und der Jahreswende, wird semantisiert. Die dramatischen Höhepunkte der Geschichte von Stiller und Julika liegen im *Frühjahr* (erster Spaziergang, Tod Julikas) oder im *Herbst* (Wiederbegegnung der beiden, Besuch Rolfs in Glion). Die Geschichte von St2 und Sibylle wird von Frühjahr und Spätherbst begrenzt und im nachhinein als »verlorener *Sommer*« (S. 495) erfahren. St1 nimmt mehrfach ausdrückliche Semantisierungen der Jahreszeiten vor: so in seiner Charakterisierung von St2 durch dessen Abneigung gegen den Sommer (S. 601), so beim gemeinsamen ländlichen Mahl mit Rolf (S. 695ff.). Die semantische Ordnung der Jahreszeiten kann grob etwa so zusammengefaßt werden:

Frühjahr	vs	*Sommer*	vs	*Herbst*
Hoffnung		Leben im »Hier und Jetzt«		Melancholie
Erwartung von Zukunft		Gegenwärtigkeit		Erfahrung von Vergänglichkeit
Beginn von Beziehungen		Existenz von Beziehungen		Ende von Beziehungen

Die Wiederbegegnung von St1 und Julika im Herbst und der Tod Julikas im Frühjahr widerspricht dem nur scheinbar: beide Male werden beide Jahreszeiten aufeinander projiziert, so beim Essen mit Rolf, als St1 den Frühling »sieht« (S. 696), so beim Spaziergang mit Rolf und Sibylle, als der Rauch an den Herbst »erinnert« (S. 758) und Rolf plötzlich eine Differenz von Jahren zwischen »Morgen« und »Spätnachmittag« erlebt (S. 759).

»Zeit« ist vor allem wichtig als »*Lebenszeit*«: ob man noch oder nicht mehr Zeit hat und wieviel an Zeit noch geblieben ist, ist eine rekurrente und zentrale Frage sowohl in der Geschichte von Rip als auch in der von Stiller; Alex, der Tote, hat nun »plötzlich keine Zeit mehr«, es ist für ihn »zu spät« (S. 587); für das Überleben in der Grotte ist Zeit zentral: das Ich vergißt, »mit der Zeit zu rechnen«, und hat »plötzlich keine Zeit mehr« (S. 512); beim gemeinsamen Besuch der Grotte sind Brennzeit der Lampe und Wegzeit entscheidend: »Es ging um die Zeit« (S. 517). Wo es um die Zeit geht, geht es um das Leben, und umgekehrt: die Äquivalenz wird mit Julikas letztem Krankenhausaufenthalt von Rolf ausgesprochen: »Dort war sie wichtig, die Zeit, nicht hier« (S. 773). »Zeit« als Lebenszeit erscheint als vorgegebene und begrenzte Quantität und als selbständiger Handlungsträger. Sie fungiert nicht als in jedem Punkte gleichartiges und monotones Kontinuum; innerhalb ihrer stehen eine ereignishaft-bedeutungsvolle, zu erzählende Zeit und eine ereignis- bzw. bedeutungsleere, im Erzählen aussparbare oder raffbare Zeit in Opposition; innerhalb ihrer gibt es Stellen diskontinuierlichen Bruches (»Ich hatte das Gefühl, der Morgen liege um Jahre zurück« [S. 759]); innerhalb ihrer existieren Grenzpunkte, jenseits derer »plötzlich« keine Zeit mehr verfügbar oder etwas »zu spät« ist:

> »Es ist nie zu spät«, sagte ich, fand es selbst eine arge Redensart... »Nie zu spät!« sagte er... »Einfach von vorn beginnen: Und wenn's einfach nicht geht, nicht geht, nicht geht: weil es zu spät ist?« (S. 762)

Diese Zeit ist eine menschliche Zeit, in der objektive Gegebenheit und subjektive Erfahrungen ineinander übergehen – auch hier handelt es sich um das *Produkt zweier Faktorenserien.* Dieser individuell-menschlichen Zeit steht eine überindividuell-historische gegenüber, etwa in den Erwähnungen der Gegenwartsgeschichte, der Schweizer Geschichte, der Vorzeit mexikanischer

Kultur, der Pionierzeit der USA. In der individuellen Geschichte von St1 wie in der überindividuellen der Schweiz, wie St1 sie sieht, geht es um das angemessene Verhalten zur *Gegenwart* und die rechte Integration der *Vergangenheit* und *Zukunft* in sie. Diese menschliche Zeit ist eine Bewußtseinsgröße: im Bewußtsein können Vergangenheit, Gegenwart und Zukunft koexistieren. Sowohl in der Einzelperson wie in der Gesellschaft geht es um die Relation zwischen *Dauer* und *Veränderung*: in beiden Fällen scheint weder die totale Kontinuität noch die totale Diskontinuität angemessen; die Schweiz leidet am Versuch der Bewahrung des Nicht-Bewahrbaren, Stiller am Versuch des Abbruchs des Nicht-Abbrechbaren. Auch hierin sind sie sich komplementär.

Schließlich manifestiert sich auch eine *geologische Zeit,* als ungeheuer langfristige Veränderung in der Grotte, die dem menschlichen Bewußtsein als Dauer erscheint, als ereignishaft-eruptive Veränderung beim Vulkanausbruch, die in kürzester Frist ungeheure Zerstörungen bewirkt. Die menschliche Zeit steht zwischen der *Periodizität* der Tages- und Jahreszeiten und der *Linearität* der geologischen Zeit: vergehend, aber in der *Erinnerung* bewahrbar (vgl. die rekurrente Formel: »Ich werde nie vergessen...«), nicht wiederkehrend, aber durch *Wiederholung* gekennzeichnet, die Stiller so fürchtet.

Ähnlich wichtig ist der *Raum.* Alle Entscheidungssituationen sind durch Ortswechsel markiert. Entscheidenden Veränderungen geht ein *Besuch* voran, d. h. eine Figur verläßt ihren Raum und tritt in den Raum einer anderen ein. Bei Beginn der Beziehung Stiller-Sibylle besucht zunächst Sibylle, dann Julika Stiller in seinem Atelier, bei Ende der Beziehung besucht Stiller Julika im Sanatorium in Davos und vorher wie nachher Sibylle in Pontresina. Sibylle besucht Stiller, bevor sie nach St. Gallen zur Abtreibung fährt, und Rolf, bevor sie nach Pontresina geht. Stiller besucht und wird besucht, bevor er seine Ehe mit Julika wiederaufnimmt. Julika und Stiller werden von Sibylle und Rolf besucht, bevor sie ihre »ferme vaudoise« beziehen und bevor Julika stirbt. Rolf besucht Sibylle in den USA, um sie als Ehepartnerin wiederzugewinnen. Bei nicht lösbaren Problemen mit einem Partner verläßt man den Raum, den man mit ihm teilt: solche Formen der *Flucht* sind Rolfs Genua-Reise, Sibylles Aufenthalt in Pontresina, Stillers und Sibylles Auswanderung nach Amerika, vielleicht auch Julikas Aufenthalt in Davos und der Klinik Val Mont. Auch der Versuch, ein neues Leben mit einem Partner anzufangen, manifestiert sich in einem *Umzug*: ein Partner zieht in den Raum des anderen oder beide suchen zusammen einen neuen Raum auf. Um Sibylle zu halten, baut Rolf ein neues Haus, in das sie schließlich nach ihrer Rückkehr aus Amerika einzieht; Julika verläßt Paris und zieht mit Stiller von Zürich nach Glion. Ein gemeinsamer Raum erscheint als Bedingung dauerhafter Beziehungen: St2 und Sibylle, denen er fehlt, erwägen daher die Paris-Reise. Julika fand früher im Tanz auf der Bühne ihren eigenen, nicht geteilten, »ihren wartenden Raum« (S. 478); indem sie allein nach Val Mont geht, verweigert sie zugleich den gemeinsamen Ortswechsel. Der eigene Raum, der zu einem gehört, ist eine weitere Bedingung dauerhafter Beziehungen. Stiller und Julika aber sind bei ihrem Versuch erneuten Zusammenlebens Fremde im Raum und bleiben dies auch: so bezeichnet Stiller sich und Julika in Territet als »Inland-Emigranten« und Rolf beschreibt die Fremdheit beider in ihrer Umwelt in Glion (S. 745). Auch die Veränderung einer Figur drückt sich darin aus, daß ein bislang vertrauter Raum ihr fremd geworden ist, so Sibylle gegenüber der alten Wohnung, St1 gegenüber dem Atelier, Julika in Davos gegenüber der Bühne. Wenn Stiller nach Julikas Tod in Glion bleibt, verzichtet er damit auf den Versuch eines neuen Lebensanfangs.

Die Serie »*Freiheit/Gesundheit/Leben*« drückt sich räumlich als »*Möglichkeit zum Raumwechsel*«, die oppositionelle Serie »*Unfreiheit/Krankheit/Tod*«, zu der die Räume Gefängnis, Krankenhaus, Friedhof gehören, als »*Unmöglichkeit des Raumwechsels*« aus. Sibylle erfährt die »Freiheit ihres *Wochenendes*« (S. 658) als Möglichkeit, New York zu verlassen; Stiller erfährt den Zustand zwischen Leben und Tod als Unmöglichkeit der Bewegung (»nicht rückwärts, nicht vorwärts..., kein Oben und kein Unten mehr«, S. 725) und als Stillstand der Zeit (»alles bleibt wie gewesen, nichts vergeht«, S. 726). In der *Bewegung,* d. h. der *Verknüpfung von Raum und Zeit,* erfährt man sich als lebend. In der Monotonie der Wüste ist die Bewegung nicht mehr wahrnehmbar:

> Es war, als gäbe es keinen Raum mehr: daß wir noch lebten, zeigte uns nur der Wechsel der Tageszeit (S. 379).

Nicht-Leben heißt, keinen Raum und keine Zeit mehr haben. Julikas früheres Leben geht in einer besonderen Form der Bewegung auf: »Tanz war ihr Leben« (S. 438). Hier wie überall ist die Sprache des Textes noch in der eindeutig metaphorischen Rede seltsam genau und beim Worte zu nehmen. Denn außerhalb des Tanzes wird Julika tatsächlich durch Nicht-Bewegung, d. h. durch Nicht-Leben charakterisiert: müde »liegt« sie in ihrem roten Haar. Auch sonst erscheint sie eigentümlich ohne Zeit und ohne Entwicklung: St_1 nennt sie »ein heimliches Mädchen, das da wartet in der Hülle fraulicher Reife« (S. 420), der junge Jesuit bescheinigt ihr infantiles Verhalten; wenn man Stiller glauben darf, bleibt sie in einer vorsexuellen Lebensphase; noch am Ende spricht Rolf von ihrem »auffallenden Mädchenhaar« (S. 742) und beschreibt sie als Tote mit eben den Worten, mit denen sie zu Anfang von St_1 beschrieben wurde (S. 407 und S. 779).

Nicht nur in der Kategorie der Bewegung verknüpft der Text Raum und Zeit, er tut dies z. B. auch in Ortsnamen wie »Rock of Ages«, »Times Square«, oder im juristischen Modell des *Lokaltermins*: in diesem dient das Betreten eines Raumes der Rekonstruktion einer vergangenen und verleugneten Zeit, die in ihm, als Träger der Erinnerung, bewahrt ist. Umgekehrt ist demnach definitives Verlassen eines Raumes mit dem Versuch des Bruchs mit einer Vergangenheit, Wiederkehr in einen Raum mit dem Anknüpfen an eine Vergangenheit äquivalent. Die Verknüpfung von Raum und Zeit ist nicht an allen Punkten des Raumzeitsystems gleichartig: »*Dort* war sie wichtig, die *Zeit,* nicht *hier*« (S. 773). Auch charakterisiert die Figuren ihr je *subjektives Raumzeitsystem,* das sie mit sich führen. St_2 »flieht das Hier-und-Jetzt« (S. 601), ebenso Julika beim Spaziergang mit Stiller (S. 434); in Davos »ruft« St_2, »als läge Julika auf der anderen Talseite« (S. 473), d. h. er empfindet sich als räumlich von ihr getrennt; die Bekannten von Stiller nehmen nur den vergangenen St_2 wahr. Psychische Entfremdung ist der objektiven oder subjektiven Getrenntheit zweier raumzeitlicher Systeme äquivalent.

4. Semantisierung und Funktionalisierung der Landschaften

Eine Klasse von Räumen verdient wegen ihrer Relevanz im Text besondere Erwähnung: es sind die *Landschaften,* die nicht unfunktionale Einlagen virtuoser Beschreibung sind, sondern als Träger relevanter semantischer Kategorien fungieren. Zu dieser

Klasse gehören im Text nicht nur die üblicherweise so benannten Räumlichkeiten, sondern, wie zu zeigen sein wird, auch Räume wie New York und die Grotte als extreme Transformationen von Landschaft. Bezüglich ihrer Oberflächenbeschaffenheit lassen sie sich zunächst in *monotone* vs *differenzierte* Landschaften klassifizieren; zu den monotonen gehören etwa die gleichförmigen Weiten von Wüste und Prärie, zu den differenzierten die »Gärten« von Orizaba (S. 389) und die Landschaften um Zürich und Glion, wo sowohl die Art der Vegetation als auch die der Bodenbeschaffenheit variieren, aber auch die Extremräume New York und Grotte, die einen hohen Grad an *Gestaltetheit* aufweisen. Besonders häufig ist unter ihnen ein Typ, wo der bewohnte oder bewohnbare Teil zwischen Bergen auf der einen, Wasser (See oder Meer) auf der anderen Seite liegt (Orizaba, Janitzio, Zürich, Glion); diese Räume werden als perspektivisch orientiert erfahren, so z. B. S. 389.

Die Landschaften gliedern sich zweitens in *fruchtbare* vs *unfruchtbare,* wobei zwischen der extremen Fruchtbarkeit von Amecamea (S. 382) bzw. den Tropen im allgemeinen (S. 389) auf der einen Seite und der extremen Unfruchtbarkeit von Wüste und Grotte auf der anderen verschiedene mittlere *Abstufungen* von Fruchtbarkeit liegen (Gärten von Orizaba und Mexico City, Schweizer Landschaften). Der *extremen Unfruchtbarkeit* ist die *Absenz von Leben* und somit normalerweise auch *von Tod* zugeordnet, während der *extremen Fruchtbarkeit* die *Vermischung von Leben und Tod* entspricht, die »mörderische Befruchtung« (S. 389), die »alles, was da blühen und duften könnte, in Gestank verwandelt, in Fäulnis und Verwesung« (S. 382), wo Verkrüppelungen normal und Kindersärge nötig sind. Nur die mittleren Fruchtbarkeitsgrade weisen eine deutliche *Unterschiedenheit* und eine normale Relation von Leben und Tod auf, während bei den Extremen im einen Falle keine Unterschiedenheit existiert, weil es nichts zu unterscheiden gibt, im anderen, weil alles ineinander übergeht.

Die Landschaften ordnen sich drittens auch in *unbewohnte bzw. unbewohnbare* vs *bewohnte*; zu den ersteren gehören die extrem unfruchtbaren Landschaften, die zugleich ebenso unter das Merkmal »*Herrschaft der Natur*« wie die extrem fruchtbaren fallen, in denen die Natur das menschliche Leben und seine Bedingungen beherrscht (Amecamea und Umgebung) oder zerstört

(Ausbruch des Paricutin). Sowohl New York und Umgebung als auch die Schweizer Landschaften fallen eher unter das Merkmal »*Herrschaft des Menschen*«. Freilich scheint noch ein weiteres Merkmalspaar, »*Abgegrenztheit*« vs »*Nicht-Abgegrenztheit*« des menschlichen vom natürlichen Bereich relevant, unter dem Amecamea und die Schweiz in Opposition zu New York stehen. Denn bei den ersteren sind die Grenzen durchlässig, beim letzteren scharf: Ausfallstraßen führen durch, aber nicht in die Natur; das Betreten der »echten und sonst unberührten Natur« (S. 530), die direkt an die menschlichen Anlagen grenzt, bleibt unmöglich. In Amecamea tendiert die Natur zur *Überwucherung des menschlichen Raumes,* im Falle New York bleiben beide Räume strikt getrennt, in den Schweizer Landschaften tendiert der menschliche Raum zur *Überwucherung des natürlichen,* was im Text als Problem der »Übersiedelung« (S. 695) und einer zeitadäquaten Architektur und Stadtplanung diskutiert wird. Landschaften werden also explizit oder implizit bezüglich der Relation von menschlichem und natürlichem Raum charakterisiert.

Wie der Raum im allgemeinen sind auch die Landschaften wiederum bezüglich ihrer Relation zur Zeit charakterisiert. Selbst die Periodizität der Tages- und Jahreszeiten gilt nicht überall. Den Landschaften mit *Wechsel der Jahreszeiten* scheinen Landschaften mit *Dauer einer Jahreszeit* wie die »Gärten voll ewigem Frühling« bei Mexico City (S. 380) oder die »paradiesischen Gärten« von Orizaba (S. 389), Landschaften mit *Konfusion der Jahreszeiten* wie Amecamea und die Tropen, wo Zeit der Entstehung und Zeit der Verwesung gleichzeitig sind, und Landschaften mit *Absenz von Jahreszeiten* wie die unterirdische Welt der Grotte und die New Yorker Innenräume gegenüberzustehen. In New York müssen die Außenräume, die die Periodizität der Tages- und Jahreszeiten, letztere sogar als besonders extreme (Sommer, S. 531f.), auch mit gelegentlicher Konfusion (Gewitter + Schneesturm, S. 535), kennen, und die Innenräume unterschieden werden: in den Innenräumen New Yorks werden sowohl Tages- als auch Jahreszeiten ebenso vom Menschen ausgeschlossen, wie sie in der Grotte von der Natur ausgeschlossen sind. Sibylle resümiert ihre Erfahrungen: »Kein Erlebnis der Tageszeit, nie ein Zug von Luft, die etwa nach Gewitter riecht...« (S. 657). Die extreme Abgrenzung des menschlichen und des natürlichen Raumes, die die New Yorker Landschaft nach außen aufweist, wiederholt sich also in ihr in der Opposition »*Außenräume*« vs »*Innenräume*«. Nur die natürlichen (Grotte) oder künstlichen (New York) Innenräume können hier also die gänzliche Absenz der Tages- und Jahreszeitenzyklik aufweisen; wenn der Vulkanausbruch in Paricutin die Nacht taghell macht und somit die Tageszeitenzyklik zeitweilig aufhebt, ist dafür wiederum ein natürlicher Innenraum verantwortlich.

Überall, wo menschliche Siedlungsformen auftreten, wird auch explizit oder implizit die *historische Zeit* relevant: bei den Gärten von Mexico City, wo eine glanzvolle Vergangenheit in Opposition zur Gegenwart erinnert wird (S. 381), und bei der Wüstensiedlung, der eine ahistorische Invarianz der Kulturform zugeschrieben wird; bei den USA, wo Siedlungsformen einer Vergangenheit (Rip van Winkle) und heutige (New York) konfrontiert werden; bei den Schweizer Landschaften, anhand derer die Relation historischer und gegenwartsadäquater Siedlungs- und Architekturformen explizit diskutiert wird. *Abnorme Zeitstrukturen* weisen die (Teil-)Landschaften auf, die erstmals von einem Individuum aufgesucht und als *unbetretene* (Grotte), *noch nie gesehene* (Grotte, Rips Waldschlucht) klassifiziert werden. Die Schlucht – in Rip van Winkle – ist für die Toten ein Ort außerzeitlicher Dauer, für die Lebenden ein Ort mit anderem Zeitverlauf: Rip glaubt, dort eine Nacht verbracht zu haben, während de facto 20 Jahre vergangen sind.

In dem Roman geht es nicht nur um die Geschichte eines einzelnen Individuums mit bestimmten Merkmalen und um seine Relation zur Gesellschaft, nicht nur um eine Geschichte, die, wie Rolf behauptet (»Ich sehe Stiller nicht als Sonderfall«, S. 669), in irgendeiner Weise auch für andere repräsentativ ist, sondern es geht auch um die Bedingungen menschlichen Lebens überhaupt – im speziellen Falle der Landschaftsbeschreibungen darum, was überhaupt ein *möglicher Lebensraum des Menschen* ist. Angesichts der Wüste spricht St_1 von der »Unwahrscheinlichkeit unseres Daseins« als dem »Geschenk einer schmalen Oase« (S. 379); angesichts der nächtlichen Schönheit New Yorks verlangt er einen Betrachter, der sich selbst als »Fremder auf Erden, nicht nur fremd in Amerika« (S. 662) wahrnimmt: *der Fremdheit* des Individuums Stiller in bestimmten Teilwelten entspricht die *Fremdheit des Menschen* auf der Welt überhaupt. Aus den verschiedenen Landschaftsbeschreibungen läßt sich in Umrissen abstrahieren, was der Text als idealen menschlichen Lebensraum setzt: eine bewohnbare differenzierte Landschaft mit mittlerer Fruchtbarkeit, ohne Aufhebung der Unterschiedenheit von Leben und Tod, ohne Überwucherung weder des Natürlichen noch des Menschlichen, mit mittlerer Abgegrenztheit des natürlichen und des menschlichen Raumes, wo die Grenze beider durchlässig bleibt.

Die bei den Landschaftsbeschreibungen relevanten Größen kehren aber auch in anderen Kontexten wieder, was ebenfalls zur Semantisierung beiträgt. Wichtig ist hier vor allem die Sprache der Landschaftsbeschreibung, die sich z. B. der metaphorischen Abbildung verschiedener Realitätsbereiche aufeinander bedient. So wird die steinerne Ordnung in der Grotte durch metaphorische Interpretation auf Belebtes – auf Menschen, Tiere, Pflanzen – bezogen, so ist die New-York-Beschreibung (S. 661f.) ein eindrucksvolles Beispiel solcher Praxis, aber auch die der Landschaft bei Zürich (S. 695ff.). Der Vulkanausbruch erscheint als stoßweises Bluten eines Stiers (S. 400) – der Stierkampf ist aber ein relevantes Erlebnis von St2 und kann seinerseits wiederum metaphorisch von Sibylle auf St2 übertragen werden: »Als hätte er persönlich schon die Erfahrung eines Stiers gemacht« (S. 607), »er erlebte es sehr von der Seite des Stiers« (S. 607), »einer, der unsichtbare Banderillas im Nacken hatte und blutete« (S. 610). Die Lava erscheint auch als »Schlange« mit einer Haut (S. 399): an anderer Stelle wird der Schreibakt über sich mit der Häutung einer Schlange verglichen (S. 677). Solche Korrelationen zwischen Phänomenen verschiedener Bereiche existieren in großer Zahl. Ein ausführliches Beispiel betrifft die für den Text so wichtige Erotik:

Der vollständigen Absenz der Natur (»Unnatur«, S. 657) in New York entspricht auch eine *sexuelle Sterilität,* bei der jedes »erotische Spiel« fehlt (S. 658). Umgekehrt erscheint die wuchernde Fruchtbarkeit der tropischen Natur deutlich als *maßlose und gefährliche Sexualität* (S. 389). Der sexuellen Sterilität entspricht aber wiederum einerseits *Mangel an Luft* (»Fehlen einer Atmosphäre«, »luftloser Raum«, S. 659) und *Atemnot* (»sie glaubte... zu ersticken«, S. 657) und andererseits die *Absenz jeglichen Geruchs* (S. 657) der Witterung oder der Pflanzen oder der Menschen. Der tropischen Sexualität entspricht umgekehrt eine *zu dicke Luft* (»schleimige Luft«, S. 389) und penetranter Geruch

(»Gestank«, S. 382). Es gelten also die Merkmalskorrelationen:

Mangel an Sexualität	vs	*Überschuß an Sexualität*
zu dünne Luft		zu dicke Luft
zu wenig Geruch		zu viel Geruch
Atemnot		(Atemnot)

Diese Merkmale sind aber auch sonst relevant und werden immer wieder korreliert. Julika, der Stiller Schwierigkeiten mit der Sexualität nachsagt, ist lungenkrank und hat Erstickungsängste. Erst in der dünnen Luft der Landschaft von Davos, bei gänzlichem Mangel an Erotik, empfindet sie erstmals Begehren. Im Schweizer Gefängnis kann man »kaum atmen vor Hygiene« (S. 368) – auch an diesem Ort ist aber Erotik ausgeschlossen: St$_1$ spricht von seiner »duftenden Zigarre, dieser immerhin einzigen Wollust in meiner Untersuchungshaft« (S. 422). Rauchen, gekoppelt mit Geruch und Atmen, praktiziert von allen Hauptpersonen, hat also etwas mit Erotik zu tun. Beim Ausbruch des Paricutin »räuchelte es wie aus einer Herrengesellschaft, die Zigarren raucht« (S. 398), der Schwefelgeruch erzeugt Atemnot, »daß man das Atmen lieber unterlassen hättc« (S. 399) – was da ausbricht, hat aber mit Sexualität zu tun – »mit der tödlichen Hitze, der wir alles Leben verdanken« (S. 400). Leben ist aber an die Bedingung des Atmens geknüpft: es geht laut Rolf um »Atmen oder Ersticken, in diesem Sinn um Leben oder Tod« (S. 752). Wenn zugleich Erotik mit Atmen/Ersticken zu tun hat, dann geht es auch bei ihr um Leben oder Tod. Alex, der Homosexuelle, der Schwierigkeiten mit der Erotik hat, nimmt sich nicht nur das Leben, sondern nimmt es sich am Gasherd (Geruch und Atemnot). Beim Brand in Oregon, in einem »Qualm, daß man wirklich zu ersticken glaubt« (S. 406), beginnt die Erotik zwischen Florence und dem Ich. St$_2$ fürchtet seinen Schweiß(-geruch) und Julikas Ekelgefühle davor; in der Beziehung Sibylles zu St$_2$ spielt Parfüm-Geruch eine Rolle. Dabei geht es auch um die rechte »*Nuance*« (S. 652), die etwa auch als sprachliche – Sturzeneggers Geschichte ist laut St$_2$ »jedenfalls nicht so« wahr (S. 603) – als farbliche (z. B. die Haarfarbe Julikas und deren »richtige« Beschreibung, S. 402 und 407), oder als landschaftliche eine wichtige Kategorie ist. Die lebbare Erotik spielt sich in der dargestellten Welt jedenfalls zwischen dem Mangel und dem Überschuß ab, die beide Atemnot bringen und das Leben gefährden. Die Beispiele mögen genügen, um solche äußerst komplexen Korrelationen im Text zu belegen –, Beispiele auch dafür, wie genau der Text zu lesen und beim Wort zu nehmen ist.

5. *»Leben«* vs *»Tod«*

Die Relevanz der Kategorie »Leben« vs »Tod« manifestiert sich im Text schon durch die mindestens 180 Belegstellen von »Leben« und seinen Derivaten und durch die Menge der fiktiven oder faktischen Todesfälle, von denen die Rede ist. Neben den wenigen eher natürlichen Todesfällen (Julika, die Mutter Stillers, der Jesuit) stehen Selbstmorde und Selbstmordversuche (Stiller, Alex, der Jude), Morde und Mordversuche (Julika, Schmitz, Joe, Jim, der Stiefvater, Tote in Mexico, unaufgeklärte Züricher Mordfälle, Smyrnows Mordplan) usw.

»Leben« und »Tod« haben hier eine *wörtliche, biologisch-soziale* und eine *uneigentliche, existentielle* Bedeutung, die freilich vom Text in Wendungen wie »wirkliches Leben« (S. 417, 501), »wirklicher Tod« (S. 587, 727) gerade als die eigentliche behandelt wird. Das »wirkliche Leben« setzt das andere voraus: wer an jenem versagt, nimmt sich gern dieses. Das Leben erscheint als ein *Raum jenseits der Person*, den sie betreten oder nicht betreten kann; Formulierungen wie »zu ihrem vollen Leben kommen« (S. 442), »ins Leben zurückführen« (S. 670), belegen es:

> ... daß es für uns noch immer eine Schwelle gibt, um ins Leben zu kommen, du in deines und ich in meines, allerdings nur diese einzige Schwelle, und kein Teil kann sie allein überschreiten, siehst du, du nicht und ich nicht – (S. 689)

Wenn das Leben aber ein solcher Raum ist, dann ist es etwas, was *der Person vorgegeben* und *ihr zugehörig* ist und nicht erst in der Realisierung durch sie sukzessive entsteht: es ist, wie von Julikas »Leben«, dem Tanz, gesagt wird, »ihr wartender Raum« (S. 478). Zweitens ist es ein Raum, der *personenspezifisch* (»du in deines und ich in meines...«) und *geschlechterspezifisch* ist: St_2 befürchtet, daß Julika nicht zu ihrem »vollen Leben« komme, weil sie kein Kind habe (S. 442). Ein »volles Leben« ist offenbar erreicht, wenn eine Person »ihren« Raum gänzlich *ausfüllen* kann; wer nicht zu diesem Leben gelangt, dem ist somit ein *leerer Raum* zugeordnet:

> ... fliegen zu müssen im Vertrauen, daß eben die Leere mich trage, ... einfach Sprung in die Nichtigkeit, in ein nie gelebtes Leben, in die Schuld durch Versäumnis, in die Leere als das Einzigwirkliche, was zu mir gehört... (S. 436)

Diesen immateriellen Raum des je eigenen Lebens erfüllen zu können, wird als *Wert* gesetzt: nicht in sein Leben zu gelangen, erscheint als *Versagen* (S. 436, 524, 589f., 616, 669). Dann aber muß »Leben« als *Leistung* und *Erfüllung einer Aufgabe* konzipiert sein – und genau das wird implizit vorausgesetzt, wenn Sibylle Rolf vorhält, »daß das Leben nicht mit Theorie *zu lösen*« sei (S. 558). Wenn Rolf behauptet, »Julika ist dein Leben geworden« (S. 764), die freilich ihrerseits »dich nie zu ihrer Lebensaufgabe gemacht« hat (S. 765), kann er dementsprechend Stillers »Angst, sie könnte dir sterben« als Angst vor einem »unvollendeten Lebenswerk« (S. 765) interpretieren. Für dieses sein Leben ist man »verantwortlich« (S. 483): die Lösung dieser Aufgabe, die das Leben ist, wird von einer *moralisch-juristischen Instanz* sanktioniert, die ebenfalls das Leben selbst ist (»Menschen, die das Leben selbst gerichtet hat«, S. 526; vgl. auch: »eine Wahrheit, die wir nicht ändern und nicht einmal töten können – die das Leben ist«, S. 775). Die Strafe liegt nicht im Entzug eines anderen Wertes: die Sanktion für das Nicht-Erreichen des Wertes liegt genau in diesem Nicht-Erreichen selbst. Dann aber muß der Wert ein *absoluter* sein: er ist eine *abstrakt-metaphysische Instanz,* die den Platz des absenten Gottes einnimmt.

Wie jeder Raum in diesem Text ist auch »Leben« ein *Zeit-Raum* mit einer spezifischen temporalen Struktur. Voraussetzung der Lebendigkeit ist ein Gegenwartsbezug, den St_1 sowohl dem St_2 (S. 601) wie der Schweiz (S. 594f.) abstreitet. Um aber gegenwärtig zu sein, muß man »sich an die Aufgaben (!) seiner Zeit (!) wagen (!)« und bedarf eines »Ziels in die Zukunft hinaus«, eines »Zukünftigen, was sie gegenwärtig macht« (S. 596). Abwendung davon ist Abwendung vom Leben und führt zu »Imitation, Mumifikation« (S. 595). St_1 charakterisiert die Schweiz durch »ihre Angst vor der Zukunft, ... ihre Angst vor dem Leben, ... ihre... Angst vor dem geistigen Wagnis« (S. 548). *Gegenwärtigkeit als Bezug auf eine Zukunft* ist also Merkmal und Voraussetzung von »Leben« und wird mit der Bereitschaft zum *Wagnis,* d. h. des Zulassens von Veränderung in Opposition zum Willen zur Konstanz um jeden Preis, äquivalent gesetzt. Rolf verlangt von der »wirklichen, der lebendigen Ehe« eine »Bereitschaft für das Lebendige«, die er als »eine immer offene Tür (!) für das Unerwartete, ... für das Wagnis« (S. 548f.) interpretiert. St_1, der der Schweiz Angst vor geistigem Wagnis zugeschrieben hat, führt aus: »Verzicht auf das Wagnis, einmal zur Gewöhnung geworden, bedeutet im geistigen Bezirk immer den Tod« und findet, »daß die Schweizer Atmosphäre (!) heute etwas Lebloses hat, etwas Geistloses...« (S. 593f.).

Nachdem St_1 die Schweizer durch ihre Ängste charakterisiert hat, folgert er: »nein, sie sind nicht freier als ich, der ich auf dieser Pritsche hocke...« (S. 547). Aufgrund der zitierten Stellen gilt demnach: »*Angst*« vs »*Wagnis*«, »*Angst*« vs »*Leben*«, »*Angst*« vs »*Freiheit*«. Angst kennzeichnet laut St_1 die Schweizer, aber auch das Paar Julika-St_2: »Sie brauchten einander von ihrer Angst her« (S. 440, ähnlich S. 496f.). Probleme der Freiheit, wiederum als wörtliche und als metaphorische, als *private* und *politische,* werden ebenso anhand von Stiller und Sibylle wie anhand der Schweizer Gesellschaft diskutiert. Fehlen des wirklichen Lebens kennzeichnet ebenso Stiller wie die Schweiz. Selbst jene »*Impotenz*«, die St_2 im Erotischen fürchtet (S. 617), droht laut St_1 auch der Schweiz als »Impotenz sogar der Phantasie« (S. 594). Noch eine weitere Folgerung kann somit aus den zitierten Stellen gezogen werden: der Wert »Leben« kann erstens nicht nur Personen, sondern auch Relationen zu- oder abgesprochen werden: Rolf meditiert über die Bedingungen der »lebendigen Ehe« (S. 548f.); St_1 spricht über »eine Mechanik in den menschlichen Beziehungen, die... alles Lebendige sofort verunmöglicht, alles Gegenwärtige ausschließt« (S. 591). »Leben« kann zweitens nicht nur *Individuen,* sondern auch *Kollektiven* zu- oder abgesprochen werden. Probleme einer Einzelperson mit dem wirklichen Leben können also nicht nur in dem Sinne repräsentativ sein, daß St_2, wie Rolf meint, kein »Sonderfall« ist (S. 669), sondern auch in dem Sinn, daß die Probleme dieses Einzelnen ganz analog denen der ganzen *Gesellschaft* sind: Selbstkritik und Sozialkritik Stillers weisen in der Tat so viele Gemeinsamkeiten auf, daß sich einmal mehr Stillers Zugehörigkeit zu dieser Welt bestätigt. Zwischen ihm und allen anderen besteht freilich ein Unterschied des Bewußtseins und der Wahrnehmung: niemand sonst übt oder akzeptiert solche Sozialkritik.

Wenn zum wirklichen Leben also Freiheit gehört, fragt sich umgekehrt, ob und inwieweit dieses Leben selbst frei gewählt werden kann: »Es ging darum, ob Sibylle imstande sein würde, ihr Leben selber zu wählen« (S. 633). Wiederholt erweist sich aber der Eindruck von Freiheit als möglicherweise täuschend. Die Schweizer glauben an ihre Freiheit, die St_1 bestreitet. Das Atelier von St_2 vermittelt Sibylle das »Gefühl, jederzeit aufbrechen und ein ganz anderes Leben beginnen zu können« (S. 603), während sie ihm später vorhält: »Du wirst dich nie verändern, glaube ich, nicht einmal in deinem äußeren Leben« (S. 647). St_1 versucht, ein anderes Leben zu führen als St_2. Die Freiheit der Wahl des Lebens ist jedenfalls dann eingeschränkt, wenn seine Realisierung von einem Partner abhängt. Sibylle kann sich zwar theoretisch für das neue Leben entscheiden, es aber praktisch nicht verwirklichen, da St_2 als Partner versagt. Falls tatsächlich Julika und Stiller nur zusammen in ihr jeweiliges Leben kommen können (S. 689), stellt sich ebenfalls diese Begrenzung der Freiheit ein. Aber auch soweit diese Wahl von anderen unabhängig ist, fragt sich, ob es außer der Wahl zwischen Leben und Nicht-Leben die Wahl zwischen mehreren alternativen »Leben« geben kann, da Leben als personenspezifisch konzipiert ist: genau diese Frage wirft jedenfalls implizit auch das Kierkegaard-Motto auf.

Nun dürfte die Frage aber nur beantwortbar sein, wenn klar ist, was »wirkliches Leben« bedeutet. Es ist zweifellos ein *authentisches* Leben in Opposition zu einem *reproduktiven* (S. 535f.), bei dem eklektisch vorgegebene Modelle imitiert werden und das, als imitiertes, nie das je eigene sein kann. Es wird im wesentlichen durch die *Negation dessen, was es nicht ist,* definiert: als Nicht-Angst, Nicht-Imitation, Nicht-Mumifikation. Einmal, im Gespräch mit dem Verteidiger, versucht St_1 eine Definition, die er selbst immer wieder als »unklar« charakterisiert und durch »vielleicht«, das den Wahrheitswert der Aussage offen läßt, einschränkt. Demnach ist das wirkliche Leben »ein Leben, das sich in etwas Lebendigem ablagert«, wozu etwa Photos, als ein »Totes«, nicht gehören (S. 417f.). Worauf es dabei aber ankommt, »ist schwer zu sagen«:

> Ich nenne es Wirklichkeit, doch was heißt das! Sie können auch sagen: daß einer mit sich selbst identisch wird. Andernfalls ist er nie gewesen. (S. 417)

Der Versuch einer positiven Definition führt also nur zu *selbst definitionsbedürftigen Begriffen* wie »Wirklichkeit« oder »Identität«. »Mit sich identisch werden«, oder, in Rolfs Formulierung, »werden, was man ist« (S. 751), ist also jedenfalls Bedingung des wirklichen Lebens. Wenn man mit sich identisch *wird,* dann wird man, was man *ist,* und nur dann ist man *gewesen.* Damit der Wert »Leben« vorliegt, bedarf es einer an der Zukunft orientierten Gegenwart; damit entscheidbar ist, ob er vorliegt, bedarf es einer *aposteriorischen Situation,* in der er Vergangenheit geworden ist. Ob also eine Gegenwart wirkliches Leben ist, wird sich erst in einer Zukunft entscheiden lassen, wenn das Leben Vergangenheit ist. Genau diese *temporale Paradoxie* des *Lebensbegriffs* wiederholt sich aber in der *Textstruktur* selbst, indem der Text am Ende etwas erzählt, was bezüglich seiner Gegenwart, d. h., dem Publikationstermin, Zukunft ist, und diese Zukunft als Vergangenheit erzählt. Stiller gelangt nicht in sein Leben, insofern Julika dazu Bedingung ist. Wenn er gegen Ende sagt, es sei »zu spät«, dann ist es in der Tat zu spät, da Julika schon im Sterben liegt. Seine Zukunft kann nicht mehr stattfinden und muß daher als Vergangenheit erzählt werden; was noch der letzte Satz deutlich macht: »Stiller blieb in Glion und lebte allein« (S. 780), kann in dieser Form erst gesagt werden, wenn es keine alternative Verhaltensmöglichkeit, d. h. keine Zukunft, in der sich etwas ändern könnte, mehr gibt.

Das wirkliche Leben manifestiert sich laut St_1 also in einer Ablagerung; St_1 fährt fort:

> Ablagerung ist auch nur ein Wort, ich weiß, und vielleicht reden wir überhaupt nur von Dingen, die wir vermissen, nicht begreifen. Gott ist eine Ablagerung! Er ist die Summe wirklichen Lebens, oder wenigstens scheint es mir manchmal so. (S. 418)

Mindestens für St_1 substituiert »Leben« also in der Tat den absenten »Gott«, und beide entziehen sich der Sprache. »Leben« ist das *durch Negation bestimmte Postulat eines Absent-Anderen.* Das wirkliche Leben ist folglich notwendig nicht erzählbar (S. 416): damit erzählt werden kann, darf kein wirkliches Leben stattfinden. Die Erzählung ist also die *Kompensation einer Absenz* und sie setzt die *Negation der Identität* voraus. Wäre Stiller Stiller, d. h. mit sich identisch, wäre sein Leben nicht erzählbar; damit es erzählbar ist, muß es dieser *leere Raum* sein, den Stiller etwa mit erfundenen Geschichten, d. h. dem Entwurf eines anderen, nicht von ihm gelebten, seiner Person unmöglichen Lebens, füllen kann, dem denkbaren Leben eines Mannes, der seine Probleme durch Beseitigung seiner Kontrahenten löst, einem Leben, das Stiller selbst als ein in der Gegenwart unmögliches bezeichnet (S. 476). Den fiktiven *Geschichten im Text,* mit denen Stiller sein Leben ersetzt, entspricht die fiktive *Geschichte des Textes,* die Leben ersetzt und bis in die Zeitstrukturen hinein simuliert. Über seine eigenen Erzählungen sagt Stiller:

> ... gerade die enttäuschenden Geschichten, die keinen rechten Schluß und also keinen rechten Sinn haben, wirken lebensecht. (S. 416)

»Leben« ist in diesem Text in der Tat ein Wagnis: ohne zu wissen, was wirkliches Leben ist und woran es sich entscheidet, muß man sein Leben wählen. Jede Person muß je für sich herausfinden, worin es für sie bestehen könnte, und schließlich entscheiden, ob sie es gefunden hat. Sie kann falsch wählen: Stiller bedauert sowohl die Berufswahl (»meine Kunst, die nie eine werden konnte«, S. 682; »nicht genug, um Zeugnis eines erwachsenen Mannes zu sein«, S. 707) als auch seine Partnerwahl (»daß... ich dieses Meertier auch noch heiraten mußte«, S. 683). Aber die ursprüngliche *Wahl des Lebensentwurfs* kann nicht mehr ohne weiteres korrigiert, mit der eigenen Vergangenheit nicht einfach gebrochen werden: »Es gibt keine Flucht« (S. 412). Der Versuch, sein Leben zu finden, mag den je anderen befremden:

> Was macht der Mensch mit der Zeit seines Leben?... Wie hält dieser Stiller es aus, so ohne gesellschaftliche oder berufliche Wichtigkeiten gleichsam schutzlos vor dieser Frage zu sitzen? (S. 741)

Soziale Aktivitäten können also das Problem verdecken. Am ehesten wird das *Leben im erotischen Partner* gesucht. Laut Rolf ist Julika Stillers Leben geworden (S. 764), und sobald Rolf der Verlust Sibylles droht, reagiert er ähnlich: »Etwas plötzlich war Sibylle der einzige Sinn und Inhalt seines Lebens geworden« (S. 565f.). Wenn Leben ein Raum ist und die Frau zum Leben wird, muß die Frau zum Raum werden; indem Stiller Julika als Raum beschreibt (»Wenn du ein halbes Leben lang vor einer Tür gestanden und geklopft hast, ... erfolglos wie ich... Vergiß sie, so eine Türe, und laß andere eintreten«, S. 768), bestätigt er Rolfs Behauptung, sie sei sein Leben. Auch Sibylle erfuhr ihre bisherigen Lieben als »Einbruch in das Leben..., in das Leben des andern« (S. 609). Wenn für Stiller aber »Leben ≈ Gott« und »Leben ≈ Frau« gilt, dann muß auch »*Frau ≈ Gott*« gelten: für den Glaubenslosen wird die *Frau alles: Leben und Gott.* »Vergötterst du sie – noch immer – oder liebst du sie?« (S. 772) fragt ihn Rolf, und Stiller spricht von den »Glaubenslosen, die mit ihrer zeitlichen Hoffnung auf Julika« (S. 769) operieren. Julika selbst hat diese Rolle schon früh, nicht nur im »Verzeihen«, übernommen: »Du sollst dir kein Bildnis machen von mir« (S. 500), sagt sie – so aber kann nur »Gott« sprechen, wenn er ein Gebot erläßt.

Der Text interpretiert überhaupt gern Situationen oder Verhaltensweisen in den *atemporalen, außerhistorischen Modellen* des *Märchens,* des *Mythos,* der *Bibel.* Wie »Leben« *räumlich und zeitlich bedingte Aspekte* hat, hat es auch *Invarianten* über Räume und Zeiten hinaus. Immer wieder werden Akte der *Verwandlung* oder *Erlösung* erhofft, die deutlich genug als *Wunder,* als märchenhafte, mythische, religiöse Phänomene signalisiert sind und in dieser Welt absenter Transzendenz nicht stattfinden: »... und plötzlich, wie im Zaubermärchen, war all dies zu haben« (S. 633); »... du hältst dich für einen Zauberer, der diese Frau Julika in ihr Gegenteil verzaubern kann« (S. 764). Die Erwartung des Wunders wird notwendig enttäuscht: »Ich möchte es, aber es geschieht nicht, ... und ich stehe unverwandelt wie sie« (S. 724). Stiller hat im Gefängnis nicht umsonst in der Bibel gelesen: Bilder aus dem christlichen Bereich wiederholen sich und treten vor allem in Teil II gehäuft auf. Rolf wirft Stiller vor, daß er den »Erlöser eurer selbst« spielen, d. h. den absenten Gott substituieren wolle: »Du als ihr Erlöser... wolltest es sein, der ihr das Leben gibt« (S. 765). Und rein sprachlich spielt Stiller tatsächlich mit der *Christus-Rolle.* Vordem wollte er Julika zu dem gemeinsamen Versuch auffordern, »auf dem Wasser zu wandeln« (S. 689); jetzt gesteht er Rolf: »Ich kann nicht übers Wasser wandeln« (S. 771). Sprachlich behandelt Stiller gegen Ende Julika als tot: »Ich kann einen Menschen töten, aber ich kann ihn nicht wieder auferwecken« (S. 762), so daß also die Geschichte von der Ermordung seiner Frau (S. 376f.) metaphorisch wahr wäre; auch hat Rolf am Ende das »ungeheure Gefühl, Stiller hätte sie von allem Anfang an nur als Tote gesehen« (S. 779). Wenn richtig ist, daß Stiller Julika das Leben geben wollte, dann muß er sie freilich in der Tat zunächst töten, da sie schon – und ohne ihn – lebt: der Text spielt mit der Zweideutigkeit des Begriffs »Leben«. Freilich weiß Stiller schon in der Grotte anläßlich der »versteinerten Damen«, daß sie »durch keine menschliche Liebe je wieder zu erlösen« sind (S. 514). Wer »tötet«, um als sein »Geschöpf« (S. 765) »wiedererwecken« zu können, muß in der Tat Christus sein: daß man dieser nicht ist, weiß man wiederum notwendig. Wenn Stiller also mindestens sprachlich diese Rolle annimmt, ist das Scheitern vorprogrammiert, d. h. diese Rolle, die Erwartung, Wunder wirken zu können, ist Ausdruck einer *Ambivalenz gegenüber Julika.* Als St$_2$ hat er davon geträumt, sie zu erwürgen (S. 494); zwischen Leben und Tod hat er davon geträumt, sie zu erwürgen oder ihre Existenz zu leugnen (»Julika gar nie meine Frau gewesen, alles nur Einbildung von mir«, S. 726); als St$_1$ hat er davon geträumt, sie – wenn auch gezwungen und nur in effigie – zu »kreuzigen« (S. 680). Zu Rolf und Sibylle sagt er:

> »Es ist doch schade, daß ihr Julika nie wirklich habt kennenlernen können!« Meine Entgegnung, da sei ja alles noch möglich, schien Stiller über sich selbst erschrecken zu lassen. (S. 759f.)

Die Frage »wird sie sterben?« bleibt ambivalent – zwischen Angst und Hoffnung. Julika stirbt schließlich physisch – ironischerweise an Ostern, dem Tag der Auferstehung, dem Tage jenes, mit dessen Rolle Stiller gespielt hat. Ähnlich ambivalent bleibt Stillers Verhalten vor der Justiz: will er verurteilt oder freigesprochen, will er als St$_2$ überführt oder als Fremder behandelt werden?

Der Text baut also eine dreifache Opposition auf: »*Leben nehmen*« vs »*Leben geben*« vs »*Leben wieder geben*« – nur die beiden ersteren sind menschlich möglich, und beide können Manifestationen wirklichen Lebens sein, zu dessen »Ablagerungen«, laut St$_1$, das »Leben einer sehr einfachen Mutter«, also das Geben von Leben, wie auch ein »Mord zum Beispiel«, also das Nehmen von Leben, gehören kann (S. 417f.). *Der Begriff des »Lebens« ist also ähnlich ambivalent wie Stillers Verhältnis zu Julika*; sowohl »Leben geben« als »Leben nehmen« spielen im Text eine entsprechend große Rolle. »Leben geben« manifestiert sich wörtlich-physisch in den Akten der *Zeugung* und *Geburt* und ihren Produkten, dem *Kind.* Sowohl die erste wie die zweite Ehe Rolfs und Sibylles manifestiert sich jeweils in einem Kind; sowohl die erste wie die zweite Ehe Stillers und Julikas bleibt unfruchtbar, was sowohl von St$_2$ (S. 442) als von St$_1$ (S. 759) problematisiert wird.

Die Beziehung Sibylle-Stiller führt zu einer Schwangerschaft, die Sibylle beendet, als sie das Verhältnis als gescheitert erkennt (S. 629ff.). In den Erzählungen von der Ehekrise bezeichnet Rolf Sibylle als die »Mutter seines Sohnes« (S. 580) und Sibylle Rolf als den »Vater ihres Kindes« (S. 621). Wenngleich Kinder auch einem narzißtischen Akte, der den Partner leugnet (»überspringt«), entspringen können (S. 450), gilt demnach, daß die gelungene erotische Relation sich in der Bereitschaft des Mannes, zu zeugen, und der Frau, zu gebären, manifestiert.

Auch der Akt des Tötens ist ambivalent und zweideutig, wie die hauptsächliche der gewaltsamen Todesarten, das *(Er-)Schießen,* belegt. St2 semantisiert selbst sein Spanienerlebnis:

> Ich bin kein Mann. Jahrelang habe ich noch davon geträumt: ich möchte schießen, aber es schießt nicht – ich brauche dir nicht zu sagen, was das heißt, es ist der typische Traum der Impotenz. (S. 617)

Die Formulierung ist fast ein psychoanalytischer Witz: »Ich« ist seit Freud auch Synonym für das Bewußtsein, »Es« für das Unbewußte. »Schießen« ist also ambivalent – wörtlich Bereitschaft, jemandem das Leben zu nehmen, metaphorisch Bereitschaft, jemandem das Leben zu geben. Schußwaffen sind demzufolge in der Semantisierung durch Stiller *wörtlich Mordinstrumente, metaphorisch Sexualorgane.* Stillers Impotenzangst bleibt rein psychisch. Er will »nicht geliebt werden« (S. 617) und hat »eigentlich Angst vor den Frauen« (S. 601), doch »immer war da ein Weib« (S. 683). Er kompensiert die Angst und »erobert mehr, als er zu halten vermag« (S. 601). Rip wurde *»Jäger«,* um »einen *männlichen* Beruf« zu haben (S. 423): beim einzigen erzählten Schießversuch trifft er ein weibliches Tier, ein *»Reh«,* nicht, weil das Pulver fehlt: »Ich« möchte, aber »Es« nicht. Wenn er sein Leben verschlafen hat und erwacht, ist sein Gewehr »die jämmerlichste Flinte der Welt« und der »hölzerne Schaft war verfault« (S. 426): Rip ist jetzt ein Greis, jenseits von Erotik. Am deutlichsten ist die erotische Semantisierung in der Isidor-Geschichte. In der Fremdenlegion wird er »zum *Manne* erzogen«, d. h. er muß unter anderem auch schießen lernen. Bei seinem Heimatbesuch schießt er in die »bisher *unberührte* Torte, was, wie man sich vorstellen kann, eine erhebliche *Schweinerei* verursachte« und den Morgenrock der Gattin »über und über« mit Schlagrahm »verspritzt« (S. 396). Der Erwähnung der *»unschuldigen* Kinder als

Augenzeugen« bedurfte es wohl kaum mehr, um die Beschreibung als solche eines *Sexualaktes* kenntlich zu machen.

Für St_2 gilt in der Tat: »Selbstmord ist eine Illusion« (S. 436); er selbst hat danach das Gefühl, »jetzt erst geboren zu sein« (S. 727). Der Zustand zwischen Sterben und »Wiedergeburt«, nicht umsonst mit einem »Abwasserkanal« verglichen, ähnelt dem beim Blick in einen Gewehrlauf: »Ich ... sehe aber nichts, ein Löchlein voll grauen Lichts, weiter nichts« (S. 503) und: »dann war alles weg: bis auf eine runde Öffnung in der Ferne« (S. 725). St_1 erinnert sich, sein Kopf sei »von zwei Händen gehalten« worden, »über mir das Antlitz von Florence« (S. 725). Die Situation ist also die einer Geburt mit Stiller als Kind und – der begehrten Frau – Florence – als Geburtshelferin. Noch deutlicher ist der Traum von der Mutter (S. 727), die in seinem Bett liegt: er endet »mit Schrei, um zu erwachen« (= seine »Geburt«) und hat in seinen »Händen plötzlich ein Osterei so groß wie ein Kopf«: metaphorisch wäre Stillers Rolle also hier die eines Geburtshelfers, wobei dem »Ei« ein »Kind« entspräche und durch »Ostern« das Thema der Auferstehung/»Wiedergeburt« angespielt wird. Stiller darf sich selbst entscheiden, ob er wirklich leben will, »aber so, daß ein wirklicher Tod zustande kommt« (S. 727), während es sich hier um eine Wiedergeburt handelte. Auch Alex bittet laut St_1 »um den wirklichen Tod« (S. 587). Ein *wirklicher Tod* ist in diesem Text nicht willkürlicher Abbruch oder Neuanfang eines Lebens, sondern *Aus- und Erfüllung des Zeit-Raums eines Lebens.*

Für den Umgang mit den nicht akzeptierten Gefühlen benennt Rolf »zwei Auswege, die zu nichts führen; wir töten unsere primitiven... Gefühle ab, ... oder wir geben unseren unwürdigen Gefühlen einfach einen anderen Namen« (S. 668). Wenn also etwas am Selbst entweder durch Tötung oder durch Umbenennung beseitigt werden kann, dann sind beide insoweit äquivalent: »*Tötung ≈ Umbenennung*«. St_2 will sich töten und erfährt sich als wiedergeboren: folglich benennt er sich als St_1 um, wobei er den *Namen eines Fremden,* des James Larkin(s) White, eines jetzt schon Toten oder doch greisen Mannes wählt, weil er ähnliche Erlebnisse gehabt haben will (S. 521). Der Tod des St_2 führt zu seiner und Whites Wiedergeburt und ist insofern kein wirklicher Tod und kein Ausweg: kein Problem ist gelöst.

Im Text werden »Leben« und »Tod« nur in ihrer metaphorischen Bedeutung diskutiert – in ihrer wörtlichen Bedeutung gilt: »Es gibt, angesichts der Tatsache von Leben und Tod, gar nichts zu sagen« (S. 667), was Rolf nach Julikas Tod bestätigt: »... und sonst gab es kaum etwas zu sagen; es war alles entschieden« (S. 780). Es gilt somit: »*(Leben/Tod wörtlich ≈ kein Redegegenstand)*« vs »*(Leben/Tod metaphorisch ≈ möglicher Redegegenstand)*«.

6. »Person« und »Rolle«

Stillers Problem ist nicht nur ein psychisches, sondern auch ein soziales. Nicht nur um den Erwerb einer neuen, nicht-physischen Identität geht es, sondern auch um die *soziale Anerkennung dieser Identität:* ohne diese ist St_1 »dazu verdammt, eine Rolle zu spielen, die nichts mit mir zu tun hat« (S. 436) und »verurteilt zu bleiben, wie unsere Gefährten uns sehen und spiegeln«, die »nimmer gestatten, daß ich mich wandle« (S. 416): »man müßte imstande sein..., durch ihre Verwechslung hindurchzugehen, eine Rolle spielend, ohne daß ich mich selber je damit verwechsle, dazu aber müßte ich einen festen Punkt haben –« (S. 590). Und Rolf, der behauptet, St_1 sei »frei geworden von der Sucht, überzeugen zu wollen« (S. 730), führt aus, daß solcher »Verzicht auf die Anerkennung durch die Umwelt« schwerer noch als die »Selbstannahme« sei:

> Wie aber sollen wir darauf verzichten können, wenigstens von unseren Nächsten erkannt zu werden in unserer Wirklichkeit, die wir selbst nicht kennen, sondern bestenfalls nur leben können? Es wird nie möglich sein ohne die Gewißheit, daß unser Leben von einer übermenschlichen Instanz gerichtet wird, ohne wenigstens die leidenschaftliche Hoffnung, daß es diese Instanz gebe. (S. 751)

Das bedeutet also erstens: in der Welt des Textes kann man die Person, die man zu sein glaubt, nur sein, wenn man von anderen als diese Person wahrgenommen zu sein glaubt. »Person« ist hier somit ein eminent *sozialer Begriff*: »Person« ≈ »*Wahrgenommensein als diese Person*«. Unwahrgenommen, alleine, kann man nicht Person sein (vgl. auch St_1: »ich kann nicht allein sein«, S. 681). Das Subjekt der Wahrnehmung ist für Rolf »Gott«, für St_1 eine andere menschliche Person oder die Gesellschaft: aber in beiden Fällen bedarf es eines solchen Subjekts, sei es als gedachtes, sei es als reales, sei es als absolute, sei es als intersubjektive Instanz. Diese Instanz wird sowohl von Rolf (»gerichtet«) wie von St_1 (»verdammt«, »verurteilt«) als solche eines *Gerichts* beschrieben: es ist also kein Zufall, daß Stillers Identität von einem Gericht entschieden wird: hier wird nur wörtlich realisiert, was sonst auch metaphorisch gilt. Die wörtlich-juristische Instanz bildet also nur etwas ab, was in dieser Welt strukturelle Erfordernis des Begriffs der »Person« ist: *»Person« ≈ »Objekt eines Urteils«*. Wenn aber die Größe »Person« nicht ohne »Urteil« auskommt, dann ist es zugleich ein moralischer Wert, diese oder jene »Person« (nicht) realisiert zu haben: *»Anerkanntwerden als Person« ≈ »moralisches Urteil über diese Person«*.

Wenn also jemand eine bestimmte personale Identität zu haben glaubt, aber die Anerkennung einer – geglaubten – objektiv-absoluten oder – faktischen – intersubjektiv-sozialen Instanz nicht erreicht, dann muß er die Rolle spielen, d. h. die Identität tragen, die die Gesellschaft ihm zuordnet. Der Text baut somit eine Opposition *»Person«* vs *»Rolle«* auf; freilich muß über diese Rolle keineswegs notwendig ein Konsens bestehen: um etwa den Erwartungen der Freunde von St_2 zu genügen, müßte St_1 »etwas wie ein fünfköpfiges Wesen« (S. 679) sein; über die Person von Alex besteht nicht einmal zwischen seinen Eltern ein Konsens (S. 586). Es gilt also: *»Wahrgenommene Person« ≈ »Ergebnis aller Wahrnehmungsperspektiven«*. Der Gesellschaft bleibt in ihren intersubjektiven Instanzen wie dem Gericht also gar nichts anderes übrig, als die Identitätsfrage auf die Frage nach der physischen Identität, d. h. auf eine *Namensfrage* (»Ich bin nicht Stiller« – »*Wer* denn?«, S. 419) zu reduzieren: *»soziale Person« ≈ »Name + äußere Lebensdaten«*. Wenn also St_1 – wie schon erörtert: unsinnigerweise – auf dem fremden Namen besteht, obwohl er bei dieser Behauptung widerlegt werden muß, dann handelt es sich also um eine massive Ambivalenz dieser Figur: will er eigentlich wirklich als verändert anerkannt werden oder will er es nicht?

Stillers »Angst vor Verwechslung« bewegt ihn, die anderen zur Anerkennung seines falschen Namens zwingen zu wollen: »Wer vergewaltigt wen?« fragt Rolf: »Er möchte, daß wir ihn frei lassen; aber er selbst läßt uns nicht frei« (S. 750). In der sozialen Welt des Textes gilt tatsächlich: *»Freiheit des einen« ≈ »Unfreiheit der anderen«*. Solange Rolf seine Freiheit in der Ehe proklamierte und praktizierte, war Sibylle unfrei; wenn Sibylle sich ihre

Freiheit nimmt, wird Rolf unfrei. Solche komplementären Prozesse laufen möglicherweise noch öfters in dieser Welt ab: St_2 ist nicht der Mann, Julika zu vergewaltigen; St_1 hat laut Rolf in seiner Darstellung Julika vergewaltigt. Falls Rolf recht hat, entspräche der *physischen Nicht-Vergewaltigung* die *nicht-physische Vergewaltigung.* Sobald Stiller nicht gesteht, gestehen die anderen; würde er gestehen, gestünden sie nicht. Stiller bedarf der anderen, um seine Identität feststellen zu lassen, aber die anderen bedürfen seiner auch, um Lücken zu füllen und Kohärenz herzustellen; er wird, im wörtlichen Sinne, »vermißt«. Man braucht ihn, um Spionage- und Kriminalfälle aufzuklären und fehlende Beträge einzutreiben; man braucht ihn, um Unabgeschlossenes abzuschließen und die eigene Geschichte zu verstehen. Solche komplementären Korrelationen liegen in dieser Welt jedenfalls nahe: denn ihre Figuren werden durch die Interaktionen mit präsenten oder absenten Partnern definiert: *»Person«* ≈ *»Menge von Relationen mit anderen Figuren«.* Nicht zufällig werden Ehegeschichten erzählt. Die Figuren werden genau insoweit dargestellt, als sie mit anderen relevanten Figuren interagieren: ihre Tätigkeiten außerhalb dieses kleinen Weltausschnitts spielen eine Rolle nur insofern, als sie mit diesem in logischen oder kausalen Relationen stehen.

Die dargestellte Welt, als von den Figuren wahrgenommene und sprachlich in bestimmten Philosophemen bewältigte, führt nicht nur beim Lebensbegriff in *unlösbar-paradoxe Probleme.* Wenn laut Rolf und Stiller gilt, die Wirklichkeit einer Person sei kaum erkennbar und formulierbar, also in der perspektivischen Welt bedingter Wahrheit selbst nicht schon gegeben, sondern erst gesucht, was kann dann die Forderung nach *Selbsterkenntnis* und *Selbstannahme* sinnvoll bedeuten und worin besteht die Instanz, die über ihr Gelingen entscheidet? Wenn man eine *Entwicklung* der Person zulassen will, wie wäre diese dann mit der Selbstannahme vereinbar, die eine Entwicklung, außer in dem selbst unklar-paradoxen Sinne, zu werden, was man ist, doch wohl ausschließt? Wenn man sich vom Anderen kein *Bildnis* machen soll, und wenn im Bildnis gar »etwas Unmenschliches« liegt (S. 749), wird dann nicht Stiller genau dessen bezichtigt, was einerseits gerade die Umwelt an ihm massiv verübt und andererseits, außer bei Desinteresse an der Person, kaum vermeidbar ist? Und was schließlich sagt das *Kierkegaard-Motto* Stillers dann schon mehr über die Geschichte aus, als daß es Probleme mit der eigenen Person geben kann, deren Bewältigung in sprachlichen Formeln leicht zur Paradoxie führt? Die ideologischen Leitbegriffe, deren sich die Figuren zur Erfassung der dargestellten Welt bedienen, sind dieser Welt nicht adäquat: die Bewohner dieser Welt verfügen über keine angemessene Sprache, ihre Probleme zu artikulieren, geschweige denn zu lösen. Stiller thematisiert es: »Ich habe keine Sprache für *die* Wirklichkeit«... »ich habe keine Sprache für *meine* Wirklichkeit« (S. 435f.). Mit Hilfe der verfügbaren Sprachen sind allenfalls »*Reproduktionen*« (S. 535) oder »*Umschreibungen*« möglich: nicht-authentische oder selbst der Erläuterung bedürftige Formen des Redens sind das Ergebnis. Dem Problem der Erkennbarkeit der Welt entspricht das der Formulierbarkeit der Welt: immer wieder geht es auch bei den Figuren darum, *sich* (*nicht*) *ausdrücken* zu können.

So steht etwa auch der tradierte ideologische Wert der Person selbst in Frage. Die Eltern von Alex sehen in »ihrem einzigen Kind«... »zwei ganz verschiedene Söhne« (S. 586); Stiller und Wilfried sehen in ihrer gemeinsamen Mutter zwei verschiedene Personen: »Es ist komisch, wie verschieden Mütter sein können« (S. 674). Raumzeitlich dieselbe Figur erscheint verschiedenen Subjekten als verschiedene Person: die Person ist eine *sich entziehende Größe.* Wenn Julika sowohl von St_1 (»Es sind zwei verschiedene Juliken«, S. 522) als auch von Rolf (»das ... Gefühl, als handele es sich gar nicht um dieselbe Person«, S. 749) als zwei Personen in einer wahrgenommen wird, dann sind offenbar beobachtbare Verhaltensweisen mit tradierten Annahmen über die *Kohärenz* der Person unverträglich. Wenn Stiller sich in St_1 und St_2 dissoziiert und die Identität beider leugnet, dann versucht er, mit der erwarteten *Kontinuität* der Person zu brechen. Während in diesen Varianten eine Person als zwei erscheint, gibt es auch den Fall, wo als zwei Personen sich manifestiert, was eigentlich eine sein sollte: Sibylle sagt bezüglich Stiller und Rolf: »Beide zusammen in einer Person, das wäre es gewesen« (S. 631).

Als selbstverständlicher Teil der Person bzw. als normative Erwartung an die Person behandelt werden im Text die Geschlechterrollen von den Figuren: so wird im Text von »männlichem Egoismus« (S. 443), »männlicher Sinnlichkeit« (S. 449), »weiblichen Argumenten« (S. 558) usw. gesprochen. Immer wieder werden Verhaltensweisen als geschlechtsspezifische charakterisiert, so z. B. von Sibylle: »›Männer sind komisch.‹ findet Sibylle... ›ihr seid mir eine Gesellschaft!‹« (S. 632). Und in der Tat: sie sind die Gesellschaft, die Träger aller ihrer hauptsächlichen Funktionen; sie sind die, die die interessantesten Probleme haben und auch deren generalisierende Formulierung übernehmen dürfen. Aber auch hier ist das sozial bedingte Bewußtsein nicht in Einklang mit der Realität der Figuren. Stiller (»ich bin kein Mann«, S. 617; »er ist wohl sehr feminin«, S. 600) genügt der Männerrolle ebensowenig, wie Julika (»du bist einfach keine Frau«, S. 452) der Frauenrolle genügt. Stiller wird von den Frauen eher als »Bruder« (S. 439), »fast wie eine Schwester« (S. 632) wahrgenommen: »... er war nicht ein Mann, der unterwirft. Rolf unterwirft« (S. 631). Doch auch die Erfüllung der Geschlechterrollen kann zum Problem werden: Sibylle wünscht sich schließlich eine Synthese aus Stiller und Rolf. Probleme mit der Erotik haben alle vier Hauptfiguren: keine, die nicht mindestens einmal Ehe bräche. Der sozialen Unzulänglichkeit Stillers und Julikas entspricht freilich ein gesteigertes erotisches Problem: Stillers Impotenzangst und Julikas Frigidität, aus der ihr, scheint es, weder ihre »verzagten Anläufe« als »Lesbierin« (S. 450) noch die Affäre mit dem »Reklameberater von anerkannter Männlichkeit« (S. 453) heraushelfen. Auch Stiller wird mehr oder weniger deutlich latent mit *Homosexualität* korreliert, nicht nur über den gemeinsamen Freund des Paares, Alex, sondern auch durch eigene Rede (Grottenepisode mit Jim, S. 520). Dem *unmännlichen Stiller* steht also der *männliche Rolf,* der *unweiblichen Julika* die *weibliche Sibylle* gegenüber. Der *Erfüllung* der *Geschlechterrollen* entsprechen *Elternschaft* und *bürgerliche Berufe,* der *Nicht-Erfüllung, Nicht-Elternschaft* und *nicht-bürgerliche Berufe.*

Stiller produziert »Bildnisse« – erstarrtes oder imitiertes Leben, eine Kategorie, die auch in anderen Kontexten, so etwa der Interpretation der Grotte als Formenarsenal, so bei den Landschaftsbeschreibungen, wo organische Metaphern/Bilder für Anorganisches, anorganische Metaphern/Bilder für Organisches verwendet werden, relevant ist. Julikas Tanz, »die einzige Möglichkeit ihrer Wollust« (S. 450) ist zwar als Bewegung mit Leben korreliert, aber – als Vollzug eines kunstvoll kodifizierten Schemas – ebenfalls mit imitiertem Leben. Als Ballett steht ihr Tanz ungefähr zwischen dem Gesellschaftstanz als Regelsystem mit geringem personalen Ausdruck, wie er z. B. im Pontresina-Aufenthalt Sibylles vorkommt, und dem Tanz als personalem Selbstausdruck, wie ihn Stiller beim Vulkanausbruch assoziiert (S. 400), wie er ihn mit der erotischen Polin Anja verbindet (S. 615), oder wie ihn Florence praktiziert, so daß sich Stiller »in seiner körperlichen Ausdruckslosigkeit wie ein Krüppel vorkam« (S. 538), womit er auch sonst gern metaphorisch korreliert wird (S. 460). »(*Verkrüppelung* ≈ *Unfähigkeit zum Tanz*)« steht also in Opposition zu »*Tanz*«.

7. *Exkurs: »Auge« und »Fuß«*

Formen der Verkrüppelung wie Formen schwächerer körperlicher Beschwerden treten im Text bemerkenswert häufig auf und sind vor allem durch die Komplexe *Auge/Sehen* und *Fuß/Gang* besetzt, die einen relevanten Kode des Textes bilden und deren Auftreten immer signifikant ist. »*Auge*« und »*Fuß*« werden oftmals sogar äquivalent gesetzt: die unbekannte Landschaft kann ebenso als »unbetreten« wie als »nie gesehen« charakterisiert werden; in Mexiko fallen St1 vor allem die »Blinden« und die »Klumpfüße« (S. 382) auf; in der Grotte bricht sich Jim den linken Fuß und dem Ich läuft das Blut über das linke Auge; in Genua begegnet Rolf mehreren Figuren mit Problemen des Ganges, einem Mann mit Holzbein, einem wankenden Besoffenen, einer Frau mit schlurfenden Pantoffeln und schließlich auch einem blinden Bettler; St1 schreibt schließlich, Rolf solle ihn besuchen, bevor »das Moos meine Füße überwuchert und der Efeu aus unseren Augen wächst« (S. 736). Relevant scheint vor allem der *linke Fuß*: Jim bricht sich den linken Fuß; Sibylle verstaucht ihn sich; Julika verliert beim Spaziergang den linken Schuh und ist auf der Illustrierten mit erhobenem linken Fuß abgebildet; der angebliche Stiefvater in der Bowery scheitert daran, mit dem linken Fuß in die Hose zu kommen; wenn Stiller im Krankenhaus Sibylle gegenübersitzt, hat er den »linken Fuß über das rechte Knie gezogen, beide Hände um das linke Knie« (S. 600). Ebenso wie der Luft-, Geruch- oder Schußwaffen-Komplex ist auch der Auge-Fuß-Komplex im Text semantisiert.

Schwierigkeiten mit Gang/Fuß bedeuten zunächst *Einschränkungen der Bewegungsfreiheit,* sodann *Einschränkungen der Freiheit im allgemeinen.* Wenn es um Stillers Entlassung aus dem

Gefängnis geht, ist wiederholt die Rede davon, ihn »auf freien Fuß« zu setzen (z. B. S. 388); St1 folgert aus dem »häßlichen Gang« der Schweizer auf ihre Unfreiheit (S. 548). Da »Freiheit« mit »Leben« und »Leben« mit »Erotik« korreliert ist, müßten die Fußprobleme demnach auch mit diesen Bereichen korreliert sein. Tatsächlich signalisieren sie eine *Reduktion von Leben.* Wem Moos über die Füße und Efeu aus den Augen wächst, der muß tot sein. Die Verletzungen der beiden Jims gefährden ihr Leben; der Mann in der Bowery hat eine tödliche Wunde. Wer Einschränkungen des Bewegungsvermögens hat, der muß wie Julika beim Schuhverlust *gehalten* oder wie Sibylle nach der Verstauchung *getragen werden*: er kann nicht *aufrecht gehen*. Er muß entweder *»liegen«* bleiben wie die Menschen in der Bowery (S. 526) oder *»kriechen«* wie Jim z. T. in der Grotte, wie der Alte in der Bowery, wie primitive Tiere (wie z. B. die mehrfach im Text auftretenden Schlangen), wie Stiller als Kind durchs Kanalrohr. Der Fußverletzte erscheint auf einen animalischen oder kindlichen Zustand, einen Zustand *nicht-autonomen Lebens* reduziert. »Tod« wird gern durch den ungewollten Verlust des Aufrechtseins signalisiert: der von der Lava verschlungene Kirchturm »brach ins Knie« (S. 399); Alex »sei vom Sessel gefallen, heißt es« (S. 587); der Stier »knickt vornüber, oder bricht zur Seite, um zu sterben« (S. 608); das Skelett in der Grotte ist das eines »vornüber gekrümmten Menschen« (S. 520). *In die Knie zu gehen* ist überhaupt ein relevanter und mit den Fußproblemen gekoppelter Komplex, wie hier nur angedeutet werden kann. Als Abweichung vom Aufrechtsein ist es in jedem Falle eine Reduktion der Autonomie, ob freiwillig oder unfreiwillig. So fährt Rolf nach Genua (lat. Knie!), wo ihn einmal der Schmerz »auf die Knie warf« (S. 559) und er in der Hoffnung abreist, daß »dieses Erzweib auf die Knie geht« (S. 556); die Belegstellen sind sehr zahlreich und auch mit Problemen der Erotik verknüpft (vgl. z. B. S. 541 oder 767). Denn der Fußkomplex ist seinerseits mit Erotik korreliert: Fußprobleme zeigen immer *beschädigte Erotik* an. In der Bowery »stinkt« (!) es z.B. nach »ungewaschenen Füßen« (S. 526); der nackte Alte will mit dem linken Fuß in die Hose gelangen; er wird von St1 mit dem Stiefvater assoziiert, und St1 wählt zwischen Hilfeleistung bei dem Alten und Beziehung zu einer Frau (»Das konnte ich der Blacky nicht antun«, S. 527). Wenn Julika den linken Schuh verliert, wagt es St2, sie zu küssen

(S. 439); Sibylle verstaucht sich den linken Fuß, wenn sie zugleich ihre erotischen Probleme nicht mehr bewältigt. Die Verletzung der beiden Jims am linken Fuß bzw. Auge bedroht auch ihre – zugleich erotische – Beziehung (S. 515ff.). In den Tropen mit ihrer gefährlichen Sexualität treten laut St1 gehäuft Augen- und Fußkrankheiten auf. Wer nicht »auf freiem Fuß« ist, dem ist auch keine Erotik möglich. Wo immer im Text etwas auftritt, was direkt oder indirekt mit »Fuß« zu tun hat, wird auch auf den Komplex Leben-Freiheit-Autonomie-Erotik verwiesen.

8. Tod und Wiedergeburt: der Mythos der Autochthonie

St1 beschreibt metaphorisch das Problem, das St2 »übergehen« (!) möchte, als eine räumliche Besonderheit: als beweglichen, *sich entziehenden Hohlraum*:

> Er weiß nicht, wo genau dieser Punkt liegt, dieses schwarze Loch, das dann immer wieder da ist, und hat Angst, auch wenn es nicht da ist. (S. 601)

Das Ich der Grottengeschichte begegnet *wörtlich* einem solchen Loch, »riesengroß und schwarz wie die Nacht«, und weiß ebenfalls nicht, wo genau dieses Loch liegt, das es lange nicht wiederfindet. Aber St2 *flieht* das Loch, das Ich *sucht* es. Was in der *Außenperspektive* als *schwarzes Loch* erscheint, erscheint in der *Innenperspektive* als *helle Öffnung*, wie die Grotte belegt: als »Löchlein voll grauen Lichts« wie bei dem Gewehr, in das St1, unmittelbar vor der Grottenerzählung, sehen muß, als »runde Öffnung in der Ferne«, wie St1 als Kind das Ende des Kanalrohrs, als Erwachsener den Zustand nach dem Selbstmordversuch wahrnimmt. Diese Phänomene bilden also eine Reihe und sind *Transformationen voneinander*.

In der Grottenbeschreibung häufen sich die Erotiksignale: Atemnot (»vor Bangnis kaum atmen«, S. 508; Drachen mit... Schwefelatem« S. 509f.; »atemlos vor Schreck«, S. 510), Geruch (»aber ich schwitzte«, S. 511) und vor allem der Komplex von Fuß und Gang, von Auge und Licht, – zu umfänglich, um ihn hier im einzelnen zu belegen. Dem Freund Jim gegenüber gibt das Ich die Grotte zunächst als »freies Mädchen« (S. 508) aus: d. h. sie fungiert als *Ersatz einer Frau.* Beim Vulkanausbruch war von dem »Innersten unseres Gestirns«, dem »wir alles Leben verdanken«, die Rede (S. 400); die Mutter von Florence wird als »auch so eine Mutter Erde« (S. 538) eingeführt werden. Der Eingang der Grotte wird als »Pforte« bezeichnet (S. 507), wie später Julika als »Tür« erscheint. Die Grotte wird mit Gefahr korreliert: der Eingang schon ähnelt dem »Maul eines Hais« (S. 507), Drachen werden befürchtet (S. 509); »Zähne eines Hais« und »Schwänze von... Drachen« treten später als steinerne Formen auf (S. 514). In der Tiefe ist die Grotte durch die wuchernde Fruchtbarkeit der Tropen charakterisiert: »Je tiefer man hinuntersteigt, um so üppiger wächst es...« (S. 514); unten schließlich tritt die tropische *Kategorienkonfusion von Leben und Tod* auf: »Es wächst schon wieder zusammen, das Oben und das Unten, das Hangende und das Steigende umarmen einander, ein Dschungel aus Marmor, der sich selber auffrißt...« (S. 515). Ganz unten ist die *archaische Schicht der Ununterscheidbarkeit.* Leben und Tod werden auch im Nebeneinander der Formen (z. B. »Monumente des Phallus« und »ein Sarkophag«, S. 514f.), in den mythologischen Anspielungen (Labyrinth des Minotaurus, Orpheus im Hades) korreliert: der Ort ist u. a. ein überdimensionales *Sexualorgan*, und diese Verknüpfung kennzeichnet die Sexualität nicht nur in den Tropen. Beim Totenfest von Janitzio, wo es sich um »Hingabe an das unerläßliche Stirb und Werde« (S. 668) handelt, sind die Frauen »wie für eine Hochzeit« (S. 666) gekleidet. Wenn St_1 im Atelier von seinem »Engel«, d. h. vom Selbstmord, der seinerseits Tod und Wiedergeburt korreliert, erzählen soll, läuten die Glocken: »Einer Hochzeit wegen, ich sehe es nicht, oder einer Abdankung wegen« (S. 712). Das Ich steht der zweideutigen Sexualität dieses Ortes selbst ambivalent gegenüber: »halb selig, als wäre ich am Ziel aller Wünsche, und halb entsetzt, als wäre ich schon verloren« (S. 511). Das »Betreten« des Ortes ist in der Tat gefährlich, weil der Boden kaum begehbar ist. Es drohen Fußverletzungen, d. h. Beschädigungen der eigenen Sexualität (vgl. Jim), es droht der Verlust des Lebens überhaupt. Wer in der Grotte bleibt, verliert die Möglichkeit des aufrechten Ganges gänzlich (das vornübergekrümmte Skelett, später Jim); wer aus ihr gelangt, verliert sie zeitweise: das Ich kann zunächst nicht aufrecht stehen (»erschöpft wie ich war, legte ich mich auf die warme Erde...«, S. 512). Das Betreten wird mit der mindestens zeitweiligen Reduktion auf einen *nicht-autonomen Zustand* bezahlt.

Trotz seiner Angst kann das Ich nicht widerstehen, »in dieses Märchen hinunterzusteigen« (S. 510). Es ist zugleich ein Ort der »Träume« (S. 510, 514): »*Märchen* ≈ *Traum*«. »Unten« findet auch das eigentliche Märchen Rips statt, für ihn ebenfalls einem Traum äquivalent: er muß in die Schlucht hinabsteigen; auch das (Nicht-)Aufrechtsein spielt eine Rolle: der Geselle kommt gebückt herauf, und Rip kann sich erst unten »aufrichten« (S. 425). Auch Rips Geschichte gehört also zu dieser Menge von Transformationen. Als Märchen/Traum ist die Grotte ein Ort mit besonderer Zeitstruktur, was auch von Rips Schlucht gilt. In diesem »Arkadien der Toten«, diesem »Hades«, diesem »Museum zeitloser Historie« (S. 514) ist die Zeit aufgehoben: es ist ein Ort, der *im Raum simultan* »wiederholt und aufbewahrt, scheint es, für die Ewigkeit« (S. 514), was *in der Zeit sukzessiv* gegeben ist. Dieser Sexualraum ist also ein Ort, wo nichts verlorengeht: *Ort der Vollständigkeit und der Gleichzeitigkeit.* Auch in Janitzio nimmt die weibliche Sexualität wieder an sich, was ihr entstammt: auf den Gräbern von »Vater oder Gatte oder Sohn« (S. 667) knien die Frauen nicht, »sondern sitzen auf der Erde (!), damit die Seelen der Verstorbenen aufsteigen in ihren Schoß« (S. 668). Aber hier ist Kreislauf mit Wechsel von Leben und Tod, was in der Grotte außerzeitliches Sein, Leben ohne Leben, Tod ohne Tod, Wachstum ohne Wachstum, Fruchtbarkeit ohne Fruchtbarkeit ist. Die Grotte ist Ort des *Imitiert-Erstarrten,* das sich nur in Äonen wandelt, sie ist Ort der *Uneigentlichkeit* – »unterirdisches Arsenal der Metaphern« (S. 514).

Wenn das Ich sich mit Jim in der Grotte befindet, tritt nach dem Unfall ein Zustand ein, wo offen ist, ob Leben oder Tod, für beide oder für einen, daraus resultieren wird. Wenn das Ich allein die Grotte betritt, gelangt es zu einem Zustand, der fast wörtlich dem Stillers nach dem Selbstmordversuch in der Situation zwischen Leben und Tod entspricht: mit dem Abgrund vor seinen Füßen wagt er sich »nicht zu rühren« und »auch nicht mehr rückwärts zu gehen«: »jeder Schritt, schien mir, bedeutete Sturz in den Tod« (S. 510). Die Grotte ist ein Ort, wo *ein Zustand zwischen Leben und Tod hergestellt und entweder das Leben definitiv genommen oder definitiv wieder gegeben wird.* »*Hinabsteigen*« bedeutet, das Leben riskieren, »*hinaufsteigen*« bedeutet, es wiedergewinnen. Metaphorisch uneigentlich spielt sich hier dasselbe wie in Janitzio oder beim Selbstmordversuch ab: »*Tod* ≈ »*Wiedergeburt.*« Wer beim wörtlichen oder metaphorischen Grottenbesuch unten bleibt wie Jim oder das Skelett, der ist ein »Verschollener« wie St_2 und verliert sogar seinen Namen: »Sein Name ist verschollen« (S. 521); wer von einem wörtlichen Grottenbesuch zurückkehrt, der behält seinen Namen wie White und bleibt, was er war; wer von einem metaphorischen Grottenbesuch wie Ich = St_1 zurückkehrt, der gibt sich selbst einen neuen Namen und ist nicht mehr, was er war. Rips Exkursion bestätigt das System: er kehrt wieder, aber er hat bzw. nennt keinen Namen mehr. Nur wer sich selbst zeugt und gebärt, kann sich selbst den Namen geben: Stillers Grottengeschichte entwirft einen *Mythos der autochthonen Selbsterzeugung des Menschen*, der, gestorben und aus eigener Kraft wiedergeboren, als Erwachsener aus der Erde auf die Welt kommt, wo seine neue »Kindheit« in kurzfristiger Schwierigkeit mit dem aufrechten Gang besteht. Das Ich ist sein eigenes Produkt, das nicht aus Sexualität entstammt und keine Eltern hat, ohne Vergangenheit, mit totaler Freiheit ohne vorprogrammierte Bindungen, der wählen kann, was er sein will – existentialistisch formuliert: *der Mensch als sein eigener Entwurf*. Auch die Frau ist schließlich eliminierbar: die weibliche Sexualhöhle ist nur als neutral-passiver Raum erforderlich, als Raum eines Betretens, dessen Ziel es ist, dorthin zu »gelangen, wo es nicht weitergeht, wo das Ungewisse aufhört« (S. 511): gesucht ist also eine Grenze für das Ich, wo eine definitive Entscheidung fällt. Der Raum ist bewältigt, wenn er »durchmessen« und »ausgefüllt« ist – andernfalls ist er ein unerledigtes Problem wie Julika. Damit der Mann den – gefährlichen – weiblichen ›Schlund‹ mit *unversehrtem Selbst* verlassen und sich intakt zurückziehen darf, was als *»Gnade«* (S. 512, 727), d. h. als unverdientes Geschenk, erscheint, muß er als Preis einen *Anderen* hinterlassen: der weibliche Anspruch kann – im Falle der *Fruchtbarkeit* – durch eine *Geburt* (gegebenes Leben) oder – im Falle der *Unfruchtbarkeit* – durch ein *Opfer* (genommenes Leben) abgegolten werden; das Opfer des Selbst oder des Anderen ist das inverse Äquivalent der Geburt, d. h. der Erzeugung eines Anderen, bzw. eines neuen Selbst.

Der Selbstmordversuch mit Tod und Wiedergeburt wird in der Grottengeschichte zum mythischen Modell generalisiert. Der vertikalen Achse, Hinabstieg in die Grotte und Wiederkehr aus ihr als andere Person, ist die horizontale Achse, Verlassen der dargestellten Welt als St_2 und Rückkehr in sie als St_1, äquivalent:

die erstere bildet im Mythos der Autochthonie die letztere ab. Den raumzeitlich simultanen Jims der Grotte entsprechen die raumzeitlich sukzessiven Stillers: wie einer der beiden Jims in der Grotte bleibt, während der andere wieder nach oben gelangt, so kehrt St_2 nicht wieder, während St_1 auftritt. Damit St_1 erscheinen kann, muß St_2 verschwinden: damit der eine Jim überleben kann, muß der andere getötet werden. Jim mit dem lädierten Fuße kehrt ebensowenig wieder wie St_2 mit der Impotenzangst: die Figuren mit beschädigter Erotik werden zurückgelassen.

Bei den »Person«-Problemen erwiesen sich in verschiedenen Varianten *2:1-Relationen* als relevant. In der Entstehung von Personen durch Geschlechtsakt wird aus *zwei* Personen *eine,* dritte Person. Bei der Geburt im Selbstmordversuch entsteht aus einer Person eine, was im mythologischen Modell der Grotte korrekt als Entstehung *einer* Person aus *zweien* durch Eliminierung *einer der beiden* und ohne sexuellen Zeugungsakt beschrieben wird: die homosexuelle Relation zweier Männer ist notwendig ebenso unfruchtbar wie die Grotte selbst. Um den *komplementären* Akt der Wahl zwischen zweien, von denen einer sterben muß, der andere aber leben darf, handelt es sich aber auch bei der *Selbstzeugung durch Selbstmord*: aus dem »Tod« einer Person kann das »Leben« einer anderen nur hervorgehen, wenn nur ein Teil gestorben ist, d. h. der andere schon gegeben war, was im übrigen Gleichgeschlechtlichkeit erfordert. Sobald das Ich auf das Skelett trifft, d. h. auf einen Toten, kehrt es um. Es hat einen *zweiten* gefunden und interpretiert diesen Toten als das eigene Skelett (S. 512): es macht somit *aus zweien eins,* läßt aber das Skelett als Toten zurück, so daß somit nur *einer der beiden* auf die Erde gelangt. Aber dieser Tote war nur *uneigentlich* ein zweiter, da es ein *früherer* Toter war. Das Ich kehrt mit dem anderen Jim in die Grotte zurück, das Skelett wird nicht mehr als eigenes interpretiert und aus zweien kann *wörtlich* einer werden, indem ein *jetziger* Toter, Jim, hinterlassen wird. Während *unter der Erde* in *zwei Versionen aus zweien einer* wird, wird *über der Erde* in *einer Version aus einem zwei*: Stiller kann sich in St_1 und St_2 zerlegen.

Erst nachdem das Ich die Grotte entdeckt hat, wird in der Erzählung überhaupt erst der zweite Jim als Freund genannt (S. 508), dem die Grotte als Frau ausgegeben wird. Erst nachdem es dem Ich gelungen ist, die wiedergefundene Grotte allein zu betreten und zu verlassen, d. h. sich von der prinzipiellen Möglichkeit der Autochthonie zu überzeugen, erzählt es überhaupt Jim von der Grotte (S. 512). Erst während des gemeinsamen Grottenbesuchs identifiziert sich das erzählende Ich ebenfalls mit dem Namen Jim (S. 518), d. h. macht den Partner zum *möglichen Substitut der eigenen Person.* Erst hier wird auch das Thema der Homosexualität eingeführt (S. 520), d. h. der Partner auch zum *möglichen Substitut der absenten Frau* gemacht. Jeder *Ersatz* hat aber nur für eine *Durchgangsphase* Relevanz: das Skelett statt des Ich, das Skelett statt Jim, die Grotte statt der Frau, Jim statt der Frau, Jim statt des Ich kürzen sich nach Vollzug der Autochthonie heraus. Analog zu den Problemen der metaphorischen oder ideologischen Sprache, mit der die Figuren ihre Welt beschreiben, bleibt nur das Substituierte, das freilich eben wegen seiner Unzugänglichkeit substituiert wurde, aber *beliebig substituierbar* ist – wie die Transformationsserien beweisen. Da das *Eigentliche unzugänglich* ist, ist das *Uneigentliche notwendig*; da das Uneigentliche das Eigentliche nicht in einer 1:1-Relation abbildet, kann jedes *Uneigentliche seinerseits durch ein anderes* substituiert werden. *Das je substituierte Eigentliche ist im Text immer absent wie »Gott«, und der Text selbst ist ein Uneigentliches, das für ein Absentes steht.* Die uneigentlichen Substitutionen eines Phänomens bilden im Text Transformationsserien und *die einzelnen Transformationen sind untereinander komplementär.*

Das belegt etwa auch die Grottengeschichte in den Relationen ihrer vier Erzählphasen untereinander. Sie besteht erstens aus der Erzählung von der Entdeckung der Grotte, bei der nur der Eingang von außen beschrieben wird, was in den folgenden Phasen fehlt; zweitens der Erzählung vom Besuch der Grotte durch das Ich: nur in ihr werden Eintritt und Austritt erzählt, und der Weg führt bis zur Wendemarke des Skeletts; drittens der Beschreibung von geologischer Struktur und zeichenhafter Deutbarkeit der Formen, die über das vom Ich zum Handlungszeitpunkt schon Gesehene hinausreicht (»... und dabei berichtete ich damals erst von den oberen Kavernen. Je tiefer man kommt...«, S. 513); viertens der Erzählung vom gemeinsamen Besuch mit Jim, bei der Eintritt und Austritt nicht erzählt werden, sondern der Bericht bei der Wendemarke einsetzt (»...wagten wir uns weit über das Skelett meines Vorgängers hinaus«, S. 515) und bei ihr endet (»in dem Augenblick, da wir... wieder das bekannte Skelett unseres Vorgängers erblickten«, S. 520) und bei dem der

Tod des einen förmlich vorprogrammiert ist: schon im ersten Satz heißt es: »...und erreichten den sogenannten ›Dome Room‹, wo sich *der* Unfall ereignete« (S. 515), obwohl von diesem noch gar nicht die Rede war. Die vier Phasen überschneiden jedenfalls einander nicht, sondern ergänzen sich als komplementär.

Diese Erzählstruktur hebt zugleich deutlich zwei relevante *Entscheidungspunkte* und *Grenzen* ab, die jeweils erst bei einem zweiten Besuch überschritten werden: die Grenze zwischen Entdecken und Betreten der Grotte und die Grenze, die durch den Ort des Skeletts markiert wird. In beiden Fällen handelt es sich um einen Übergang zwischen »(*unbetreten* ≈ *ungesehen*)« vs »(*betreten* ≈ *gesehen*)«: im ersten um die Entscheidung, ob das Unbetretene betreten werden soll, im zweiten um die Entdeckung, daß das Unbetretene schon betreten ist. Daß da schon einer war, ist erwünscht und befürchtet: ambivalent. Sprachlich wird immer schon jemand erwartet, wenn das Ich allein der Grotte gegenüber steht: »Dann rief ich mit lauter Stimme: Hallo? und von sinnlosem Schrecken erfaßt, als wäre es nicht meine eigene Stimme« (S. 508) flieht das Ich vor dem Betreten. »Ich rief: Hallo? und dann: How arc you? Nicht einmal ein richtiges Echo gab es hier« (S. 511), d. h. nichts antwortet. Die Gefährlichkeit der Inbesitznahme wird geringer, wenn da schon einer war oder wenn man nicht alleine dort ist: der zu bezahlende Preis ist entweder schon bezahlt (»wahrscheinlich war jenes Skelett [so denke ich heute] meine Rettung«, S. 512) oder kann mit einem anderen bezahlt werden (»zu zweit, so daß wir einander sichern konnten«, S. 515). Die Wiedergeburt, das Entkommen, wird möglich, weil immer schon einer da war: insoweit das Ich nicht White ist, ist White ein Vorgänger; insoweit es White ist, ist das anonyme Skelett ein Vorgänger. Über dessen Platz hinaus geht man nur mit einem anderen. Jim ist nun aber bis in den Namen hinein zu verwechseln mit dem Ich: *Das Opfer ist immer auch Teil des Selbst.*

9. Schlußbemerkungen: Zur Kommunikationsstruktur des Romans – der Leser als Mitspieler

Stiller fragt: »Kann man schreiben, ohne eine Rolle zu spielen? Man will sich selbst ein Fremder sein« (S. 677). Was als Grottengeschichte in Ich-Form beschrieben wurde, wird an deren Ende zum Nicht-Ich erklärt; was wie die Vita des St_2 in Nicht-Ich-Form erzählt wurde, erweist sich schließlich als Ich. Was »Selbst« und was »Fremdes« ist, wird auf der Ebene der erzählten Geschichte wie auf der Ebene des Erzählens der Geschichte zum Problem. Wer schreibt, behandelt das Selbst ebenso als einen Fremden, wie Stiller (St_1) sich (St_2) als einen Fremden behandelt: »Das ist es; man kann sich nicht niederschreiben, man kann sich nur häuten« (S. 677). Der, über den man schreiben kann, ist man schon nicht mehr; über den, der man ist, kann man nicht schreiben. Der Akt des Schreibens über sich entspricht dem Akt autochthoner Selbstzeugung: ein Selbst wird als Fremdes abgelegt und ein Fremdes wird zum Selbst. Wie man sich im Bericht über das Selbst ein Fremder wird, so macht man im Bericht Fremder Erfahrungen über das Selbst. Erst in Stillers Aufzeichnungen erfahren Rolf und Sibylle, wie sie sich während ihrer Ehekrise wechselseitig sahen. Nur Julika erfährt nichts mehr: sie stirbt, sich und den anderen fremd. Sobald durch das Urteil definitiv St_1 und St_2 identifiziert sind, wobei gegen Ende auch St_1 zunehmend sich mit St_2 identifiziert, endet die Erzählung, die nur als Erzählung vom Selbst fortgeführt werden könnte; ein neuer Erzähler als Fremder tritt ein, um von Stillers Selbst zu berichten. Der erst gegen Ende eingestandene Selbstmordversuch (≈ *Ich* habe *mich* erschießen wollen) wird früher für Julika als »Es hat *mich einer* erschießen wollen« (S. 420) eingeführt.

Der Text erfordert strukturell eine *zweite Lektüre,* indem er immer wieder an einer Stelle etwas einführt, zu dessen Verständnis eine spätere Stelle notwendig ist oder dessen Relevanz erst von dieser späteren Stelle her erkennbar wird. So wird S. 598 ein Traum Stillers erzählt, der erst in der Wiederholung S. 680 sein Ende und seine Pointe erhält. Die betont beiläufig, als erzwungene Erzählung für Knobel, eingeführte Grottengeschichte erhält einen interpretierenden Kontext erst durch Janitzio und den Selbstmordversuch. Stillers beiläufig eingeführte Narbe (S. 420) erhält erst S. 725f. durch den Bericht über den Selbstmord ihren Sinn. Die Relevanz der schon früh auftretenden, aber leicht überlesbaren Probleme von Fuß und Auge wird erst spät, z. B. in der Geschichte der beiden Jims, in ihrer Wichtigkeit erkennbar. Erst in der *Wiederholung* kommt die Lektüre zu ihrem Ende, wie erst in der Wiederholung des Besuchs die Grottengeschichte, in der Wiederholung der Beziehung die Julika-Geschichte abgeschlossen werden kann.

Der Text charakterisiert Figuren durch ihre sprachlichen und nicht-sprachlichen Handlungen, nicht aber durch explizite und unbestrittene Merkmalszuordnung durch eine autoritative Instanz. Ihnen psychische Merkmale zuzuschreiben, bedeutet also, ein System psychologischer Annahmen (»wenn x das Verhalten y zeigt, dann hat x das Merkmal z«), eine Verhaltenstheorie anzunehmen und anzuwenden. Die wechselnden Deutungen im Text selbst zeugen aber von der Divergenz solcher Theorien. Das Problem stellt sich sowohl den Figuren als den Lesern, sofern die Leser nicht auf diese Analyseebene verzichten. Es gehört aber zum traditionellen Umgang mit literarischen Figuren, sie wie lebende Personen mit einer Psyche zu behandeln, ihren »Charakter« über das hinaus, was sich aus dem Text logisch folgern läßt, zu deuten und zu bewerten. Dann aber macht der Leser mit den Figuren, was die Figuren miteinander machen. Die im Text vorprogrammierte Leserrolle ist die des *Mitspielers*: der Leser als Figur der dargestellten Welt. Noch deutlicher wird das Problem am Beispiel der ideologischen Redeebene, die ihn ebenfalls versucht, in Zustimmung oder Ablehnung der dargebotenen Positionen Partei zu ergreifen: der Text bietet ein enormes *ideologisches Identifikationspotential* mit hinreichender Divergenz, so daß sich sehr verschiedene Rezipientengruppen identifizieren können. Die Identifikation führt notwendig zu einer begrenzten Perspektive, wie sie die Figuren haben: sie verführt zur Wahl zwischen Meinungen der Figuren und zur Verwechslung der ideologischen Redeebene mit der Textbedeutung. Die dargestellte Welt verlassen zu können oder nicht, ist Problem Stillers wie des Lesers: für beide ist sie die vertraute, traditionelle, verführerische, die man als eigene akzeptieren oder als fremde interpretieren kann. Die Alternative ist die von Identifikation und Erkenntnis. Im ersten Falle stellt sich der literarische Text *Stiller* als letztlich vertraut-traditioneller oder scheinmoderner dar, dessen Welt scheinbar auf bekannte Ordnungen zurückgeführt werden kann, im zweiten Falle ist er ein Text über vertraute Literatur und bekannte Weltordnung, die er als nicht mehr funktionierende zu seinem Thema macht.

1977

8.2. Literaturpsychologie

Gunda Lusser-Mertelsmann
Selbstflucht und Selbstsuche
Das »Psychoanalytische« in Frischs »Stiller«

Literatur beschäftigt sich mit dem menschlichen Leben, nicht nur in seiner äußeren, sondern primär in seiner inneren, geistig-seelischen Dimension. Dies gilt ganz besonders für Max Frisch. Für ihn ist das Ich die »Domäne der Literatur«, sein schriftstellerisches Interesse richtet sich auf »das Einzelwesen, das Ich... die Person, die die Welt erfährt als Ich« (Frisch 1969, 33f.). Seine Suche geht »nicht in Richtung auf die Welt, sondern in Richtung auf das Ich. Nicht die Frage: wie verhält ›es‹ sich wirklich? sondern: wie erleben wir?« (V, 328). Es geht ihm um das menschliche Innenleben, das Erleben, nicht in seiner Durchschnittlichkeit, sondern gerade in seiner existentiellen Problematik.

In der Gradiva-Studie schreibt Freud:

> Der Dichter soll der Berührung mit der Psychiatrie aus dem Wege gehen, hören wir sagen, und die Schilderung krankhafter Seelenzustände den Ärzten überlassen. In Wahrheit hat kein richtiger Dichter je dieses Gebot geachtet. (1907, 43)

Auch das vielzitierte Identitätsproblem bei Frisch berührt die Psychiatrie. Man kann es als ein psychopathologisches Problem betrachten, d. h. in erster Linie als krankhaft. Doch dies dürfte nur die Psychiatrie interessieren (vgl. Burghard 1955); denn nicht in der Darstellung des Krankhaften selbst liegt für den Leser die Aussage von Literatur, sondern wesentlich ist die »psychische Grenzsituation«, »die positive Seite eines negativen Phänomens«, nämlich

> daß die psychische Krankheit selbst als eine Grenzsituation der Existenz wesentlich dazu beiträgt, diese zu erhellen, weil der in ihr weilende Mensch gerade von dieser Position aus etwas zu erfassen vermag, was dem in der fragloseren Mitte Wohnenden entgeht. (Benedetti 1975, 15)

Weil jede Literatur sich in irgendeiner Weise mit dem menschlichen Seelenleben befaßt, muß »man in der Literaturbetrachtung wohl oder übel Psychologie irgendwelcher Art betreiben« (Matt 1972, 46). Da Frischs Thema insbesondere und betontermaßen die innere, psychische Dimension des Menschen ist, tauchen nicht von ungefähr in den Interpretationen seines Werkes immer wieder psychologische und besonders psychoanalytische Begriffe und Gedanken auf (vgl. Heißenbüttel 1958, 57, 59; Mayer 1963, 249; Kaiser 1957, 49; Weisstein 1967, 261). Dabei ist allerdings auffällig, wie schnell der Gedanke an eine wissenschaftliche, nicht selbst zurechtgemachte Psychologie jedesmal beiseite geschoben wird, entweder mit einem »nur« oder »einfach psychologisch«, an dessen Stelle man lieber das tiefsinniger klingende, rätselhaftere »existentielle Problem« setzt (vgl. Weisstein 1967, 248), oder mit der Begründung, Frisch selbst ironisiere die »Freudsche Lösung« (Weisstein 1967, 257). Diese Gründe sind für jeden, der sich etwas eingehender mit der Psychoanalyse befaßt hat, äußerst fragwürdig und nicht annehmbar. Denn zum einen leugnet die Psychoanalyse oder besser Freud niemals das Bestehen existentieller, letztlich nicht auflösbarer Probleme, ohne deshalb jedoch das Forschungsinteresse einzuschränken; zum andern kann nur eine Identifizierung des Interpreten mit dem Autor seines Gegenstandes zu einer derartigen Ehrfurcht vor dessen Ironisierung führen, eine Identifizierung, die ebenfalls dem Erkenntnisinteresse zuwiderläuft.[1]

Gewiß, Frisch ironisiert die Psychologie des öfteren (vgl. III, 17, 584), aber anstatt diese Aussagen als endgültige Wahrheit zu übernehmen, müßte der Interpret sich doch fragen, warum Frisch die Psychologie ins Lächerliche zieht. Möglicherweise ist die Ironie doch gerade eine Abwehr gegen sie, weil Frisch selbst weiß, wieviel Psychologisches in seinem Werk vorhanden ist.[2] Im übrigen kann Frisch als Autor die Psychologie durchaus abweisen; denn: »Der Dichter hat es nicht nötig, nach der Psychologie zu suchen, er hat sie schon« (Wyatt 1974, 50).[3]

Die Beziehungen sind vielfältig und sicher nicht auf einen Nenner zu bringen. Wenn wir uns mit dem »Psychoanalytischen« in Frischs *Stiller* beschäftigen, so ist mit diesem vagen Ausdruck gesagt, daß wir von keiner literaturpsychologischen Theorie ausgehen.[4] Daß in Frischs Werk gerade von Interpreten, die die Psychoanalyse eher ablehnen, Bezüge zur Psychoanalyse gefunden wurden, zeigt, wie auffällig diese Verwandtschaft bei ihm offenbar ist. Heißenbüttel spricht von der »gleichsam psychoanalytischen Färbung« von Frischs Werk (1958, 59f.), stellt jedoch nicht die Frage, worin konkret diese »psychoanalytische Färbung« eigentlich besteht.

Es gibt zahlreiche inhaltliche Aspekte, die sich mit Hilfe der Psychoanalyse deuten und verstehen lassen: Geschlechterbeziehung, Rollenproblematik, Selbstmord, Religiosität, und von all diesen Punkten her läßt sich das Identitätsproblem erhellen.[5] Doch nicht so sehr diese inhaltlichen Aspekte, bei denen man sich nicht auf ein einzelnes Werk beschränken kann, sollen uns hier interessieren, sondern eben jene »psychoanalytische Färbung«, die sich eher in der Form niederschlägt. Gerade im *Stiller* kommt ja der Form, wie Dürrenmatt festgestellt hat, eine wesentliche Rolle zu, genauer gesagt: der Übereinstimmung von Inhalt und Form; beides sind Ausdrucksweisen derselben Erfahrung: »die Form ist gleichzeitig die Handlung, gleichzeitig die Problematik selbst« (Dürrenmatt 1954, 79). Selbstverständlich kann diese Darstellung nicht umfassend sein; wir können nur gewisse Aspekte herausgreifen.

Der Roman *Stiller* ist, wie Frisch selbst einmal formuliert hat, »das Tagebuch eines Gefangenen, der sich selbst entfliehen will« (Bienek 1969, 26). Aber dies ist nur die eine Seite; zugleich sind die Aufzeichnungen ja auch eine Beschäftigung und Auseinandersetzung des Gefangenen mit dem, der er nicht sein will, nämlich mit Stiller. Er protokolliert die Berichte der anderen über Stiller, über seine menschlichen Beziehungen, seine Konflikte in der Ehe mit Julika, seine Probleme als Künstler, als Mann usw. Diese Probleme und Konflikte hatten Stiller zur Flucht nach Amerika veranlaßt. Durch die »Flucht in den Raum« (Mayer 1963, 253) sollte er seine Beziehungen, seine Umwelt, insbesondere seine Eheprobleme hinter sich lassen, sich aus den Verstrikkungen befreien. Denn vor allem von Julika fühlte Stiller sich bedroht: sie forderte ständig von ihm, ihr gegenüber empfand er sich als minderwertig. Doch bereits auf der Überfahrt nach Amerika, im Schiff, merkt er, daß die Flucht ihn nicht so einfach von der Vergangenheit lösen kann: der Gedanke an Julika verfolgt und begleitet ihn.

Aber mit Flucht ist nicht nur die Flucht in den Raum gemeint: »Im Grunde, ehrlich genommen, hoffe ich doch in allem auf Verwandlung, auf Flucht« (III, 671). Dies ist nicht eine Flucht vor äußeren Gefahren, sondern eine Flucht vor sich selbst, die Hoffnung, ein anderer, besserer, wertvollerer Mensch zu werden. Auch die räumliche Flucht ist zwar im Grunde der Versuch, sich selbst zu entgehen: Stiller will ein neues Leben beginnen und nimmt einen neuen Namen an. Die Tatsache, daß er sich von Julika verfolgt fühlt, zeigt jedoch, daß sie nicht wirklich eine äußere Bedrohung, sondern vielmehr eine innere repräsentiert. Julika gibt Stiller das Gefühl, in allem zu versagen, besonders ihr gegenüber, die von anderen immer als »wertvoller Mensch« (III, 462, 471) bezeichnet wird, empfindet er sich als minderwertig, »ein stinkiger Fischer mit einer kristallenen Fee« (III, 458). In Julika treten Stiller in lebendiger Weise die Vorwürfe entgegen, die er sich eigentlich selbst macht. Deshalb auch seine Äußerung zu Julika: »Hast du mich einmal davon befreit, wenn ich glaubte, mir Vorwürfe machen zu müssen?« (III, 498). Stiller projiziert seine Selbstvorwürfe nach außen, auf Julika, was den Vorteil hat, daß er nun vor der äußeren Gefahr fliehen kann. Aber weil die Gefahr eben nur nach außen projiziert ist, im Grunde aber in ihm selbst steckt, fühlt er sich von Julika verfolgt; die Flucht in den Raum nützt ihm nichts.

Dieser Flucht vor sich selbst liegt – vereinfacht gesagt – das Gefühl zugrunde, in allem ein Versager zu sein. Stillers Spanienerlebnis ist dafür die Schlüsselerfahrung.

> »Ich bin kein Mann. Jahrelang habe ich davon geträumt: ich möchte schießen, aber es schießt nicht – ich brauche dir nicht zu sagen, was das heißt, es ist der typische Traum der Impotenz.« (III, 617)

Stiller fühlt sich impotent – im weitesten Sinne des Wortes: als Mann, als Künstler, als Mensch. Bei seiner Rückkehr in die Schweiz spielt er nun die Rolle eines andern, er gibt sich als Mr. White aus, und dieser Mr. White ist genau das, was Stiller hätte sein wollen: ein Mann. Er schreit – wie harte Männer – nach Whisky (III, 361), gibt sich als Zigarrenkenner (III, 400, 419, 584) und erzählt »wilde Weibergeschichten« (III, 402f.). »Ich bin ein sinnlicher Mensch, hemmungslos«, behauptet er, worauf Julika dem Verteidiger gegenüber äußert: »Von Hemmungslosigkeit... könne keine Rede sein, das sei von jeher ein Wunschtraum ihres Mannes gewesen« (III, 401).[6] White ist also auf der ganzen Linie das omnipotente Männlichkeitsideal, das auffallend stark an jenes der Reklame erinnert: ein Hauch von Abenteuer und

Freiheit umgibt ihn, wie jene harten Männer in der Alkohol- und Tabakwerbung: Leben im Zeitalter der Reproduktion (Mayer 1963).[7]

Stiller litt, wie der Gefangene selbst feststellt, » an der klassischen Minderwertigkeitsangst aus übertriebener Anforderung an sich selbst« (III, 600). Psychologisch ausgedrückt heißt das, daß die Selbstvorstellungen nicht mit den Vorstellungen des idealen Selbst übereinstimmen (vgl. Levita 1971, 205). Weil das ideale Selbst der Realität des Ichs nicht angemessen ist, führt sein Anspruch zur Selbstüberforderung, das Ich fühlt sich, gemessen am Ideal, als Versager. Es entsteht eine Spannung zwischen Ich und Ideal, deren Ausdruck das Schuld- oder Minderwertigkeitsgefühl ist[8], und, damit verbunden, die Angst vor Strafe. Um dieser Minderwertigkeitsangst zu entgehen, identifiziert sich Stiller mit jenem omnipotenten Ideal: er spielt die Rolle des überall erfolgreichen Mr. White und hofft, so sein Versagen in der Vergangenheit »begraben« zu können (III, 589). Indem er seine eigentliche, ihm minderwertig erscheinende Identität leugnet und sich mit dem Ideal identifiziert, versucht er, der Erniedrigung und der Versagerangst zu entgehen.

Noch etwas anderes kommt hinzu: die Identität des Mr. White ist eigentlich eine Nicht-Identität; er ist das unbeschriebene Blatt, ohne Vergangenheit, ein »Mensch, der kein Leben hinter sich hat, überhaupt keines«, der sich selbst immer wieder als »nichtigen, unwesentlichen Menschen« bezeichnet (III, 401) und der von sich sagt: »Vielleicht bin ich niemand« (III, 681). Diese Nicht-Identität hat den Vorteil, daß sie nicht mehr an einem Ideal gemessen werden kann, und wenn das Ich keine Identität hat, kann es auch nicht für sein Versagen bestraft werden. Der Verlust der Identität kann also als ein symbolischer Versuch verstanden werden, »sich durch Auslöschen der eigenen Persönlichkeit vor Strafe und gleichzeitig vor Selbstbestrafung zu flüchten« (Levita 1971, 57).

> Er lebte nicht, er spielte eine Rolle, die er sich selbst glaubte schuldig zu sein... Wir alle wissen ja so genau... wie wir sein sollten: bis wir nicht mehr wissen, wer wir sind. Das heißt: bis wir überhaupt keine Wirklichkeit mehr sind. Weil wir unsere Wirklichkeit nicht annehmen. Alles wird ein Spuk. (III, 827)

So heißt es im Hörspiel *Rip van Winkle,* jener Geschichte, die auch Stiller erzählt und die seine eigene Erfahrung widerspiegelt.[9] Auch er betont immer wieder, er wisse selbst nicht, wer er sei. Er will seine Leere, seine Nichtigkeit. Aber der Wunsch, niemand zu sein, führt doch zugleich in die Selbstentfremdung, eben weil er keine Identität mehr zuläßt: »Merkwürdigerweise ist ja die Richtung unserer Eitelkeit nicht, wie es zu sein scheint, eine Richtung auf unser Selbst hin, sondern weg von unserem Selbst.« Und diese Richtung weg von unserem Selbst ist eine »Einladung zur Neurose«, wie Stiller im Gespräch mit Rolf festhält, eine Einladung zur Selbstentfremdung (III, 669).[10]

Frisch läßt Rolf den Vorgang der Selbstentfremdung am Beispiel des Umgangs mit dem Gefühlsleben reflektieren:

> Es gibt zwei Auswege, die zu nichts führen; wir töten unsere primitiven und also unwürdigen Gefühle ab, soweit als möglich auf die Gefahr hin, daß dadurch das Gefühlsleben überhaupt abgetötet wird, oder wir geben unseren unwürdigen Gefühlen einfach einen anderen Namen. Wir lügen sie um. Wir etikettieren sie nach dem Wunsch unseres Bewußtseins. (III, 668)

Rolf bezieht diese Aussage auf die Gefühle; im weiteren Gesprächsverlauf wird aber klar, daß hier alles von uns als »unwürdig« Verworfene gemeint ist. Er beschreibt zwei Möglichkeiten, damit umzugehen: das Abtöten und das Umlügen. Stiller selbst bezeichnet – noch weit vor diesen Reflexionen des Staatsanwalts – eine seiner Geschichten als »Bericht von einem innerlichen Mord« (III, 476).[11] Die Höhlengeschichte nämlich ist der symbolische Ausdruck dieser Erfahrung des innerlichen Abtötens. Frisch benutzt hier eine historische Begebenheit, die Entdeckung der Carlsbad Caverns durch Jim White, und verändert sie so, daß sie die Erfahrung des Gefangenen zum Ausdruck bringt; denn dieser antwortet auf Knobels Frage, ob er, der Erzähler, denn jener Jim White sei: »Nein, das gerade nicht! Aber was ich selbst erlebt habe, sehen Sie, das war genau das gleiche – genau« (III, 521). Diese Aussage macht den symbolischen Charakter der Geschichte deutlich, und von eben diesem Jim White übernimmt Stiller ja auch seinen neuen Namen, seine neue »Identität«.

In der Geschichte steigen zwei Männer, die sich beide Jim nennen (was allerdings nur ganz beiläufig erwähnt wird), in eine unterirdische Höhle. Im Verlauf dieses Abenteuers bricht sich der eine den Fuß, was es ihm unmöglich macht, allein wieder die Erdoberfläche zu erreichen: er ist auf den anderen angewiesen. Nach

Kämpfen der Angst und gegenseitiger Erpressung entsteht schließlich ein »Kampf mit Fäusten«, »fürchterlich, aber kurz, denn wer zuerst ins Rutschen kam, war erledigt, in Klüften der Finsternis versenkt, zerschmettert, verstummt« (III, 521). Die Namensgleichheit der beiden Männer, die Frisch zur ursprünglichen Geschichte hinzugedichtet hat[12], deutet darauf hin, daß beide im Grunde eine Person, das Ich des Erzählers, repräsentieren. Der ebenfalls erfundene Kampf der beiden Männer ist die Darstellung des inneren Kampfes, den der Gefangene erlebt hat: »... jedenfalls ist nur einer aus der Kaverne gestiegen, der Stärkere vermutlich.« Der schwache und verletzte Teil des Ichs wird also in dieser Geschichte getötet; zurück ins Leben kommt nur der Stärkere, dessen Rolle der Gefangene spielt, der omnipotente Jim White, der nichts mit dem impotenten Stiller zu tun haben will.[13] Das Ich schafft sich in dieser Darstellung einen Doppelgänger: der »der Ich-Kritik anstößige Inhalt kann dem Doppelgänger einverleibt« und in ihm also auch getötet werden (Freud 1919, 259). Die Selbstüberforderung erscheint in diesem Bild tatsächlich als tödlich: ein Teil des Ichs, der schwache, versagende Teil, wird getötet.[14]

Auch der andere Ausweg, die Selbstbelügung, findet im Roman eine Darstellung. Selbstbelügung ist ja ein sprachlicher Vorgang: »wir geben unseren unwürdigen Gefühlen einfach einen anderen Namen«, d. h. wir bringen das, was wir nicht wahrhaben wollen, zum Schweigen, indem wir es aus der Sprache ausklammern oder einen neuen Begriff dafür setzen.

> Beispielsweise können wir uns den Mangel an Mut, einmal in die Knie zu gehen, unschwer als gute Haltung auslegen, die Angst vor Selbstverwirklichung unschwer als Selbstlosigkeit und so fort. (III, 668)

Wie nah beieinander, ja fast identisch das Abtöten und die Selbstbelügung sind, zeigt die Tatsache, daß in der Höhlengeschichte beim Tod des andern zugleich das Verstummen betont wird: »in Klüften der Finsternis versenkt, zerschmettert, verstummt«, und weiter: »Sein Name ist verschollen.« Auch Stiller ist ja verschollen, was etymologisch »verklungen«, also verstummt bedeutet.[15]

Der Gefangene hat das Verstummen und das Umlügen in besonderem Maße vollzogen: er hat sich einen neuen Namen gegeben; er hat seine eigentliche Identität aus der Sprache ausgeschlossen: »Sein Name ist verschollen, und ich denke, dieser Verschollene wird sich auch nicht mehr melden« (III, 521). Genau das wünscht der Gefangene von Stiller, aber die Rechnung geht nicht auf: der Verschollene steht Mr. White überall im Weg (vgl. III, 584). Deshalb wehrt er sich gegen die Identifizierung mit ihm noch auf eine andere Art. Stiller soll nicht nur verschollen sein, er betont auch hin und wieder, daß alles, was mit ihm zu tun hat, ihm selbst, Mr. White, fremd sei: Stillers Schrift befremdet ihn (III, 433), in Stillers Atelier könnte er sich »keinen Ort denken, wo ich mich fremder fühlte als hier« (III, 707). Um nicht mit dem versagenden Stiller identifiziert zu werden, tut Mr. White so, als sei er ihm völlig fremd: »Man will sich selbst ein Fremder sein« (III, 677). Die Selbstentfremdung ist also im Grunde etwas Gewolltes: man will die unangenehmen, »unwürdigen« Aspekte der eigenen Person als fremd, als nicht zum Ich gehörend empfinden. Freud bezeichnet einmal als allgemeinen Charakter der Entfremdungsphänomene: »sie dienen alle der Abwehr, wollen etwas vom Ich fernhalten, verleugnen« (1936, 290). Die Selbstentfremdung ist also nicht nur Folge des Abtötens und des Umlügens, sondern sie selbst steht im Dienst der Abwehr gegen die »unwürdigen« Ich-Anteile. Abtöten, Umlügen, Selbstentfremdung haben im Grunde die gleiche Funktion: sie verleugnen gewisse Aspekte des Ichs, sie verfälschen die Selbstwahrnehmung.

Diese Abwehr gegen unangenehme, der Ich-Kritik anstößige Inhalte der eigenen Person ist gleichbedeutend mit einer Flucht vor sich selbst, sie ist der Versuch, sich selbst zu entgehen. Was Frisch in Abtöten, Umlügen und Selbstentfremdung darstellt, ist die Abwehr gegen eine Gefahr von innen; denn nach Freud haben die Abwehrmechanismen, vor allem die Verdrängung, »die primitivste und gründlichste dieser Methoden« (Freud 1936, 291), die Aufgabe, »die innere Wahrnehmung zu verfälschen« (Freud 1937a, 377); vor der inneren Gefahr schützt keine Flucht in den Raum, aber die Verdrängung ist »im Grunde ein Fluchtversuch« (Freud 1926, 292), weil »die Abwehr eines unerwünschten Vorganges im Innern nach dem Muster der Abwehr gegen einen äußeren Reiz geschehen dürfte« (Freud 1926, 238).

Die Flucht vor sich selbst, die Verdrängung oder Verfälschung der inneren Wahrnehmung führt aber nicht zur erhofften Verwandlung, der neue Name ist noch nicht gleichbedeutend mit einer neuen, »wertvolleren« Identität; im Gegenteil: der Gefangene weiß nicht mehr, wer er in Wirklichkeit ist; außerdem steht der verschollene Stiller ihm überall im Weg. Er möchte Stiller der Vergessenheit überlassen, wird aber dennoch ständig mit ihm konfrontiert, von ihm bedrängt und gezwungen, sich mit ihm auseinanderzusetzen.

Auch darin besteht eine Parallele zu Freuds Theorie der Verdrängung: das Verdrängte ist keineswegs aufgehoben, aus der Welt geschafft; es ist nur verfälscht und macht sich auf anderem Wege wieder bemerkbar; denn die Folgen der Verdrängung sind Selbstentfremdung und Ich-Einschränkungen (Freud 1937a, 378) und außerdem etwas, vor dem Stiller immer wieder Angst hat: die Wiederholung (vgl. III, 421).

Er begründet seine innere Flucht damit, daß er Angst vor der Wiederholung hat; zugleich weiß er jedoch, daß er die Wiederholung durch Flucht nicht umgehen kann. Gerade weil er sich selbst flieht, tritt der Wiederholungszwang ein.[16] Er macht die Erfahrung, »daß man gerade durch das Mittel der Flucht sich dem ausliefert, vor dem man flieht« (Freud 1907, 42); denn: »Das Versagen in unserem Leben läßt sich nicht begraben [d. h. abtöten, verdrängen], und solange ich's versuche, komme ich aus dem Versagen nicht heraus, es gibt keine Flucht« (III, 589).

»Es gibt keine Flucht« – dieser Satz taucht immer wieder auf (III, 401, 412, 589), und diese Einsicht ist eine der Grundlagen des Romans überhaupt; denn weil Stiller erfahren hat, daß Flucht vor sich selbst nichts nützt, um mit sich selbst fertig zu werden, deshalb kehrt er in die Schweiz zurück (vgl. III, 768). Deshalb kommt es überhaupt zur Auseinandersetzung Whites mit Stiller.

Die Rückkehr in die Schweiz macht die äußere Flucht rückgängig, und sie zwingt ihn zugleich, sich mit Stiller auseinanderzusetzen; mehr noch: sie zeugt davon, daß er diese Auseinandersetzung sucht. Er will die Flucht insgesamt rückgängig machen, was sich äußerlich schon darin zeigt, daß er verschiedene ihm sich bietende Fluchtmöglichkeiten gar nicht nutzt (vgl. III, 363, 429, 676). Denn die äußere Situation repräsentiert die innere: »Das Gefängnis ist nur in mir« (III, 373).

Die Flucht nach Amerika und die symbolische Darstellung der inneren Flucht, der Verdrängung, in der Höhlengeschichte gehören im Roman der Vergangenheit an. Sie werden vom Erzähler rückblickend aufgezeichnet. Nun ist mit der Rückkehr in die Schweiz die Flucht vor sich selbst aber noch nicht aufgehoben; denn der Gefangene weigert sich ja hartnäckig, die Identität mit Stiller anzunehmen. Umlügen und Selbstentfremdung bestehen noch. Aber die Aufzeichnungen sind eine Auseinandersetzung mit Stiller, der er nicht sein will, und Auseinandersetzung ist ja das Gegenteil von Flucht. Der Roman selbst, der mit der Rückkehr in die Schweiz überhaupt beginnt, stellt also eine Stufe des Verhaltens zu sich selbst dar, die zwischen Selbstflucht (Verdrängung) und Selbstannahme liegt. Er ist das Bemühen um Selbsterkenntnis.

Freud nannte einmal die Verdrängung »ein Mittelding zwischen Flucht und Verurteilung« (1915, 248). Flucht, Verdrängung (also Flucht vor sich selbst) und Verurteilung stellen verschiedene Stufen des Verhaltens gegenüber Konflikten dar, die sich auch im *Stiller* nachweisen lassen: Stiller versuchte zunächst, seinen Problemen durch Flucht in den Raum zu entgehen, und zugleich durch die Verdrängung derjenigen Persönlichkeitsanteile, die er nicht annehmen konnte, durch die Flucht vor sich selbst also. Beide Arten des Umgangs mit inneren Konflikten scheitern: sie können ihn nicht von seiner Vergangenheit lösen. Die dritte Möglichkeit nun stellt der Roman selbst dar: die Verurteilung erscheint bereits im allerersten Satz, gewissermaßen als Vorzeichen des ganzen Romans: »Ich bin nicht Stiller!« Verurteilung bedeutet ja »etwas im Urteil verneinen« (Freud 1925, 374), und auf dieser Verurteilung oder Verneinung basiert eigentlich der ganze Roman; ohne sie wäre er in dieser Form nicht möglich.

Die Funktion der Verneinung besteht darin, daß mit ihrer Hilfe ein verdrängter Inhalt in Sprache gefaßt und also zum Bewußtsein zugelassen werden kann.[17] Damit ist gegenüber der Verdrängung ein wesentlicher Schritt gewonnen: was in der Verdrängung abgetötet oder umgelogen, zum Verstummen gebracht oder sprachlich verfälscht wird, kann mit Hilfe der Verneinung zumindest wieder in Sprache erscheinen: »Ein verdrängter Vorstellungs- oder Gedankeninhalt kann also zum Bewußtsein durchdringen, unter der Bedingung, daß er sich verneinen läßt« (Freud 1925, 374). Was den Unterschied zur Wahrheit noch ausmacht, ist lediglich das negative Vorzeichen. Die Abwehr besteht eben nur noch in der Verneinung.

Unter dem Vorzeichen der Verneinung kann Stiller aus seiner

»Verschollenheit«, aus der Verstummung heraustreten. Er wird als der andere in Sprache dargestellt. »Die Verneinung ist eine Art, das Verdrängte zur Kenntnis zu nehmen, eigentlich schon eine Aufhebung der Verdrängung, aber freilich keine Annahme des Verdrängten.« Sie ist »eine Art von intellektueller Annahme des Verdrängten, bei Fortbestand des Wesentlichen an der Verdrängung« (Freud 1925, 374), d. h. das Verdrängte wird affektiv nicht angenommen. Die Verneinung ist also ein Schritt von der Verdrängung weg in Richtung auf ihre Aufhebung. Sie ist eine Kompromißformel, da sie einerseits das Verleugnete Sprache werden läßt, andererseits es aber (noch) nicht als Eigenes annimmt. Sie erleichtert die Auseinandersetzung und die Erkenntnis der abgespaltenen, entfremdeten Ich-Anteile. Denn solange die »unwürdigen« Aspekte einem anderen, Fremden, einem »Er« zugeschrieben werden können, ist ihre »objektive« Erkenntnis leichter, weil sie nicht als Bedrohung der eigenen Person empfunden werden. Die Spaltung des Ichs hat damit auch Vorteile: sie führt nicht nur zur Selbstentfremdung, sondern dadurch, daß man sich selbst ein Fremder ist, kann man sich ja von außen betrachten, und »das Fremdeste, was man erleben kann, ist das Eigene einmal von außen gesehen« (II, 453). Die Spaltung ermöglicht zugleich Selbsterkenntnis: das Ich wird sich selbst zum Objekt.[18]

Hier ergibt sich eine interessante Parallele zum Autor, zu Frisch selbst: »Im Sinne der Beicht-Literatur (maximale Aufrichtigkeit gegenüber sich selbst) vermag die ER-Form mehr« (VI, 287). Dahinter steht doch offenbar die gleiche Erfahrung wie hinter der Er-Form im *Stiller*: es ist leichter, sich selbst gegenüber ehrlich zu sein, wenn man das Eigene von außen betrachtet, als Nicht-Eigenes, wenn man sich also nicht damit identifiziert. Die Er-Form ermöglicht die intellektuelle Erkenntnis, ist aber noch nicht die affektive Annahme des Erkannten. Sie hat die gleiche Funktion wie die Verneinung, durch die sie im *Stiller* überhaupt erst möglich wird.[19] Ist es letztlich die Angst vor der Bedrohung durch die Selbstüberforderung, welche Flucht und Verdrängung bewirkt, so wird durch die Verneinung und die Er-Form die Angst ausgeschaltet: die Selbstwahrnehmung kann angstfreier und daher unverfälschter stattfinden.

Die Selbstwahrnehmung unter dem Vorzeichen der Verneinung findet auf zwei Wegen statt. Zunächst einmal durch das Aufschreiben der Lebensgeschichte. Dürrenmatt hat über die Form des Romans gesagt: »Das Ich wird ein Kriminalfall« (1954, 81). Vergangenheit wird aufgerollt, bereits Geschehenem wird nachgeforscht. Der Gefangene rekonstruiert die Lebensgeschichte Stillers, und zwar aus lauter bruchstückhaften Elementen, den Erzählungen und Berichten der andern, die sich zum Teil überschneiden und ergänzen. Er versucht, »Zusammenhänge zu erraten... so wie man etwa Kreuzworträtsel ausfüllt« (III, 458). Auch in der psychoanalytischen Therapie wird vor allem die Lebensgeschichte eines Menschen rekonstruiert.[20] Freud spricht vom »rückschreitenden Charakter der Analyse« (1916–17, 320) und beschreibt die psychoanalytische Technik als Mittel, um »Verborgenes ans Licht zu ziehen« (1910, 112) und »Geheimes und Verborgenes zu erraten« (1914, 207). »Das Gewünschte ist ein zuverlässiges und in allen wesentlichen Stücken vollständiges Bild der vergessenen Lebensjahre des Patienten«; der Analytiker hat die Aufgabe, das Vergessene »aus den Anzeichen, die es hinterlassen, zu erraten oder richtiger ausgedrückt, zu konstruieren« (1937, 396). Auch er versucht, Zusammenhänge zu erraten und Lücken, leere Felder in der Vergangenheit, auszufüllen. Wie Freud das Oedipusdrama, so kann man auch den *Stiller* mit der Arbeit der Psychoanalyse vergleichen: seine Handlung besteht in nichts anderem als in der schrittweisen Enthüllung, daß Mr. White zumindest äußerlich der verschollene Stiller ist.

Der Gefangene nennt das Rekonstruieren von Stillers Lebensgeschichte »Protokollieren«. Damit will er zweifellos sein Unbeteiligtsein und seine Objektivität dem Dargestellten gegenüber betonen und beweisen, daß es nichts mit »Erinnerung« zu tun hat. Er distanziert sich von dieser Lebensgeschichte, indem er sie nicht als eigene Erinnerung an die Vergangenheit ausgibt. Freud bezeichnet einmal das Verdrängte als das »absolut nicht als Erinnerung Erkannte« (1895, 243) und das Ziel der psychoanalytischen Therapie: »der Analysierte soll dazu gebracht werden, etwas von ihm Erlebtes und Verdrängtes zu erinnern« (1937, 396). Genau das geschieht nun auch im *Stiller*. Der Verlauf des Romans stellt nichts anderes dar als die allmähliche Identifizierung des Gefangenen mit Stiller und mit seiner Vergangenheit. An einer Stelle wird er gleichsam von der Erinnerung überwältigt, kann er die Distanz nicht mehr aufrechterhalten: das über Stiller, den anderen, Geschriebene wird plötzlich wieder zum Eigenen, als zum

Ich gehörend erkannt (III, 681). Damit wird die Verneinung zu einem Teil aufgehoben, und die Aufzeichnungen gehen auch nicht mehr viel weiter: sie können nicht weitergehen, weil das Ich aus seiner Objektsituation zum Subjekt geworden ist, das sich selbst nun nicht mehr von außen betrachten kann. Dies kann nur noch der Staatsanwalt im Nachwort.

Neben der Lebensgeschichte Stillers spielt auch die Lebensgeschichte des gefangenen Mr. White eine Rolle, oder besser sein Leben; denn er hat keine Lebensgeschichte, keine Vergangenheit (vgl. III, 401), sein Leben besteht eigentlich nur aus Geschichten, die er dem interessierten Gefängniswärter Knobel zum besten gibt. Er unterscheidet dabei zwei Arten von Geschichten: einmal die Erzählungen von »Tatsachen«, zum andern jene Erzählungen, die der Gefangene als »wahre Geschichten« bezeichnet (vgl. III, 412). Diese Geschichten – von der Umwelt, vor allem vom Verteidiger, als »Hirngespinste« und »Wahnideen« abgetan (III, 409, 412, 692) – haben für den Gefangenen selbst eine tiefere, symbolische Bedeutung. Er stellt dem Wahrheitsbegriff seiner Umwelt einen anderen entgegen; nicht die äußere, mit Fotos belegbare Wirklichkeit ist für ihn wichtig, sondern eine innere oder – wie die Psychoanalyse es nennt – psychische Realität (vgl. III, 371).

Wie unwesentlich für Frisch die äußere Lebensgeschichte, die Biographie eines Menschen ist, zeigt sich schon daran, daß Stillers Lebensgeschichte nicht als objektiv feststellbarer Tatbestand erscheint, sondern aus der Perspektive verschiedener Figuren, die dann jeweils noch gebrochen wird durch die Perspektive des protokollierenden Gefangenen. Dadurch wird die »Wahrheit« der Geschichte aufs äußerste in Frage gestellt!

Zu dieser eher intuitiven Darstellung hat Frisch später in anderem Zusammenhang theoretische Überlegungen angestellt: »Theorie ist bei mir immer nachträglich« (V, 325).[21] Denn was er an Stillers Vorstellung von Wahrheit demonstriert, daß sie nämlich nur durch erfundene Geschichten mitgeteilt werden kann, das stellt im Grunde seine eigenen Vorstellungen von Biographie und Fiktion dar (vgl. V, 327–332).

Die Wirklichkeit oder Identität des Menschen liegt für Frisch nicht in der äußeren Biographie; sie kann nur mit Hilfe von Erdichtetem ausgedrückt und umschrieben werden. Die Person selbst ist dabei »ein weißer Fleck«, »umrissen durch die Summe der Fiktionen, die dieser Person möglich sind« (V, 325). Diese Vorstellung hat Frisch am konsequentesten im Roman *Mein Name sei Gantenbein* dargestellt; dort ist das Ich tatsächlich eine absolute Leerstelle. Aber bereits im *Stiller* ist diese Vorstellung wohl eher intuitiv und somit weniger theoretisch eingeflossen. Denn auch Stillers Person, seine eigentliche Wirklichkeit, ist ja ein weißer Fleck: er nennt sich Mr. White, dessen Wirklichkeit nur in Fiktionen erscheint. Er hat keine eigentliche Biographie. Die gehört nur zu Stiller.

Aber die Wahrheit ist nicht die Fiktion selbst, sondern in den Varianten der Fiktionen werden die Erlebnismuster erkennbar: »Erst die Varianten zeigen die Konstante« (V, 327). Die Wahrheit ist »das Weiße zwischen den Worten«, hieß es schon im ersten Tagebuch (II, 378). Die Geschichten verhüllen also die Wahrheit, aber das bedeutet zugleich, daß sie sie enthalten.[22]

Im Fabulieren, im Erfinden von Geschichten, umschreibt der Erzähler sich selbst, ohne sich selbst aber zu kennen: »und zwar unbewußt«. Nachträglich erst kann er sich in diesem Erfundenen selbst finden. Für Stiller sind die Geschichten deshalb nicht nur Ausdruck der eigenen Wirklichkeit, sondern zugleich die Möglichkeit, sie zu erkennen. Und dies gilt wiederum auch für Frisch selbst, denn: »Schreiben heißt: sich selber lesen« (II, 361), »Schreiben ist Rechenschaft geben über sich selbst« (Bloch/Hubacher 1972, 22; vgl. Frisch 1969, 19). Frischs gesamte Literatur ist im Grunde Selbstdarstellung in und durch Fiktionen und der Versuch, durch Selbstdarstellung sich selbst zu erkennen. Dies schlägt sich nicht zuletzt in der immer wieder von ihm gewählten Form des Tagebuchs nieder, wobei diese Wahl nicht bewußt stattfindet: »Ich habe keine bewußte Wahl. Ich muß mich an die Einfälle halten« (Bienek 1969, 31). Aber auch die unbewußte Wahl ist nicht zufällig, denn das Tagebuch ermöglicht eben die Selbstreflexion, die Blickrichtung auf das Ich.

Stillers Reise nach Amerika, von wo er die Geschichten mitbringt, hat so noch eine andere Bedeutung: sie ist nicht nur Flucht vor sich selbst, sondern auch eine Reise zu den »Kontinenten der eigenen Seele« (II, 184) oder ins »innere Ausland«, wie Freud einmal das Unbewußte nannte (1933, 496).[23] Diese Reise ins eigene Innenleben stellt Frisch wiederum in einer Geschichte symbolisch dar, und zwar auch in der Höhlengeschichte; denn »soll das ›Unbewußte‹ als Element der Wachgedanken im Traum Darstellung finden, so ersetzt es sich ganz zweckmäßigerweise durch ›unterirdische‹ Lokalitäten« (Freud 1900, 399). Die Schilderung der Höhle als »unterirdisches Arsenal der Metaphern«, in dem es auch an Symbolen, zum Beispiel an »Monumenten des Phallus«, nicht fehlt (III, 514), entspricht in vielen Punkten der Beschreibung des Unbewußten in der Psychoanalyse. So ist insbesondere die Dunkelheit und Finsternis eine metaphorische Bezeichnung für das Unbewußte, im Gegensatz zur Helle des Bewußtseins (vgl. Freud 1933, 511).[24] Für die Schilderung der Höhle benutzt Frisch im weiteren den Vergleich mit Träumen, die Freud bekanntlich als »via regia zum Unbewußten« bezeichnete (1900, 577), und mit Märchen, in denen die Psychoanalyse, ähnlich wie im Traum, den Ausdruck unbewußter seelischer Regungen sieht (vgl. Freud 1916–17, 168, 466). »Alles, was die Menschenseele je an Formen erträumte, hier ist es noch einmal in Versteinerung wiederholt und aufbewahrt, scheint es, für die Ewigkeit« (III, 514). Diese Beschreibung erinnert an Freuds Auffassung, »daß im Seelenleben nichts, was einmal gebildet wurde, untergehen kann« (1940, 69).

> Es ist sogar eine hervorragende Besonderheit unbewußter Vorgänge, daß sie unzerstörbar bleiben. Im Unbewußten ist nichts zu Ende zu bringen, ist nichts vergangen oder vergessen. (Freud 1900, 550)

Die beiden hier erwähnten Deutungen der Höhlengeschichte lassen sich natürlich miteinander verbinden; denn beide Male stellt die Höhle das Unbewußte dar: in der ersten Deutung stand die Verdrängung ins Unbewußte im Vordergrund, hier dagegen das Interesse am Unbewußten, der Wunsch, seine Geheimnisse zu erforschen.

Dies also sind die beiden Wege, auf denen der Gefangene sich selbst sucht: die Rekonstruktion der Lebensgeschichte und das Geschichtenerzählen. Von Frisch und seiner Figur, Stiller, her gesehen sind die Geschichten der Gegenentwurf zur äußeren Biographie, die dem Gefangenen als seine Wirklichkeit aufgedrängt wird. Nur in den Geschichten sucht der Gefangene selbst seine eigentliche Wirklichkeit, sie dienen ihm der »Entdeckung der Person« (V, 333). Aber auch wenn möglicherweise Frischs Intention die war, daß die Biographie nur in Erscheinung treten muß, damit die Geschichten und Fiktionen als Gegenentwurf erscheinen können, so findet doch eine Auseinandersetzung mit der Lebensgeschichte statt. Auch wenn Stiller die Lebensgeschichte für seine innere Wirklichkeit unwichtig erscheint, so weiß er doch, daß sie zu ihm gehört: die Vergangenheit läßt sich nicht einfach »begraben«, d. h. verdrängen. Freud versteht die Wahnbildungen, also die »Hirngespinste«, »als Aequivalente der Konstruktionen«: beides, Phantasien und Rekonstruktion, sind im Grunde »Versuche zur Erklärung und Wiederherstellung« der Vergangenheit (Freud 1937, 405). Tatsache ist, daß die sieben Hefte der Aufzeichnungen abwechselnd Stillers Lebensgeschichte, also der Vergangenheit, und den Fiktionen sowie der Gegenwart des Mr. White gewidmet sind. Beides gehört zur Identität.[25]

Der Gefangene begründet seine Beschäftigung mit Stiller durch den äußeren Zwang des Gefangenseins: »... und wäre es auch nur zur Unterhaltung... Was soll ich in meiner Zelle sonst tun!« (III, 458). Das Erraten der Zusammenhänge geschieht, wie die Formulierung zeigt, nicht nur zur Unterhaltung, sondern die äußere Situation des Gefangenseins repräsentiert im Grunde eine innere: »... die Hoffnung, mir zu entgehen. Diese Hoffnung ist mein Gefängnis« (III, 690). Das Gefängnis ist eigentlich die Flucht Stillers vor sich selbst, das heißt die Verdrängung hält ihn gefangen. Deshalb kann er aus diesem inneren Gefängnis nur herauskommen, wenn er die Flucht vor sich selbst aufgibt, sich selbst sucht und womöglich annimmt.

Frisch hat in diesem Roman eine innere, psychische Situation, nämlich die Flucht vor sich selbst, die Verdrängung, und den Versuch, die Flucht rückgängig zu machen, als eine äußere Situation dargestellt. Er hat einen seelischen Konflikt Gestalt werden lassen, den Konflikt zwischen der Verdrängung und dem Widerstand einerseits und der Selbstreflexion und Selbstsuche andererseits. Der Roman ist die Darstellung eines Ich-Zerfalls und zugleich der Versuch der Wiederherstellung, der Heilung, durch Selbstsuche. Der wesentliche Teil der Selbstflucht liegt in der Vergangenheit. Mit Beginn des Romans fängt die Selbstsuche an, die über die Kompromißformel der Verneinung möglich wird; durch sie gewinnt der innere Konflikt äußere Gestalt. In dieser Auseinandersetzung mit sich selbst, vor allem in der Art, wie sie geschieht, liegt zweifellos die »gleichsam psychoanalytische Färbung« des Romans. Was Frisch hier darstellt, ist tatsächlich eine Art »Selbstanalyse« (Weisstein 1967, 256) als Reaktion auf das Scheitern der Flucht vor sich selbst, und diese Selbstanalyse hat sehr viel Ähnlichkeit mit der psychoanalytischen Therapie.

Es stellt sich nun die Frage, wie es eigentlich zu dieser psychoanalytischen Färbung kommt, wie die Verwandtschaft des Romans zur Psychoanalyse zu verstehen oder zu erklären ist.

Am wenigsten ist anzunehmen, daß Frisch die Parallelen bewußt und absichtlich hergestellt, »sich der psychoanalytischen Methode bedient« hat (Heißenbüttel 1958, 59).[26] Das sicher nicht. Aber Frisch hat sich in frühen Jahren mit der Psychoanalyse, vor allem mit der Tiefenpsychologie C. G. Jungs, beschäftigt (allerdings wohl weniger, als gemeinhin angenommen wird). Er hat jahrelang in Zürich gelebt, einer Stadt, in der geradezu ein »psychoanalytisches Klima« herrscht. Darüber hinaus ist die Psychoanalyse heute – im Grunde schon seit langem – nicht nur eine bestimmte Richtung der Seelenkunde und eine psychotherapeutische Methode, sondern sie gehört zum allgemeinen Kultur- und Bildungsgut, dem sich gerade ein Schriftsteller, noch dazu in Zürich, kaum entziehen kann, wenn auch der Einfluß und die Aufnahme dieses Gedankengutes meist unbewußt geschehen dürften. Im übrigen darf jene eingangs erwähnte Verwandtschaft zwischen Dichtung und Psychoanalyse nicht übersehen werden: sie haben beide das menschliche Seelenleben zum Gegenstand, was ganz besonders für Frischs Literatur zutrifft. Ein Unterschied besteht vor allem darin, daß der Psychoanalytiker sich vorwiegend mit dem Seelenleben anderer befaßt (außer in seiner eigenen Analyse), der Dichter dagegen die Figuren, die er darstellt, aus seinem eigenen Innern schöpft.[27]

> Der Dichter ist sich der eigenen seelischen Vorgänge bewußter und hat zu seinen Phantasien und dem Vorbewußten samt seinen prälogischen Denkformen eine vertrautere Beziehung als der Nichtkünstler. (Wyatt 1974, 50f.)

So scheint es kaum erstaunlich, daß Frisch Mechanismen wie die Verdrängung und den Versuch ihrer Aufhebung auf diese Weise darstellt: er wird an sich selbst diese Art des Umgangs mit »unwürdigen« Aspekten des Ichs und seine Folgen auf einer vorbewußten Ebene erlebt haben. Jedenfalls rücken Dichtung und Psychoanalyse hier zusammen, »unabhängig davon, was der betreffende Dichter von der Psychoanalyse hält« (Dettmering 1974, 22f).[28]

Hinzu kommt, daß Frischs Schreiben auf Selbsterkenntnis hin ausgerichtet ist: in seinen Phantasien will er sich selbst erkunden.

Schreiben ist nicht mehr nur Erfüllung unbefriedigter Wünsche, wie Freud noch annahm (vgl. 1908b, 173f.), sondern im Zeitalter der Psychologie und Psychoanalyse sieht auch der Schriftsteller im Schreiben, im Erfinden von Geschichten, einen Weg, das Unbewußte zu erkennen. Schreiben dient für Frisch der Selbstreflexion, und auch die Psychoanalyse ist im Grunde Selbstreflexion (vgl. Habermas 1968, 262ff.). Darüber hinaus benutzt er nicht nur Fiktionen und Träume für die Selbsterkundung, sondern er spricht sogar von der »Zwangsläufigkeit der Assoziationen« in den Erfindungen (V, 330), jener Erkenntnis, die eine der wesentlichen Grundlagen der Psychoanalyse ausmacht: »Es gibt viel weniger Freiheit und Willkür im Seelenleben, als wir geneigt sind anzunehmen; vielleicht überhaupt keine« (Freud 1907, 14f.). Eben weil Fiktionen, Träume, Assoziationen nicht zufällig, sondern immer psychisch determiniert sind, sind sie überhaupt ein Weg, das eigene Innenleben, das Unbewußte, kennenzulernen. In der Erzählung *Montauk* verwendet Frisch schließlich für die Auseinandersetzung mit sich selbst einen Weg, der mit den freien Assoziationen in der Psychoanalyse praktisch identisch ist.

Weil Frischs Literatur Selbsterkundung durch Selbstdarstellung ist, besteht, wie Dürrenmatt betont hat, die Gefahr des Peinlichen. Dieser Gefahr ist Frisch im *Stiller* entgangen, indem er die Form gefunden hat, »durch welche die Möglichkeit auftauchte, wohl blitzartig, aus sich selbst einen Roman zu machen« (Dürrenmatt 1954, 79). Weil die Gefahr des Peinlichen immer besteht, hat die Form eine sehr große Bedeutung für Frisch. Sie hat die Aufgabe, das Peinliche der öffentlichen Selbstpreisgabe zu verhüllen.[29]

Freud hat die Dichtung in Bezug gesetzt zu den Phantasien und gesagt, daß der Erwachsene seine Phantasien vor anderen sorgfältig verberge, weil sie meist einen anstößigen Inhalt haben:

> Wir werden von solchen Phantasien, wenn wir sie erfahren, abgestoßen oder bleiben höchstens kühl gegen sie. Wenn aber der Dichter uns seine Spiele vorspielt oder uns das erzählt, was wir für seine persönlichen Tagträume zu erklären geneigt sind, so empfinden wir hohe, wahrscheinlich aus vielen Quellen zusammenfließende Lust. Wie der Dichter das zustande bringt, das ist sein eigenstes Geheimnis; in der Technik der Überwindung jener Abstoßung... liegt die eigentliche »Ars poetica«. (1908b, 179)

Durch die Form des Romans hat Frisch das Abstoßende und Peinliche verhindert; denn die Form, möglich geworden durch die Verneinung, erhält die Verdrängung aufrecht und ermöglicht doch eine Auseinandersetzung mit dem Verdrängten. Zugleich vermindert sie, weil das Ich selbst eine Leerstelle ist und das Auskundschaften dem Nicht-Ich, dem Fremden gilt, die Gefahr des Exhibitionistischen und des Narzißtischen. Durch diesen intuitiven, »blitzartigen« Einfall der Form, die die Problematik selbst ist, ist der *Stiller* vom künstlerischen Standpunkt, von der »Ars poetica« her, wohl das überlegenste und deshalb auch das erfolgreichste Werk Frischs.

1977

Anmerkungen

1 Freud hat in der »eigentümlichen Fixierung« der Biographen an ihr Objekt, und dies gilt sicher auch für die Interpreten von Literatur, das Motiv für ihr Widerstreben gegen psychoanalytisches Verstehen gefunden (1910, 152).

2 Eine ähnliche, aber intensivere Abwehr hat Hiatt in Nabokovs *Lolita* nachgewiesen (Hiatt 1967).

3 Zur inneren Verwandtschaft von Dichtung und Psychoanalyse vgl. Freud 1907, 43, u. 1900, 266, außerdem Dettmering 1974, 22. Äußerungen, z. B. bei Aristophanes (Die Wolken, in: *Antike Komödien,* München 1968, S. 141 f.) und bei Kleist (Über die allmähliche Verfertigung der Gedanken beim Reden, in: *Sämtliche Werke,* München 1967, S. 880 ff.) lassen sich hier als Beleg heranziehen.

4 Das Verhältnis von Psychoanalyse und Literaturwissenschaft kann hier nicht eingehender erörtert werden. Vgl. dazu Cremerius (Hg.) 1974, Groeben 1972, Kris 1941, Urban 1973 u. a.

5 Vgl. dazu Lusser-Mertelsmann 1976.

6 Ein ähnlicher Wunschtraum kommt auch in der Geschichte vom Haarölgangster zum Ausdruck (III, 692 f).

7 Das Problem der Männlichkeit zieht sich durch Frischs ganzes Werk. (*Die Schwierigen, Don Juan oder Die Liebe zur Geometrie, Homo faber* usw.). Es gehört auch wesentlich zum Identitätsproblem.

8 Minderwertigkeitsangst und Schuldgefühl sind, wie Freud bemerkt, »schwer auseinanderzuhalten« (1933, 504). – Wie es zu dieser Spannung zwischen Ich und Ideal kommt, läßt sich im Roman nachweisen, was hier aber zu weit führen würde.

9 Das Hörspiel entstand etwa zur gleichen Zeit wie der *Stiller* (vgl. Bienek 1969, 31 f).

10 Vgl. Freud 1908 a, 22: »Alle, die edler sein wollen, als ihre Konstitution es ihnen gestattet, verfallen der Neurose; sie hätten sich wohler befunden, wenn es ihnen möglich geblieben wäre, schlechter zu sein.«

11 Dies ist vielleicht zugleich eine Anspielung auf Julika, auf den »Mord«, den die beiden aneinander verübt haben. Uns interessiert hier aber nur der offensichtliche Bezug zur Höhlengeschichte. Auch Stillers Äußerung, »daß gerade mein

Versuch zu fliehen, der Mord ist« (III, 412), kann sich eigentlich nur auf ihn selbst beziehen: Julika blüht in seiner Abwesenheit ja gerade auf.

12 In der wirklichen Geschichte gibt es zwar auch einen »Mexican boy«, aber er heißt nicht Jim, sondern »The Kid«.

13 In diesem Zusammenhang sei noch auf eine Symboldeutung hingewiesen: der gebrochene Fuß ist nämlich oft Symbol der Kastration, also der Impotenz (vgl. Rank 1912, 267).

14 Benedetti bezeichnet das Thema des Doppelgängers als »Paradigma der Selbstentfremdung« (1975, 114). – Die Höhlengeschichte hat im Zusammenhang des Romans noch weitere Bedeutungen; auf eine werden wir später noch kommen, eine weitere findet sich im Artikel über die Höhlengeschichte (S. 165–172).

15 Die Sprache hat im *Stiller* und bei Frisch überhaupt eine wichtige Funktion. Auch in diesem Bereich bestehen Bezüge zur Psychoanalyse und ihrer Sprachauffassung, die wir hier jedoch ausklammern müssen (vgl. Lusser-Mertelsmann 1976).

16 Vgl. Freud 1926, 292: »Das fixierende Moment an der Veränderung ist also der Wiederholungszwang.«

17 Freud hatte in seiner psychoanalytischen Praxis festgestellt, daß die Patienten ihre Einfälle oft unter dem Vorzeichen der Verneinung vorbringen, etwa in der Art: »›Sie werden jetzt denken, ich will etwas Beleidigendes sagen, aber ich habe wirklich nicht diese Absicht‹.« Freud versteht diese Art, den Einfall vorzubringen, als die »Abweisung eines eben auftauchenden Einfalls« und leitet daraus die Berechtigung ab, »bei der Deutung von der Verneinung abzusehen und den reinen Inhalt des Einfalls herauszugreifen« (1925, 373): »Vermittels des Verneinungssymbols macht sich das Denken von den Einschränkungen der Verdrängung frei und bereichert sich um Inhalte, deren es für seine Leistung nicht entbehren kann« (1925, 274).

18 Loch spricht davon, daß eine »Ichspaltung notwendige Vorbedingung für die erfolgreiche psychoanalytische Arbeit« sei (1972, 211). – Vgl. hierzu eine Feststellung Schenkers: »Erst die Rolle von Mr. White macht es Stiller möglich, sich selbst in Sprache zu fassen. Dort nämlich, wo er zum ersten Mal seine Identität eingesteht, seine Rolle also aufgibt, scheint er gleichzeitig mit der Rolle auch die Sprache zu verlieren« (1969, 115f.).

19 Im Gegensatz zum *Stiller* ist der *Homo faber* ein Bericht in der reinen Ich-Form. Auch Walter Faber versucht zwar, sich rückblickend über sein Verhalten klar zu werden, aber dieser Bericht zeugt nicht von dem Bemühen um »maximale Aufrichtigkeit«, sondern er ist mehr eine Rechtfertigung des eigenen Verhaltens. Er beweist weniger das Nichtwissenkönnen Fabers, wie er es möchte, als vielmehr sein Nichtwissenwollen. Der ganze Roman ist der Versuch der Selbstbelügung, die aber schließlich nicht mehr aufrechterhalten werden kann: »Ich wußte es« (IV, 158).

20 Lorenzer bezeichnet die Rekonstruktion der Lebensgeschichte als zentrales Forschungsverfahren der Psychoanalyse (1970, 135).

21 Vgl. auch Frisch 1969, 21: »Also Theorie allenfalls als Versuch einer Rechenschaft hinterher, aber nicht als Postulat.«

22 Die Geschichten, Phantasien oder Wahnideen haben eine enge Verwandtschaft zu Träumen, die ja auch im Roman eine große Rolle spielen. »Traum und Wahn stammen aus derselben Quelle, vom Verdrängten her« (Freud 1907, 58f.), sie sind »Ersatz und Abkömmlinge von verdrängten Erinnerungen, denen ein Wi-

derstand nicht gestattet, sich unverändert zum Bewußtsein zu bringen, die sich aber das Bewußtwerden dadurch erkaufen, daß sie durch Veränderungen und Entstellungen der Zensur des Widerstandes Rechnung tragen« (Freud 1907, 55). Wie der Traum so haben auch die Phantasien einen »manifesten« Inhalt, in dem ein anderer Sinn verborgen, »latent« vorhanden ist. Auch Frisch selbst vergleicht Traum und Dichtung (II, 361 f.).

23 C. G. Jung versteht den Individuationsprozeß als eine »psychologische Reise«, auf der man die Archetypen des kollektiven Unbewußten kennenlernt und vor der Gefahr steht, »deren eigenartiger Faszination zu unterliegen« (Fordham 1959, 100). Vgl. dazu auch oben den Artikel über die Höhlengeschichte als symbolische Darstellung der Wiedergeburt.

24 Auch Frisch gebraucht diese Metapher schon im Tagebuch: »für alles, was neben dieser Helle unseres Bewußtseins ist, sind wir blind« (II, 362), und gerade die dunklen, unbekannten Seiten der Seele sind es, die ihm wesentlich erscheinen.

25 In *Mein Name sei Gantenbein* hat Frisch nur die Fiktionen dargestellt. Die Auseinandersetzung mit der Lebensgeschichte hat er ins folgende Werk verlegt: *Biografie.*

26 In einem Gespräch hat Frisch auf meine diesbezügliche Frage geantwortet, Parallelen zur Psychoanalyse seien ihm nicht bewußt, aber es erstaune ihn auch nicht, daß sich solche finden ließen.

27 Vgl. Freud 1907, 82: »Unser Verfahren besteht in der bewußten Beobachtung der abnormen seelischen Vorgänge bei andern... Der Dichter geht wohl anders vor; er richtet seine Aufmerksamkeit auf das Unbewußte in seiner eigenen Seele, lauscht den Entwicklungsmöglichkeiten desselben und gestattet ihnen den künstlerischen Ausdruck, anstatt sie mit bewußter Kritik zu unterdrücken. So erfährt er aus sich, was wir bei anderen erlernen...« Freud nennt dies »endopsychische Wahrnehmung« (1907, 43).

28 In der Gradiva-Studie stellt Freud eine ähnliche, auch vom Dichter nicht beabsichtigte Verwandtschaft einer Erzählung zur Psychoanalyse dar (1907).

29 Vgl. II, 381. – Dies ist bei Frischs bisher letztem Werk, der Erzählung *Montauk,* anders. Hier ist die Selbstdarstellung offensichtlich. Die Erzählung besteht aus »freien Assoziationen«, das Buch-Ich ist offensichtlich das Autor-Ich, und aus diesem Grund hat die Erzählung für viele sicher etwas Peinliches, Abstoßendes, eben weil sie, im Gegensatz zum *Stiller,* gewissermaßen »formlos« ist.

Bibliographie

Die Angaben der Frisch-Zitate beziehen sich auf die Gesammelten Werke, Band I–VI, Frankfurt 1976.

Benedetti, G. (1975). *Psychiatrische Aspekte des Schöpferischen und schöpferische Aspekte der Psychiatrie.* Göttingen

Bienek, H. (1969). *Werkstattgespräche mit Schriftstellern.* 2. Aufl. München

Bloch, P. A./Hubacher, E. (1972). *Der Schriftsteller in unserer Zeit. Schweizer Autoren bestimmen ihre Rolle in der Gesellschaft.* Bern

Burghard, C. (1955). Ein »Bestseller«: Max Frischs »Stiller«. Über psychopathische Entwicklung und Schizophrenie. [Vgl. i. d. B. S. 652]

Cremerius, J. (Hg.) (1974). *Psychoanalytische Textinterpretationen.* Hamburg
Dettmering, P. (1974). Psychoanalyse als Instrument der Literaturwissenschaft. In: Cremerius 1974, S. 19
Dürrenmatt, F. (1954). »Stiller«, Roman von Max Frisch. Fragment einer Kritik. In diesem Band S. 76–83.
Fordham, F. (1959). *Eine Einführung in die Psychologie C. G. Jungs.* Zürich/Stuttgart
Freud, S. (1895). *Studien über Hysterie.* Frankfurt 1970
ders. (1900). *Die Traumdeutung.* St. A. (= Studienausgabe, Frankfurt 1969 ff.) II
ders. (1907). Der Wahn und die Träume in W. Jensens »Gradiva«. St. A. X, S. 9
ders. (1908a). Die »kulturelle« Sexualmoral und die moderne Nervosität. St. A. IX, S. 9
ders. (1908 b). Der Dichter und das Phantasieren. St. A. X, S. 169
ders. (1910). Eine Kindheitserinnerung des Leonardo da Vinci. St. A. X, S. 87
ders. (1914). Der Moses des Michelangelo. St. A. X, S. 195
ders. (1915). Die Verdrängung. St. A. III, S. 103
ders. (1916–17). Vorlesungen zur Einführung in die Psychoanalyse. St. A. I, S. 33
ders. (1919). Das »Unheimliche«. St. A. IV, S. 241
ders. (1925). Die Verneinung. St. A. III, S. 371
ders. (1926). Hemmung, Symptom und Angst. St. A. VI, S. 227
ders. (1933). Neue Folge der Vorlesungen zur Einführung in die Psychoanalyse. St. A. I, S. 447
ders. (1936). Brief an Romain Rolland: »Eine Erinnerungsstörung auf der Akropolis.« St. A. IV, S. 283
ders. (1937 a). Die endliche und die unendliche Analyse. St. A. Ergänzungsband, S. 351
ders. (1937 b). Konstruktionen in der Analyse. St. A. Ergänzungsband, S. 393
ders. (1940). *Abriß der Psychoanalyse.* Frankfurt 1953
Frisch, M. (1969). *Dramaturgisches. Ein Briefwechsel mit Walter Höllerer.* Berlin
Groeben, N. (1972). *Literaturpsychologie. Literaturwissenschaft zwischen Hermeneutik und Empirie.* Stuttgart/Berlin
Habermas, J. (1968). *Erkenntnis und Interesse.* Frankfurt
Heißenbüttel, H. (1958). Max Frisch oder die Kunst des Schreibens in dieser Zeit. In: *Über Max Frisch* (Hg. Th. Beckermann), Frankfurt 1971, S. 54
Hiatt, L. R. (1967). Nabokovs »Lolita«: ein kryptisches freudianisches Kreuzworträtsel. In: *Psychopathographien I* (Hg. A. Mitscherlich), Frankfurt 1972, S. 168
Kaiser, J. (1957). Max Frisch und der Roman. Konsequenzen eines Bildersturms. In: *Über Max Frisch* (Hg. Th. Beckermann), Frankfurt 1971, S. 43
Kris, E. (1941). Probleme der Ästhetik. In: *Psyche* 24, S. 841
Levita, D. J. de (1971). *Der Begriff der Identität.* Frankfurt
Loch, W. (1972). *Zur Theorie, Technik und Therapie der Psychoanalyse.* Frankfurt
Lorenzer, A. (1970). *Sprachzerstörung und Rekonstruktion.* Frankfurt.
Lusser-Mertelsmann, G. (1976). *Max Frisch. Die Identitätsproblematik in seinem Werk aus psychoanalytischer Sicht.* Stuttgart
Matt, P. von (1972). *Literaturwissenschaft und Psychoanalyse. Eine Einführung.* Freiburg
Mayer, H. (1963). Anmerkungen zu »Stiller«. In diesem Band S. 238–255.
Rank, O. (1912). *Das Inzestmotiv in Dichtung und Sage.* Wien/Leipzig
Schenker, W. (1969). *Die Sprache Max Frischs in der Spannung zwischen Mundart und Schriftsprache.* Berlin

Urban, B. (Hg.) (1973). *Psychoanalyse und Literaturwissenschaft.* Tübingen
Weisstein, U. (1967). »Stiller«: Die Suche nach Identität. In: *Über Max Frisch II* (Hg. W. Schmitz), Frankfurt 1976, S. 245
Wyatt, F. (1974). *Das Psychologische in der Literatur.* In: Cremerius 1974, S. 46

9.
Der Roman in der Schule

Elisabeth Bauer

Max Frischs »Stiller«

Vorschläge zur Erarbeitung im Unterricht

Der Lehrer der Sekundarstufe II sieht sich bei der didaktischen Erarbeitung einer literarischen »Großform«, wie *Stiller* sie vorstellt, der Aufgabe gegenüber, die Schüler zu *Interesse und Verständnis für Literatur*[1] zu führen.

INTERESSE für Literatur erwacht dann, wenn dem Schüler die vielseitige Wirkungsfähigkeit des Kunstwerks erfahrbar wird. Dies setzt voraus, daß es ihm gelingt, eine systematische Verbindung der einzelnen Werkskonstituenten zu einem als Kunstwerk empfindbaren Gebilde herzustellen. Auf verkürzte und damit zwangsläufig unvollständige Art und Weise wird dabei die Genese des Werks nachvollzogen.

VERSTÄNDNIS für Literatur bedingt die Aufnahme des Werks innerhalb von Kommunikationsprozessen, bei denen die Vieldeutigkeit des Kunstwerks der vielseitigen Aufnahmefähigkeit des Lesers begegnet.[2] Durch zielgerichtete Aufmerksamkeit bei der Interpretation müssen beide Faktoren so in Einklang gebracht werden, daß das Werk weder durch unzulässiges »Hineinlesen« verfälscht, noch als bloßer Aufhänger für werkferne Diskussionen benutzt wird.

Die wissenschaftliche Seite dieses Aufgabenfeldes wird eingegrenzt durch die pädagogische Forderung[3], innerhalb des Schulunterrichts auf eine wissenschaftlich befriedigende Durchdringung und Aufschlüsselung des Werks zu verzichten. Es ist dies eine Beschränkung, die der Lehrer als methodische Zielsetzung mit in seine Planung einbeziehen muß, um Faktoren wie Zeitknappheit, beschränkter Aufnahmefähigkeit der Schüler, lükkenhaftem Vorwissen etc. Rechnung zu tragen.

Aus dem Vorausgegangenen wird die Aufgabe des Lehrers als Vermittler zwischen, auf den ersten Blick, nahezu inkompatiblen, methodischen Zielen deutlich, die den kognitiven Bereich ebenso umfassen wie den affektiven.

In Anbetracht dieser Situation wird hier eine Lernzieltaxonomie vorgeschlagen, die folgende Stufen aufweist[4]: WISSEN – ERKLÄREN – VERSTEHEN – BEWERTEN

Die Anordnung der Lernzielkategorien ist nur bedingt hierarchisch zu sehen. Zwar schließt jede Kategorie die vorhergehende auf einer bestimmten Stufe mit ein, doch führt z.B. jede Erklärung zu Wissen auf höherem Niveau, jedes Verstehen befähigt zu besseren Erklärungen, die Bewertung einer Sache bringt gleichzeitig Wissenszuwachs über den Gegenstand der Bewertung. Jede Stufe kann zur Modifikation der vorhergehenden anregen, und es entspricht somit jede Lernzielkategorie einer aufgestellten Hypothese, die mit dem nächsten Schritt überprüft wird.[5]

Der Aufbau des Interpretationsprozesses, wie er hier vorgeschlagen wird, ist zu verstehen im Sinne eines Fortschreitens von einfacheren zu komplexeren Formen der aufgeführten Lernziele. Es wird damit das den Schülern hilfreiche Muster immanenter Wiederholung praktiziert, ohne zur Eintönigkeit zu führen, da die Schüler ständig aufgefordert sind, das Muster neu zu überdenken und zu modifizieren. Das Endziel ist die untrennbare Verflechtung der einzelnen Konstituenten des Interpretationsvorgangs zu einem subjektiven Gesamteindruck von dem, was *Stiller* dem einzelnen zum Zeitpunkt der Besprechung bedeutet; ein Eindruck, der – als Hypothese formuliert – eine Herausforderung darstellt für künftige Modifikationen.

Im Folgenden soll eine knappe Abgrenzung der Lernzielkategorien versucht werden:

WISSEN wird auf der einfachsten Stufe durch die Erstlektüre und durch die Erschließung biographischer und zeitgeschichtlicher Bezüge sowie schriftlicher Quellen zum *Stiller* aufgebaut. Obwohl es bestimmt verfehlt wäre, eine Übereinstimmung von Leben und Werk generell vorauszusetzen, kommt der Quellenbestimmung[6] bei einem Autor, der von seiner Tätigkeit sagt: »Schreiben heißt sich selber lesen«[7], besondere Bedeutung zu.

Die im ersten Arbeitsschritt erworbene Sachkompetenz bildet dann die notwendige Grundlage für den Vorgang des Erklärens.

ERKLÄREN wird hier als ein dem Verstehen vorausgehender Prozeß beschrieben, der der Analyse nahesteht, und hauptsächlich den kognitiven Bereich anspricht. Bemerkenswert ist, daß dieses Lernziel nicht primär vom Lehrenden gesteuert wird, sondern als eine dem Schüler angemessene Verhaltensweise gilt. Der Schüler versucht, mit den ihm zur Verfügung stehenden begrenzten Mitteln seiner Sachkompetenz zu gültigen Erklärungen zu kommen.

VERSTEHEN als nächsthöhere Stufe in der Hierarchie interpretatorischer Erschließung zeigt sich demgegenüber als Synthesevorgang, der neben kognitiven auch affektive Bestandteile hat. Obwohl Verstehen sich häufig in der Folge von Erklärungen einstellt, kann es selbst nie Gegenstand einer Erklärung sein.[8]

BEWERTEN als oberste Lernzielkategorie spaltet sich auf in einen eng dem Kunstwerk zugeordneten Bereich, der den Stellenwert von *Stiller* innerhalb der bisherigen Erfahrungen des Schülers mit Literatur umfaßt, und einen weiteren, der literaturfremde Maßstäbe zuläßt und Existentielles in einer Weise anspricht, die man vorsichtig mit »Lebenshilfe« umschreiben könnte, als eine Art sekundärer Lektüregewinn.

Nachfolgend soll versucht werden, Vorschläge zu machen für den stufenweisen Aufbau der vorgestellten Lernzieltaxonomie:

I. Bei der Schullektüre wird als affektives Ziel »Freude am Umgang mit Dichtung« angestrebt, als die Bereitwilligkeit, auf dichterische Werke zu reagieren. Stimmt man denen zu, die Frisch erzählerisches Talent bescheinigen[9], so scheint einer affektiven Erfassung des Werks wenig im Wege zu stehen. Die Kriminalstruktur[10] des Romans umgibt *Stiller* mit dem Fluidum des Geheimnisvollen und Abwegigen. Die zweifelsfreie Aufdeckung des Faktischen löst die Spannung beim Leser auf, in ein Gefühl der Sicherheit und Durchschaubarkeit der Zusammenhänge. So wird er in die Lage versetzt, die eingestreuten Geschichten in ihrer Unwahrscheinlichkeit voll genießen zu können, als willkommene Abwechslung, dargeboten – wie der Roman insgesamt – in leicht lesbarer, normgerechter Aufmachung. Der Lehrende kann daher mit der unmittelbaren Aufmerksamkeit der Schüler rechnen.

Schwierigkeiten bei der Lektüre, wie z. B. die Unklarheit, in der die Lebensgeschichte Stillers verbleibt, treten dabei zunächst in den Hintergrund. Ähnlich verhält es sich mit der Feststellung der Diskrepanz zwischen intakter Sprache und in Auflösung begriffener Welt oder dem Wechsel im sprachlichen Ausdruck, der vom lyrischen Klang bis zum stereotyp phrasenhaften reicht[11], aber bei der Erstlektüre seine kontrastive Wirkung meist noch nicht voll entfaltet.

Abfolge der Interpretationsschritte:	Wissenszuwachs	Erklärungsrelevanz	Verstehensvorgang	Bewertungsfähigkeit
1. Sammeln von Leseeindrücken:	Klassifizierung von Leseerfahrungen			↑
2. Erschließen von Quellen:	Bekanntschaft mit außertextlichen Bezügen			↑
3. Auffinden von Bedeutungsebenen:	Kenntnis individueller und gesellschaftlicher Problematik	Funktion der Bildnisthematik	Kompromiß als Lebenshaltung	↑
4. Untersuchen formaler Ausdrucksmittel	Einblick in die Disharmonie der Stilmittel	Bedeutung der verschiedenen Erzählhaltungen	Mehrdeutigkeit als Strukturmerkmal	↑
5. Einbeziehen der Rezeptionsgeschichte	Überblick über verschiedene Leserollen	Anteil des Lesers an der Aussage des Romans	Offene Form als Mittel der Leseraktivierung	Einordnung von »Stiller« in den literarischen und existentiellen Erfahrungsbereich des Lesers

Faßt man Literatur auf als gesellschaftsbezogenes Phänomen, das existent wird erst und nur im Kommunikationsakt, der Werk und Leser verbindet[12], so ergibt sich daraus, daß der Schüler mit der Erstlektüre bereits eine interpretatorische Teilkompetenz erworben hat, die – wenn sie erst erschlossen ist – einen erheblichen Teil der für ihn erreichbaren Gesamtkompetenz abdeckt. Nach der Erstlektüre ist das Vorwissen des Schülers bereits groß genug, um ihn zum Fragen zu befähigen, mit dem Ziel, das WISSEN über *Stiller* zu erweitern. Der Lehrende hat die Aufgabe, zu differenzieren zwischen Interpretationsfragen, auf die es in diesem frühen Stadium der Besprechung noch keine Antworten geben kann, und Sachfragen, die häufig die Entstehungsgeschichte des Werks betreffen.

II. Entstehungsgeschichtliche Fakten haben für die Interpretation immer nur den Rang von Hypothesen; wesentlich aber ist, daß dem Leser damit die Möglichkeit gegeben wird, sich dem Text zu nähern und Interpretationshypothesen aufzustellen, deren Gültigkeit sich dann in den folgenden Analyseschritten erweisen soll.

Um die Grenze zur bloßen Spekulation nicht zu überschreiten, wird es nötig sein, sehr vorsichtig nach den Erfahrungen des Bürgers Frisch und nach den Erfahrungen des Individuums Frisch zur Zeit der Entstehung zu fragen. Aufzeichnungen des Autors helfen, dieses Bild aus Einzelteilen zu komponieren. Dabei wäre es verfehlt, den Blick starr auf die Schweiz gerichtet zu lassen. »Mein deutscher Träumer«[13], sagt Anja, die Spanienkämpferin, zu dem Schweizer, der von ihr eben als »Deutscher« erlebt wird.[14] Es ist dies eine deutliche Absage an die Vorstellung von einem Inselstatus der Schweiz, nachweisbar auch an vielen anderen Textbelegen des Autors.[15]

Stillers Verhältnis zum Spanischen Bürgerkrieg wird als »lyrisch« bezeichnet, es wirkt unrealistisch und nicht voll reflektiert von ihm, wie so viele andere Ereignisse von Weltgeltung, die der Zeit, in der der Roman spielt, ihr Gesicht gaben, zu denen sich aber weder Stiller noch die anderen Romangestalten im eigentlichen Sinne »verhalten«. Wenn Schüler sich nicht mit dem offensichtlich vordergründigen und unzureichenden Verweis auf »Gleichgültigkeit« zufriedengeben wollen, ist hier bereits in einem Vorgriff auf das Motiv der Angst zu verweisen.

Dazu ein Zitat des Autors[16]:

> Ich glaube, die Schweiz hat Angst... Jeder, der eine Rolle spielt, die nicht ganz mit der Wirklichkeit übereinstimmt, muß ja Angst haben, und darum erträgt er sehr wenig Kritik.

Eine nähere Beschäftigung mit diesem Motivkreis muß einem späteren Interpretationszeitpunkt vorbehalten bleiben.

Wichtig innerhalb der Untersuchung der zeitgeschichtlichen Bezüge ist dagegen die Frage: »Wie sah der Autor seine Aufgabe damals, in den fünfziger Jahren?«, die geeignet ist, dem Schüler die Historizität des Romans bewußt zu machen.

Die Erfahrungen des Bürgers Frisch sind als beispielhaft für die Situation eines beliebigen Schweizer Bürgers anzusehen. Seine Kritik an der Privatisierung alles Politischen durch die Schweizer wird im *Stiller* vorgeführt.

Ähnlich verhält es sich mit den individuellen Erfahrungen. Frisch ist – wie Stiller – Künstler in der Schweiz. Daß Künstlerthematik bei diesem Autor allgemeinmenschliche Thematik meint, wird im *Stiller* deutlich. Gerade weil der Künstler Ähnliches erlebt wie seine Mitmenschen, und es vielleicht nur sensitiver aufnimmt, ist Stiller als Held vieler traditioneller Romanarten überzeugend gezeichnet[17]:

> Stiller ist nicht nur ein Künstlerroman, sondern zugleich auch ein Gesellschaftsroman, sowohl ein Liebesroman als auch ein Bildungsroman, der Roman einer Freundschaft und ein Glaubensroman, ja, er trägt darüber hinaus sogar deutliche Züge des Kriminalromans.

Die bisher vorgeschlagene biographische Methode erscheint bei der *Stiller*-Interpretation in der Schule als bedingt geeignetes Mittel zur ersten Annäherung an den Text, sanktioniert vom Autor selbst, der immer wieder darauf hinweist, daß seine privaten Erfahrungen es sind, die er der Öffentlichkeit mitteilt.[18]

Anders verhält es sich mit der analytischen Bestimmung geistiger Anregungen durch andere Autoren, die zwar im *Stiller* nachweisbar, doch nicht durch Autorenzeugnisse belegbar sind.

In einem Zeitungsartikel in der NZZ aus dem Jahre 1935 mit dem Titel »Der unbelesene Bücherfreund« tritt Frisch für »Sparsamkeit« beim Lesen ein. Daraus wird deutlich, daß es den Intentionen des Autors widersprechen würde, wollte man bei den Schülern eine »Frisch und...«-Untersuchung initiieren.

Trotzdem erscheint es sinnvoll, einige Quellen zu erschließen. Mit dem Motto des Romans ist bereits auf Kierkegaard verwiesen. Wie diese philosophische Quelle eingearbeitet wurde, sollte besprochen werden, das »warum« der Unterschiede bleibt zunächst unberücksichtigt. Wichtig für den Schüler ist die Erkenntnis, daß zwischen der Selbstwahl im Sinne Kierkegaards, als Selbstannahme in der Erkenntnis der eigenen Beschränkungen, und dem Versuch Stillers, sich neu zu schaffen, ein fundamentaler Unterschied besteht. Die Schöpferkraft, die Stiller sich auf der Suche nach einem idealisierten Ich anmaßt, ist bei Kierkegaard allein Gott vorbehalten. Der von Gott abhängige Mensch Kierkegaards nimmt sein von Gott geschaffenes »Selbst« an, Stiller versucht, den Schöpfungsakt aus eigener Kraft zu revidieren, sich »umzuschaffen«.

Ein weiteres *Stiller*-Vorbild aus dem Bereich der Philosophie ist der Existentialismus, der

> in all seinen Formen – auch in der scheinbar atheistischen – von Kierkegaard herkommt und ohne diesen Ausgangspunkt gar nicht denkbar ist.[19]

Im Unterricht ist diese Quelle wohl nur durch den Lehrer anzusprechen, da die Festsetzung des Standpunkts, den *Stiller* zwischen einem »christlich« und einem »atheistisch« orientierten Existentialismus einnimmt, sich einer selbständigen Schülerbehandlung vermutlich widersetzt. Das Scheitern von Stillers Bemühungen »sich neu zu schaffen« gibt dem Leser

> Einsicht in die Unmöglichkeit, den Menschen immanent als ein in sich selbst ruhendes und aus sich selbst verständliches Wesen aufzufassen[20],

und weist ihn damit in die Nähe einer christlichen Deutung des Helden, der sein Leben aber nach atheistischem Muster aufbaut.[21]

Was bezüglich der Lehrerinitiative zum Existentialismus gesagt wurde, gilt in ähnlicher Form auch für Quellen aus dem Bereich der Psychologie, die mit Freud und Jung zwar den Schülern bekannte Namen aufweisen, jedoch bei einer Behandlung im Unterricht große Schwierigkeiten erwarten lassen. Es bietet sich hier die Erschließung von Teilaspekten an, z. B. der Zusammenhang zwischen dem Höhlenmotiv und der Freudschen Psychologie. Neben der eigentlichen Höhlengeschichte sind hierbei auch noch andere Gefäßsymbole zu beachten, wie z. B. Julika als leere, schöne Vase.

Die dem Höhlenmotiv nahe verwandte labyrinthische Struktur des *Stiller* hat ihr Vorbild im »nouveau roman«. Stiller, der Held des Romans, stumpft ab, verliert seine Gefühle und damit seine Angst vor dem Irrgarten des Lebens und verstummt schließlich. Genau das ist das Muster der genannten Romangattung, die den Bruch der europäischen Moderne mit der »traditionellen« Literatur des 20. Jahrhunderts sichtbar werden läßt.[22]

Das Verstummen Stillers verweist auf die Zugehörigkeit des Romans zur »Sprachzweifeltradition«. Nach einer knappen Einführung in die Geschichte dieser Tradition[23] kann man den scheinbaren Widerspruch als Ausgangspunkt für eine nähere Betrachtung nehmen, der sich im Roman zwischen der behaupteten Wirkungsbreite künstlerischer Aussagen,

> ...daß ich meine Mordinstinkte nicht durch C. G. Jung kenne, die Eifersucht nicht durch Marcel Proust, Spanien nicht durch Hemingway, Paris nicht durch Ernst Jünger, die Schweiz nicht durch Mark Twain, Mexiko nicht durch Graham Greene, meine Todesangst nicht durch Bernanos und mein Nie-Ankommen nicht durch Kafka und allerlei Sonstiges nicht durch Thomas Mann, zum Teufel, wie soll ich es meinem Verteidiger beweisen?[24]

und dem von Stiller gezeigten Zweifel an der Aussagekraft der Sprache ergibt: »Ich habe keine Sprache für meine Wirklichkeit.«[25] Es werden hier Zweifel angemeldet an der Tauglichkeit der Sprache als Kommunikationsmittel, an ihrer Fähigkeit, mehr zu vermitteln als unbrauchbare Klischees; darüber hinaus wird aber auch das sprachliche Zeugnis in seiner Glaubwürdigkeit in Frage gestellt. Was zunächst als Widerspruch erscheint, erweist sich als doppelte Warnung vor dem »Wort«, das nicht geeignet ist, Wirklichkeit mitzuteilen. Der Sprachzweifel verdichtet sich damit zum Sprachskeptizismus.

Die biographischen und zeitgeschichtlichen Bezüge, die Quellen aus dem Bereich der Philosophie, Psychologie und Literatur weisen alle in die gleiche Richtung. Es wird darin eine allgemeinmenschliche Situation zu einem bestimmten geschichtlichen Zeitpunkt beschrieben. Als der in diese Situation gestellte einzelne ist Stiller eine Art »Jedermann« innerhalb der Zeit, in der er lebt.

III. Durch die geleistete Vorarbeit hat der Schüler zu diesem Zeitpunkt der Besprechung im Idealfall den Informationsvorsprung des Lehrenden soweit eingeholt, daß es legitim erscheint, ihm die Rolle des Antwortenden zu übertragen, um ihn zum ERKLÄREN zu veranlassen. Da man mit einer vorwiegend inhaltlichen Orientierung der Schüler zu rechnen hat, ist es naheliegend, zunächst einige Bedeutungsschichten des Romans zu erarbeiten. Daß dabei vieles wieder aufgegriffen wird, was unter der entstehungsgeschichtlichen Fragestellung vom Schüler gefragt und vom Lehrer beantwortet wurde, ist insofern ein Vorteil, als hier mit umgekehrter Rollenverteilung vorgegangen wird. Die immanente Wiederholung festigt das Wissen des Schülers, versetzt ihn aber auch gleichzeitig in die Lage, Erlerntes kritisch zu reflektieren und gegebenenfalls zu modifizieren.

Der Mensch als Individuum steht im Mittelpunkt von *Stiller*. Inhaltliche Beispiele für die extreme Ichbezogenheit des Romanhelden lassen sich in großer Anzahl von den Schülern beibringen. Die Bildnisthematik ist als Exemplum besonders geeignet.[26]

> Du sollst dir kein Bildnis machen, heißt es, von Gott. Es dürfte auch in diesem Sinne gelten: Gott als das Lebendige in jedem Menschen, das, was nicht erfaßbar ist. Es ist eine Versündigung, die wir, so wie sie an uns begangen wird, fast ohne Unterlaß wieder begehen –
> Ausgenommen wenn wir lieben.

»Du sollst dir kein Bildnis machen« gilt nicht für Stiller selbst, den eigentlichen Bildnismacher des Romans. Er will es sich allein vorbehalten, das Bildnis zu zeichnen, das andere sich von ihm machen sollen. Anhand der Erzählungen kann leicht nachgewiesen werden, wie er die Linien dabei bis ins Detail vorzeichnet, ohne einige Hauptproblemkreise aus den Augen zu verlieren. Nahezu in jeder der Geschichten werden Probleme des menschlichen Zusammenlebens angesprochen. Beim Musiker Alex und der Begegnung in der Bowery von New York ist es die schicksalhafte Kontaktlosigkeit, die konstatiert wird. Bei »Isidor«, »Rip van Winkle« und »Little Grey« wird die Flucht vor der Frau als notwendig für die Selbsterhaltung des Mannes angezeigt. Dies ergibt sich aus der konstitutionell bedingten Überlegenheit der Frau, die sich in Lebenstüchtigkeit (Anja, Julika) und Selbständigkeit (Sibylle), bei gleichzeitiger tänzerischer Leichtigkeit und Anmut (Anja, Julika, Florence) ausdrückt.

Aus dem in seiner Unterlegenheit begründeten Rückzug des Mannes in die Einsamkeit erwachsen individuelle Existenzprobleme, die in der Höhlenerzählung (und parallel dazu in der

Geschichte vom fleischfarbenen Kleiderstoff von Rolf) ihren Niederschlag finden.

In den Geschichten beschreibt Stiller seine Einsamkeit und begründet gleichzeitig deren existentielle Notwendigkeit.

Am Verhältnis Stillers zu Julika kann der Schüler erklären, wie abwegig es wäre, anzunehmen, Stiller wolle – so wie er es für sich in Anspruch nimmt – jeden einzelnen sein Bild selbst formen lassen. Es ist immer Stiller, der formen will, er unternimmt es mit Julika, und er hat das gleiche bei Sibylle versucht, die ihm noch rechtzeitig für die Erhaltung ihrer Eigenständigkeit entglitten ist. Unverrückbar wie die Bilder, die Stiller sich von den Frauen macht, sind auch die seines Freundes Rolf, seines Verteidigers Bohnenblust und aller anderen Personen seiner Umgebung.

Man könnte im Anschluß an den bisher angesprochenen kognitiven Bereich in der Behandlung der Geschichten versuchen, auch den affektiven Bereich beim Schüler miteinzubeziehen, indem man aus dem gefundenen Material eine »neue« Geschichte schaffen läßt. Implizit wird ein derartiges Verfahren vom Autor selbst vorgeschlagen, wenn er sagt[27]:

> Man könnte mit einer fixen Summe gleicher Vorkommnisse, bloß indem man ihnen eine andere Erfindung seines Ichs zugrunde legt, sieben verschiedene Lebensgeschichten nicht nur erzählen, sondern leben. Das ist unheimlich, Wer es weiß, hat Mühe zu leben.

Der Idee, Schüler hier »schöpferisch« tätig werden zu lassen, liegt die Absicht zugrunde, ihnen das »Unheimliche« und Gefährliche des fiktiven Wortes nahezubringen und dabei gleichzeitig eine kommunikativ wirksame Verbindung zum Autor herzustellen – auf dem Weg über die Arbeit mit seinem Material.

Für den an der Lösung des Stillerschen Subjektivitätsproblems interessierten Schüler wird es nun möglich sein, den Unterschied zwischen der bereits erarbeiteten Kierkegaardschen und der Ich-Findung Stillers weiter zu erschließen und zu erklären. Stiller verfällt deshalb in die für ihn typische Passivitätshaltung, weil er seine Subjektivität in grenzenloser Anmaßung selbst »ad absurdum« treibt.

Hat der Schüler Stillers faustischen Drang als Hybris erkannt, so ist eine Motivation gegeben, den Komplex der Persönlichkeitsspaltung intentional zu erfassen. Stillers total subjektiviertes Ich neigt dazu, sich aufzuspalten. Rolf erklärt dies zu Beginn des 7.

Heftes verallgemeinernd aus der Diskrepanz zwischen Bewußtsein und Gefühlsleben. Ausgehend von dieser These ist das Spanienerlebnis als Auflehnung des Gefühls gegen eine halbherzige, weil wesensfremde Kampfentscheidung zu verstehen. Stillers Intellekt – als Auffangbecken der Strömungen um ihn her – mag zwar die »Kämpferrolle« bejaht haben, sein Gefühl lehnt sie ab, weil sie seinem eigentlichen Wesen widerspricht. Sibylle, die einzige Frau, die Stiller Erfüllung zu geben vermochte, hat dies erkannt[28]:

> aber vielleicht hast du dich als jemand bewähren wollen, der du gar nicht bist.

Stiller selbst nennt sein Verhalten »Versagen« und »lügt seine Gefühle damit um« – wie Rolf das ausdrückt. Aus Angst davor, zu einer aus innerer Notwendigkeit heraus getroffenen Entscheidung zu stehen, versucht er, sie zu bagatellisieren, als zufällig hinzustellen.

In der Folge von Stillers Persönlichkeitsspaltung zeigt sich seine Existenznot als Lebensangst. Er erweist sich damit als paradigmatische Repräsentation seines Zeitalters, wie es im Roman zum Ausdruck kommt, denn Angst ist das wichtigste Bindeglied zwischen den Romangestalten. Die fehlenden Bezüge zu den geschichtlichen Ereignissen der Zeit, in der der Roman spielt, haben Stillers Abstand von der Gesellschaft, in der er lebt, bereits deutlich werden lassen – nun ist ein Motiv gegeben: seine Haltung ist interpretierbar als Folge eines gespaltenen Ich-Bewußtseins.

Stiller scheitert bei dem Versuch, seine Identität, die für ihn bloßer Schein ist, zu zerstören.

Selbstmord und Neubeginn mißlingen gleichermaßen. Statt nun anzuerkennen, daß Wirklichkeit sich in einem Bereich vollziehen muß, in dem Intellekt und Emotionalität vermittelt auftreten, wendet Stiller den Blick ab und verstummt. Stiller zieht es vor, einen Teil der Wirklichkeit zu opfern, um nicht eine Beschränkung seiner Freiheit hinnehmen zu müssen.

Ähnlich ergeht es der Schweiz, deren Wirklichkeit sich nicht in der Abwendung von der Realität, in der Idealisierung vollzieht, wie Bohnenblust es vorgibt, sondern in deren Einbezug. Bohnenblust klammert sich an den Kleinstaat, in dem er lebt, und vermeidet den Blick über die Grenzen, um nicht über der Größe der

Gefahren den Halt zu verlieren. Das Mittel, das ihm dabei zur Verfügung steht, ist die Traditionsgebundenheit, die jedes Eindringen von neuem verhindert. Bohnenblust handelt dabei nur nach dem Gefühl, so wie Stiller in Spanien nur nach dem Intellekt zu handeln versucht hatte. Beide Verabsolutierungen lähmen den individuellen und gesellschaftlichen Fortbestand. Stiller konnte weder als Spanienkämpfer noch als Mr. White sinnvoll existieren, die Gesellschaft wird funktionsunfähig, wenn sie aus lauter Bohnenblusts besteht.

Im Gegensatz dazu hat Rolf als Individuum den Glauben an Gott gefunden, und er hat als Vertreter der Gesellschaft den Glauben an eine Evolution im menschlichen Zusammenleben gefunden. Beides ist als Folge der Vermittlung zwischen den divergierenden Formen seiner Persönlichkeit zu deuten. In seiner Einstellung gegenüber Sibylle bricht Rolf mit der Tradition und verändert dadurch Sibylles Stellung als Frau, gibt ihr Gelegenheit zur Emanzipation. Anders als Bohnenblust erträgt Rolf die Kritik an der Gesellschaft, die Stiller vorbringt, weil er an positive und notwendige Veränderungen glaubt, ohne, wie Stiller, alles was vorher war, zu zertrümmern. Stillers Veränderungen bedeuten immer Zerstörung und Neuanfang. Er beginnt neu als Künstler und als Ehemann und versagt beide Male erneut. Rolf modifiziert und gewinnt dabei den Glauben an die Sendung der einzelnen Mitglieder der Gesellschaft und die notwendige Gelassenheit gegenüber den Bedingtheiten menschlichen Zusammenlebens.

Haben die Schüler zu erklären versucht, wie die Interaktion zwischen den beiden untrennbaren Formen menschlicher Existenz, dem Menschen als Individuum und dem Menschen als gesellschaftlichem Wesen vor sich geht, dann ist der Weg frei für ein VERSTEHEN dessen, was der Roman als mögliche Lebensform in unserer Zeit beschreibt, nämlich den Kompromiß als Lebenshaltung. Stiller kann der Angst des Individuums nur durch Vereinzelung, nicht aber durch ein Untertauchen in der Masse entgehen, da die Freiheit, die er sucht, sonst nicht mehr in ihm selbst, sondern in der Anonymität der Masse aufgehoben und damit für ihn unerreichbar wäre. Ähnlich verhält es sich mit Rolf, der den Kompromiß, in dem er seine Lebensbewältigung vollzieht, ebenfalls nur als Individuum schließen kann, vorbildhaft allerdings für alle anderen. Der Weg zur gesellschaftlichen Erneuerung wird damit implizit von innen her gewiesen.

Dem Leser wird der Gedanke nahegelegt, daß, ausgehend vom Individuum, die Gesellschaft vielleicht so verändert werden könnte, daß sie die Entfaltung des einzelnen nicht mehr in dem im *Stiller* vorgeführten Ausmaß erschwert. In diesem Sinne ist Rolf als Schlüsselfigur des Romans anzusehen.

Es scheint typisch zu sein, für den Autor Frisch wie für viele Autoren unserer Zeit, uns zwar Schwierigkeiten verstehen zu lehren, jedoch Wege, die aus ihnen herausführen könnten, wenig überzeugend gleichsam nur anzudeuten.

Daß Stiller den Weg in den Glauben nicht finden kann und daher in Resignation verfallen muß, wird als verständlich, ja geradezu als selbstverständlich hingestellt.

Daß Rolf zum Glauben findet, wird zwar behauptet, doch nicht mit letzter Eindeutigkeit festgestellt[29]:

> Freilich bekommen wir von Rolf eine Aussage über die religiöse Dimension, ohne die Selbstannahme schwierig, wenn nicht unmöglich erscheint. Störend bleibt dabei, daß es keine überzeugenden Hinweise darauf gibt, ob die religiöse Erfahrung Rolf mehr bedeutet als nur eine akademische Erörterung über »eine absolute Instanz« oder »eine absolute Realität«. Er vermeidet [...] das Wort »Gott« und letzten Endes jede direkte Auseinandersetzung mit dem Christentum. Trotz der Gedanken, die er von Kierkegaard übernimmt, räumt er ein: »Ich war nie ein Kenner Kierkegaards.

Im letzten wird hier vom Leser der *Glaube* daran gefordert, daß Rolf *glaubt*, wenn er diese Figur als vorbildhaft erleben will.

Der dahinterstehende Agnostizismus ist für jugendliche Leser, in ihrem Drang nach Eindeutigkeit, eine enttäuschende Erfahrung. Wenn man hier nach einem möglichen Lernziel fragte, so müßte man es in der Erkenntnis sehen, daß das »Sich-nicht-Festlegen« das Charakteristikum dieses Autors, wie unserer literarischen Moderne insgesamt, ist.

Die Bedeutungsanalyse hat gezeigt, wie die grenzenlose Freiheit, die Stiller für sich in Anspruch nimmt, zur totalen Vereinsamung und von da aus zur Persönlichkeitsspaltung führt. Die daraus resultierende Lebensangst hat einen Wirklichkeitsverlust zur Folge, der auch an den Mitgliedern der Gesellschaft beobachtet werden kann, und der Schwierigkeiten im Zusammenleben der Menschen mit sich bringt. Volle Wirklichkeit kann nur erfahren werden in der Vermittlung von Intellekt und Emotionalität, von Individuum und Gesellschaft. Die Möglichkeit der Vermitt-

lung kann nicht bewiesen werden, sie muß geglaubt werden.
IV. Wenn nun im Anschluß an die Bedeutungsanalyse eine Untersuchung der Form vorgeschlagen wird, so geschieht dies in der Annahme, daß Form als Fortsetzung des Inhalts[30] definiert werden kann. Erzählhaltungen, die sich in der Erzähltechnik und in den Sprachfunktionen aufzeigen lassen, kommt unter diesem Aspekt erhebliche Bedeutung für die Interpretation zu. Es handelt sich hier einmal mehr um einen Vorgang des Erklärens, der einen Verstehensprozeß auslösen soll.

Man kann daher auch die Formbetrachtung als Umsetzen nicht wörtlicher Aussagen in verstehbare Sequenzen ansehen.

Die formale Klassifikation von *Stiller* als modernem Roman bedingt einen Rückgriff auf entstehungsgeschichtliches Wissen. Aus dem sich dann ergebenden Innovationswert läßt sich die erzählerische Eigenart des Autors erklären und ein Teilbereich der Wirkung des Romans erschließen. Bereits eine erste, kursorische Besprechung macht es offenbar, daß die scheinbar intakten, vergleichsweise traditionellen Sprachmittel nur – und wieder einmal – »Gefäß der Leere«[31] sind für durchaus disharmonische stilistische Mittel.

Die dissoziative Erzähltechnik im *Stiller* nachzuweisen ist eine Tätigkeit, die es dem Schüler ermöglicht, mit dem Text zu arbeiten, in der Form von Zerlegen und Neu-Zusammensetzen. Das Auseinanderklaffen von Handlungschronologie und Gang der Erzählung bietet sich dafür an. Eine Gegenüberstellung von Inhaltswiedergabe und Gang der Erzählung ist geeignet, den Kunstcharakter, die Strukturiertheit, als Kennzeichen des künstlerischen Textes deutlich zu machen. Der Inhaltsangabe sollte dabei eine selbstgefertigte Strukturanalyse vorausgehen[32], aus der dann die Inhaltsangabe zusammengefügt wird. Als Gewinn für den Schüler ergibt sich aus dieser Tätigkeit die Einsicht in die subjektivierte Erfahrungseinheit der Zeit, die Frisch mit stilistischen Mitteln überzeugend nachweist. Ähnlich verhält es sich mit der Tagebuchfiktion, die simultane Vorgänge in ein Nacheinander zerlegt und damit das Ich zum Objekt macht (doppelt objektiviert durch die Spaltung Stiller-White), dennoch aber immer wieder die Anteilnahme des Erzählers spürbar werden läßt. Dies ist leicht nachweisbar an zahlreichen Formulierungen wie »leider« etc., die eine Identifikation des Erzählers anzeigen.

Ein weiterer Bereich, der den Blick hinter die Textkulissen erlaubt, findet sich bei der »Erzählung aus verschiedenen Perspektiven«. Unter dem Thema des Bildnismachens hat die Bedeutungsanalyse für die Schüler bereits deutlich werden lassen, wie die Personen des Romans aus Stillers Perspektive dargestellt werden. Stillers Protokoll ist weit davon entfernt, ein objektives Bild der anderen Personen zuzulassen. Er weiß um deren Gedanken (»jetzt erst recht, so dachte die arme Julika zuweilen«)[33], Gefühle (»Julika erschauerte«), Zustände (»nicht stolz war Julika, ach nein, aber verdutzt«), Vorstellungen (»sie... versuchte sich auszumalen«), Verlangen (»ein unbekanntes und verwirrendes. Verlangen nach dem Mann, je mehr sie ihren grazilen Körper verbrennen fühlte«). Umgekehrt wird Stiller durch die anderen Personen gekennzeichnet. Der *Leser* erfährt Wesentliches über die Person Stillers durch sein protokollierendes Ich, das das erlebende Ich zu analysieren versucht, gleichzeitig aber durch den Bericht Julikas, Sibylles, Rolfs, also Darstellungen, in denen sich Stiller jeweils bis zur Unkenntlichkeit verändert. Daneben charakterisieren sich die Personen des Romans auch gegenseitig (z.B. Rolfs und Sibylles Bericht von ihrer Ehe).

Die Unterschiede, die sich in der Schilderung ein und desselben Vorgangs aus der Sicht verschiedener Personen ergeben, können – bei entsprechender Einstimmung der Schüler – durch eine Gegenüberstellung innerhalb des Unterrichts in Rollenbesetzung verdeutlicht werden. Dadurch wird ein mündlicher Vortrag von Teilen des Romans sinnvoll, und die Klasse wird darüber hinaus motiviert, stichwortartig festgehaltene Unterschiede in der dem Vortrag folgenden Diskussion zu verbalisieren und zu reflektieren. Als Lernziel läßt sich hier neben dem interessanten Blick in die »Werkstatt« des Autors, dem Experimentieren mit seinem Material, das Erkennen der subtilen Mittel anführen, mit denen der Autor dem Leser die Gefahr des Bildnismachens beispielhaft vorführt, denn nur die Verschiedenheit der Aussagen bewahrt den Leser davor, sich ein »Bildnis« von den einzelnen Gestalten des Romans zu machen.

Durch die Gesamtheit der formalen Beobachtungen wird die inhaltliche Aussage des Romans bestätigt. Der Kontrast zwischen der scheinbaren Harmonie konventioneller Sprache und der stilistischen Zerrissenheit, wie sie sich in den Erzählhaltungen zeigt, macht die Sprache als objektives Ausdrucksmittel unglaubwürdig. Gleichzeitig aber wird ihr ein Eigenwert zugeschrieben, der in der inhaltlichen Problematik seine Parallele hat. Die Spaltung Stiller-White wirkt, ähnlich wie der häufige Perspektivenwechsel, in Richtung einer Verunsicherung des Lesers und weist den Autor aus als einen, der sich unfähig fühlt, Wahrheiten zu verkünden. Die Mehrdeutigkeit des Romans ist dem Schüler zu diesem Zeitpunkt der Interpretation bereits zu einem selbstverständlichen Attribut des Werks geworden. Eine Reflexion dieser Erkenntnis wird zu Ergebnissen führen, die Heißenbüttel wie folgt ausdrückt:

> Frischs Werk ist doppelgesichtig. Er kann traditionell begriffen werden. Er kann gelesen werden als ein Autor, der außerhalb und jenseits dieser ganzen finsteren, destruktiven und unerfreulichen Moderne steht. Es ist nicht sein Humor, es ist auch nicht der Erzählstil allein, es ist die Tatsache, daß Frisch erzählt, beschreibt, redet, als handle es sich, von außen gesehen, um eine Welt, um unsere Welt, in der im Grunde alles in Ordnung ist, eine Welt, ein wenig modifiziert, aber sonst wie eh und je. Und auf der anderen Seite, gräbt man nur ein wenig tiefer, versucht man wirklich zu verstehen, was da verhandelt wird, eine Welt, in der nichts mehr stimmt, in der den Figuren wie dem Autor langsam, aber unausweichlich der Boden unter den Füßen weggezogen wird.[34]

Der Schüler versteht nun die Wirkung, die von *Stiller* bei der Erstlektüre ausging, als ein Zusammenwirken inhaltlicher und formaler Signifikanzen, nachdem er das Zustandekommen auf analytischem Wege zu beschreiben versucht hat. Die Bewertung der so »erklärten« Wirkung stellt den schwierigsten Schritt in der Lernzielskala dar und soll als letzter Interpretationsschritt unternommen werden. Ohne hier eine individuell zu treffende Entscheidung zu antizipieren, kann gesagt werden, daß die Beschäftigung mit *Stiller* als Einführung in die Lebensbewältigung der fünfziger Jahre, die allerdings bereits als historisch anzusehen ist, eine bemerkenswerte Stellung einnimmt. Die Situation des Gefangenen, dargestellt in zahlreichen literarischen Werken der Zeit[35], steht als Reaktion auf eine verunsicherte Welt, die Autoren und Leser zwingt zum *Glauben* an den Sinn des Lebens als ein »trotzdem«, oder aber zur Aufgabe aller Hoffnung. Stillers Suche nach dem Tod in Spanien und der Selbstmordversuch in Amerika stehen für die Aufgabe der Hoffnung, in der Gestalt Rolfs wird – wenn auch in einer gewissen, für Frisch typischen Unverbindlichkeit – für das »trotzdem« plädiert. Die entscheidende Schlußfolgerung aus diesem »Entweder-Oder« ist es, die den Leser verunsichert, es wird ihm nichts abgenommen, die Entscheidung bleibt individuell zu treffen. Alles, was der Autor zu geben sich fähig fühlt, ist der Denkanstoß. Es wäre weit gefehlt, dies als Bescheidenheitstopos auszulegen und nach verdeckten Hinweisen zu suchen. Der Max Frisch der fünfziger Jahre hat sich wohl bemüht, der Gesellschaft einen Weg zu zeigen, den man vielleicht andeutungsweise mit Toleranz beschreiben könnte. Die Rolle des einzelnen ist dabei nicht näher definiert. Wie der Leser sich das Mosaik des Romangeschehens zusammenfügen mußte, ebenso wird es ihm mit der Suche nach einer »Moral« ergehen – hier wie dort bleiben Lücken und schließlich bemerkt der Leser, daß man auch anders hätte kombinieren können. Die inhaltliche und formale Füllung des Romans entspricht vollkommen dem, was an Ambivalenz bereits vom Titel her angelegt ist: »Stiller«, der Verstummende, oder »Stiller«, der Heilbringende – wenn man vom christlichen Sprachgebrauch ausgeht. Vielleicht ist mit »Stiller« aber auch der gemeint, der, statt zu verkündigen, nur verstummt und damit seine Sendung verleugnet.

V. Der Stellenwert der *Stiller*-Lektüre innerhalb der Literaturerfahrung des Schülers wurde als lebendige Aneignung eines Stücks Literatur- und Zeitgeschichte entsprechend hoch angesetzt. Bei einer BEWERTUNG von Frischs Stilmitteln, und auch bei dem, was er an neuem Lebensgefühl zum Ausdruck bringt, darf man allerdings nicht außer acht lassen, daß sie vom Leser 1977 nicht mehr – wie zwanzig Jahre vorher – als Innovation erfahren werden, da Anliegen und Form dieser künstlerischen Aussage auch in anderen Medien Eingang gefunden haben und als selbstverständlich hingenommen werden. Um dem Roman wirklich gerecht zu werden, ist es wünschenswert, den zeitlichen Abstand bewußt mit einzubeziehen und damit zu überwinden. Die Rezeptionsgeschichte des Werks ist dabei eine wertvolle Hilfe, die den Schüler in die Lage versetzt, seine eigene Bewertung vor Vollzug kritisch zu reflektieren. Dabei ist es wesentlich, den eigenen Standort zu bestimmen, denn nur daraus ergibt sich für den Schüler jener sekundäre Gewinn, den man mit »Lebenshilfe« umschreiben kann.

Wenn z. B., wie es hier getan wurde, Rolf als wertvoller Freund Stillers, als für ihn nachahmenswertes Vorbild betrachtet wird, so ist diese Einstellung deutlich unterschieden von wirkungsgeschichtlichen Zeugnissen, die Rolf »mühsam gekittete Lebenstüchtigkeit«[36] bescheinigen, und die Schwierigkeiten im Leben des einzelnen nicht auf unvermeidbare menschliche Schwächen im Bereich gesellschaftlichen Zusammenlebens zurückführen, sondern vielmehr darin die Bankrotterklärung eines gesellschaftlichen Systems sehen, das Subjektivität letztlich als Grundrecht des Individuums ansieht. In diesem Sinne ist Frischs Kritik am Subjektivismus als Kritik an ungesunden Ausprägungen dieser Lebenshaltung zu verstehen – und Kritik an der Gesellschaft als konstruktive Kritik, die die Evolution fördern soll.

Ohne im Unterricht gezielte Rezeptionsforschung betreiben zu wollen, kann doch an ausgewählten Beispielen die gewichtige Rolle, die der Leser bei der Rezeption spielt, verdeutlicht werden und gleichzeitig auf die Gebundenheit seiner Leistung an die Einflüsse der Umwelt verwiesen werden. Solche Untersuchungen, mit dem Ziel kritischer Lesehaltung und Einsicht in die Probleme des Lesens und Schreibens, stellen selbst einen nicht unwesentlichen Beitrag zur Wirkungsgeschichte des Werks dar und nötigen dem Lehrenden Achtung ab vor der Leistung seiner Schüler. Wie sehr dem Autor an einer derartigen Aktivierung des Lesers gelegen ist, mag eine Stelle verdeutlichen, die Frischs Auseinandersetzung mit Brechts *Organon* entnommen ist[37]:

> [...] damit er [der Leser] ihnen nicht als Hingerissener, sondern als Erkennender gegenüber sitzt, erkennend das Veränderbare, erkennend die besondere Bedingtheit einer Handlung, genießend das höhere Vergnügen, daß wir eingreifen können, produzierend in der leichtesten Weise, denn die leichteste Weise der Existenz (sagt Brecht) ist in der Kunst [...] Es wäre verlockend, all diese Gedanken auch auf den erzählenden Schriftsteller anzuwenden; Verfremdungseffekt mit sprachlichen Mitteln, das Spielbewußtsein in der Erzählung, das Offen-Artistische [...]

Vorschläge für den Stundenaufbau im Anschluß an die didaktischen und methodischen Vorschläge für die Erarbeitung von »Stiller« im Schulunterricht, konzipiert für 14 Unterrichtsstunden:

1. VORSTELLUNG DES AUTORS:
   – Schülerkurzreferat über den Autor mit nachfolgender Besprechung, bei der Lehrerbeiträge eingebracht werden.
   – Einordnung von *Stiller* ins Gesamtwerk durch den Lehrer

(Mittelstellung zwischen *Die Schwierigen* und *Mein Name sei Gantenbein*).

2. AUSTAUSCH VON LEKTÜREERFAHRUNGEN:
   - was macht die Lektüre leicht?
     - Kriminalstruktur erzeugt Spannung
     - Geschichten implizieren Abwechslungsreichtum
     - Sprache sichert leichte Lesbarkeit.
   - was erschwert die Lektüre?
     - Lebensgeschichte Stillers bleibt unklar
     - Diskrepanz zwischen intakter Sprache und in Auflösung begriffener Welt
     - Wechsel im sprachlichen Ausdruck

3. »STILLER« IN SEINER ZEIT:
   - Besprechung des zeitgeschichtlichen Rahmens:
     - Bedeutung einiger Jahreszahlen für Stiller, kontrastiert mit der historischen Füllung dieser Zahlen
     - Welche Erfahrungen des Autors sind im *Stiller* spürbar? Wie erkennen wir den Bürger, wie den Menschen Max Frisch?

   Als Ausgangsbasis für die Untersuchung werden den Schülern einige Daten angegeben (z. B. Zeitraum der Ehe mit Julika 1935–45, Rolfs Ehekrise 1945, Stillers Verschwinden 18. 1. 1946 und seine Rückkehr 1952).

4. und 5. AUSGEWÄHLTE QUELLEN ZU »STILLER«:
   - In Kurzreferaten einzuführen:
     - philosophische Tradition (Kierkegaard, der Existentialismus)
     - psychologische Tradition (Höhlenmotiv bei Freud und Jung)
     - literarische Tradition (nouveau roman, Sprachskeptizismus)

   Am Ende dieses ersten Besprechungsabschnittes, der überwiegend Wissen vermittelt, sind die wesentlichsten Fragen der Interpretation von den Schülern bereits aufgeworfen worden. Es ist anzuraten, sie durch Klassenprotokolle von Anfang an festzuhalten und in der späteren Besprechung von Fall zu Fall darauf zu verweisen.

6. DIE SITUATION DES INDIVIDUUMS:
   - Welchen Problemen sehen sich die Personen im *Stiller* gegenüber?
     - Kontaktlosigkeit
     - Identitätszweifel
     - Erfahrungsunsicherheit
     - Existenzangst

Unter Berücksichtigung verschiedener Romangestalten stellen die Schüler Belegstellen zusammen, die dann diskutiert werden.

7. DER EINFLUSS DER GESELLSCHAFT:
– Ist die Struktur der Gesellschaft mitverantwortlich für die Schwierigkeiten des Individuums?
  – Leben im Kleinstaat
  – Traditionsgebundenheit
  – Geschlechterrolle

Das unter 6 gesammelte Material bildet die Grundlage für eine Besprechung der genannten Problematik.

8. KOMPROMISS ALS LEBENSHALTUNG:
– Welche Möglichkeiten der Daseinsbewältigung werden im *Stiller* aufgezeigt? (Geeignet als schriftliche Hausarbeit oder als schulische schriftliche Leistung)
Die Erschließung erfolgt vom Negativen her, am Beispiel des Versagens durch Verabsolutierung (z. B. radikaler Neuanfang bei Stiller, der vorher Aufgebautes zerstört, oder anfängliche vollkommene Toleranz bei Rolf, die an Gleichgültigkeit grenzt).

9. ERZÄHLHALTUNGEN:
– Aufzeigen erzähltechnischer Merkmale:
  – Differenz zwischen Handlungschronologie und Gang der Erzählung
  – Das Ich als Objekt im Tagebuch

Die Fragestellung wird in der Form von Gegenüberstellungen bearbeitet: erzählte Handlung vs. tatsächlicher Handlungsablauf, protokollierendes Ich vs. erlebendes Ich.

10. STRUKTURMUSTER:
– Arbeiten mit dem Text:
  – Darstellung perspektivischen Erzählens
  – Verwendung von Strukturmustern im eigenen Erzählversuch

Diese Aufgabenstellungen sollen zu intensiver häuslicher Beschäftigung mit dem Roman anregen.

11. SPRACHFUNKTIONEN:
– Erarbeitung in Gruppenarbeit mit vorgegebenen Seitenverweisen:
  – Sprechstile
  – Arten metaphorischen Sprachgebrauchs

An ausgewählten Beispielen wird die Sprechhaltung verschiedener Personen verglichen (z. B. Verteidiger–Staatsanwalt, Sibylle–Julika, Rolf–Julika). Besonders beachtet werden: Wortwahl, Satzbau, Wahl der rhetorischen Mittel, Metaphorik.

Hier endet der zweite Besprechungsabschnitt, der den Schüler, aufbauend auf dem Wissen aus dem ersten, zum Erklären und von da aus zum Verstehen befähigen soll. Möglichkeiten einer Erfolgskontrolle ergeben sich aus der Feststellung der Zahl der noch offenstehenden Fragen aus dem ersten Besprechungsabschnitt.

12. Erfahrungen beim Interpretationsversuch:
- Reflexion über das Vorgehen im Unterricht:
  - welche Schwerpunkte werden begrüßt, welche hat man vermißt?
  - wie anders hätte man gewichten können?

13. und 14. Stellenwert der Stiller-Lektüre:
- als literarische Erfahrung:
  - *Stiller* als Beispiel eines modernen Romans
  - Historizität des Werks

  Die Schüler versuchen hier die Einordnung von *Stiller* in ihren literarischen Erfahrungsbereich.
- als existentielle Erfahrung:
  - Bestimmung des eigenen Standpunktes unter Einbezug der Wirkungsgeschichte.

Im Bewertungsprozeß des dritten Besprechungsabschnittes werden im Idealfall Wissen, Erklären und Verstehen des Schülers im Hinblick auf den Roman soweit modifiziert und gleichzeitig vertieft, daß ein Anreiz zu späterer selbständiger Auseinandersetzung mit literarischen Kunstwerken gegeben ist.

	1	2	3	4	5	6	7	8	9	10	11	12	13	14
*Lernziele:***														
Bewußtmachen der Leserrolle	×	×						×	×	×		×	×	×
Einblick in die Textintention		×	×	×	×	×	×	×	×	×			×	×
Erschließen eines historischen und literarischen Kontexts	×		×	×	×		×					×	×	×
Erfassen der Textstruktur						×	×	×	×	×	×			
Lerninhalte:														
Textanalyse			×			×	×	×	×	×	×			
Textmontage									×	×	×			
Textumdichtung										×				
Synthese von Einzelbeobachtungen			×				×	×		×	×	×	×	×
Auffinden von Parallelstellen inner- und außerhalb des Textes			×	×	×	×			×	×	×		×	×
Gebrauch von Sekundärliteratur	×			×	×					×			×	×
Unterrichtsverfahren: Diskussion	×	×	×			×	×		×	×		×	×	×

Erfahrungsbericht		×					×	×	×	×	×	×	×	×
Schülerreferat	×			×	×				×					
Lehrervortrag	×			×	×								×	×
Gestaltungsversuch								×		×	×			
Gruppenarbeit			×			×	×				×		×	×
Lernzielkontrolle: Stundenprotokoll	×	×		×	×		×		×	×	×		×	×
schriftl. Rechenschaftsbericht			×	×	×	×			×				×	×
Darlegung von Problemlösungen										×	×	×	×	×
Auflisten offen gebliebener Fragen zur Interpretation				×	×	×	×		×	×	×	×	×	×
Klausur mit vorgegebenem Fragenkatalog								×						

** für übergreifende Lernziele siehe »Vorschläge zur Erarbeitung im Unterricht«

1 Siehe dazu die Lehrpläne für das Fach Deutsch an den Gymnasien in Bayern.
2 In Anlehnung an S. J. Schmidt, *Ästhetizität,* München 1971.
3 Nähere Ausführungen dazu bei H. Helmers, *Didaktik der deutschen Sprache,* Stuttgart 1966, S. 261ff.
4 Abweichend davon B. Bloom et al., *Taxonomie von Lernzielen im kognitiven Bereich,* Weinheim 1972.
5 Über Möglichkeiten zur Modifikation von Hypothesen siehe K. Popper, *Objektive Erkenntnis,* Hamburg 1973.
6 Zu dem hier vertretenen, umfassenden Quellenbegriff, der alle Gegebenheiten der Werkgenese einschließt, vgl. K. Kanzog, *Prolegomena zu einer historisch-kritischen Ausgabe der Werke H. v. Kleists,* München 1970.
7 Frisch, *Tagebuch 1946–1949,* GW II, S. 361.
8 G. H. v. Wright, *Erklären und Verstehen,* Frankfurt 1974, S. 123ff.
9 W. Stauffacher, »Sprache und Geheimnisse«, i. d. B. S. 58–67.
10 Vgl. F. Dürrenmatts *Stiller*-Besprechung, i. d. B. S. 81.
11 Stauffacher, i. d. B. S. 54f.
12 Vgl. dazu W. Iser, *Der Akt des Lesens,* München 1976.
13 Frisch, *Stiller,* GW III, S. 615.
14 Frisch, »Das Schlaraffenland, die Schweiz«, GW II, S. 315 – dort wird auf die »deutsche Vergötzung des Todes« hingewiesen.
15 Z.B. »Nationalfeiertagsrede«, GW IV, S. 220–225.
16 Ebd., S. 220–221.
17 M. Jurgensen, *Max Frisch. Die Romane.* Bern ²1976, S. 62.
18 GW I, S. 80–83.
19 O. F. Bollnow, *Französischer Existentialismus,* Stuttgart 1965, S. 74.
20 Ebd.
21 Über Frischs Verhältnis zum Existentialismus vgl. W. Cunliffe, »Existentialistische Elemente in Frischs Werken«, in: *Über Max Frisch II,* hg. v. W. Schmitz, Frankfurt 1976, S. 158–171; W. Frühwald/W. Schmitz, *Max Frisch, Andorra/Wilhelm Tell,* München 1977, S. 37–41.
22 Siehe A. White, »Die Labyrinthe der modernen Prosadichtung«, i. d. B. S. 363.
23 Siehe den kurzen Überblick bei Stauffacher, i. d. B. S. 62f.
24 *Stiller,* S. 535–536.
25 Ebda., S. 435.
26 *Tagebuch 1946–1949,* GW II, S. 374.
27 Frisch, in: H. Bienek, *Werkstattgespräche mit Schriftstellern,* München (dtv) 1976, S. 27.
28 *Stiller,* S. 616.
29 M. Butler, »Rolf: Die Zweideutigkeit der ›Ordnung‹«, i. d. B. S. 198. – Zu Frischs Erkenntnisskepsis vgl. J. Kaiser, »Max Frisch und der Roman«, in: *Über Max Frisch,* hg. v. Th. Beckermann, Frankfurt 1971, S. 43–53.
30 In Anlehnung an die Formdefinition des Prager Linguistenkreises.
31 Vgl. Stauffacher.
32 Vorformuliert etwa bei Jurgensen, a. a. O., S. 94–99; O. Holl, *Der Roman als Funktion und Überwindung der Zeit,* Bonn 1968, S. 170–182; siehe auch i. d. B. S. 135–136.
33 Der Nachweis kann an zahlreichen Belegstellen erfolgen. Die vorliegenden Bei-

spiele wurden aus S. 477 ff. exzerpiert. Vgl. auch K. Braun i. d. B. S. 83–94.

34 H. Heißenbüttel, »Max Frisch oder Die Kunst des Schreibens in dieser Zeit«, in: *Über Max Frisch,* hg. v. Th. Beckermann, Frankfurt 1971, S. 65.

35 Vgl. die »Zelle« als Motiv bei Kafka, Graf, Grass u. a.

36 K. Schimanski, *Max Frisch: Heldengestaltung und Wirklichkeitsdarstellung in seinem Werk,* Leipzig, Diss. 1972. Vgl. i. d. B. S. 275–281.

37 *Tagebuch 1946–1949,* GW II, S. 600–601.

Anhang

Nachbemerkung
Zu dieser Sammlung

Vielleicht ist der *Stiller* Max Frischs wichtigstes Werk (und das nicht nur für die Literaturgeschichte), sicher ist er sein schwierigstes. Die hier in zwei Teilbänden vorgelegten Materialien wollen den Abstand, den dieses Buch mit seiner raffinierten Erzähltechnik, seiner Anspielungskunst, aber auch dem unbefangenen Engagement an seine Zeit, die nicht mehr unsere ist, zwischen sich und den Leser legt, bewußt machen und überbrücken zugleich. – Ich habe die Masse der Studien und Dokumente in neun thematische Gruppen gegliedert. Korrespondenzen und Widersprüche zwischen den einzelnen Texten greifen freilich über die Abteilungsgrenzen hinaus, denn oft gab es konkurrierende Einordnungsmöglichkeiten. Das Namenregister erlaubt es, einige der Verstrebungen aufzudecken und zu verfolgen. – Soweit es anging, wurden innerhalb einer Gruppe alle wichtigen Beiträge zum Thema vorgestellt: der *Stiller* ist ja dasjenige von Frischs Werken, dem man sich nicht nur mit speziellen Untersuchungen, sondern immer wieder auch mit solchen grundsätzlichen Fragen zuwandte, an denen unser Bild dieses Autors sich noch heute ausrichtet. Damit aber belegen »Materialien zum *Stiller*« paradigmatisch auch Spannweite und Möglichkeiten der Beschäftigung mit Frischs Gesamtwerk, ja, an ihnen mögen sich Rezeptionsmuster und -motive zeigen lassen, die die Aneignung moderner Literatur überhaupt bestimmen. Wenn auch die Gliederung der vorliegenden Bände nicht zu einer chronologischen Lektüre auffordert, wird diese durch die umfassende Dokumentation doch ermöglicht und der Leser sei nachdrücklich auf solche Möglichkeit hingewiesen: Der Weg von den vorwiegend nach dem allgemeinmenschlichen Gehalt suchenden Kritiken und Aufsätzen der fünfziger und frühen sechziger Jahre über selbstgenügsame Formanalysen, neben denen sich unvermittelt das inhaltliche Anliegen – jetzt gesellschaftskritisch akzentuiert – behauptet, bis hin zu jüngeren Arbeiten mit geduldigen Analysen und Synthesen unter manch neuem Blickwinkel – dieser Weg fasziniert sicher einige Leser genauso stark wie der schließlich erreichte Kenntnisstand, zumal wenn sich über all den Korrekturen und Wiederaufnahmen von Einsichten der Text, der Roman *Stiller*, durchsetzt und ein höheres Maß an Erkenntnisintensität abermals erzwingt.

Dies glückte in Hans Mayers »Anmerkungen« und bahnt sich vielleicht im Ernstnehmen der diaristischen Erzählhaltung an. – Die Aufsätze des ersten Bandes dieser Sammlung markieren jenen Weg, der zum jetzigen festen Bestand an Einsichten in den *Stiller* führte; natürlich mußte immer noch manches entfallen, so daß erst die Kommentare in der dem zweiten Band beigegebenen ergänzenden Bibliographie das Spektrum der Argumente vervollständigen. – Alles, was Max Frisch zu *Stiller* gesagt und geschrieben hatte, fand jedenfalls seinen Platz in diesem Band; nur unter den Quellen, die ohnehin erst zum Teil bekannt sind, mußte ich zwei auswählen; sie zeigen, auf welche Arten Frisch Vorlagen in den *Stiller* einbaute. Einmal entfremdet er sich den eigenen Text in die Erlebnislage einer Romanfigur (vgl. S. 282). Zum anderen findet er schon früh im fremden Text – Sven Hedins *Rip van Winkle* – das Thema für eine eigene Geschichte, gibt später den Glauben an die wahren Geschichten, von dem seine Feuilletons leben, auf, zitiert die fremde Geschichte als Lüge und Ausflucht – Stillers Rip van Winkle-»Märchen«; schließlich bleibt die ursprüngliche Erzählung als fragmentarische Folie für Erlebnisse, die sich im geborgten Muster kaum noch zurechtfinden: im zweiten *Tagebuch* sucht Rip van Winkle die Geschichte seiner Erfahrung vergebens (vgl. S. 153 u. 156).

Der zweite Teilband ist weit weniger homogen als dieser erste. »Wirkung« heißt der eine Schwerpunkt. Die literarischen Kritiken zum *Stiller* wurden als Material gesammelt; daß dazu eine empirische Untersuchung als Verwertungsmöglichkeit vorgestellt wird, ist angesichts des Gefälles zwischen theoretischen Forderungen und praktischer Einlösung, wie es im Feld der Rezeptionsforschung herrscht, vielleicht willkommen. – Während so einerseits der Ausgangspunkt der – in Band 1 versammelten – Forschung fixiert ist, sollten die Originalbeiträge einen vorläufigen Endpunkt umschreiben. Was in den intensiven Methodendiskussionen der vergangenen Jahre verlangt und nur-programmatisch entworfen wurde, hatte sich hier am Text zu bewähren und Fruchtbarkeit zu beweisen. Deshalb wurden die – soweit ich sehe – am weitesten zur Kohärenz vorangetriebenen Interpretationsmodelle erprobt. Selbstverständlich soll mit dieser Gegenüberstellung kein hochmütiger Ausschließlichkeitsanspruch gegen die frühere Forschung (und die Literaturkritik) unterstützt werden; daß jede neue Arbeit die Resultate der vorangehenden in sich aufheben muß, belegen nicht nur die Beiträge von Marianne Wünsch und Gunda Lusser-Mertelsmann, sondern eindrücklicher noch der Aufsatz von Wolfgang Frühwald, der Hans Mayers Reproduktionsthese neue Seiten abgewinnt. Dieser Aufsatz wurde deshalb auch in den ersten Band gestellt. – Es bleibt noch anzumerken, daß den einzelnen Originalbeiträgen vom Herausgeber jeweils der gleiche Raum zugemessen war; ihre jetzt sehr unterschiedliche Länge spiegelt also keine Gewichtung, sondern allenfalls die Verschiedenheit der Methoden mit ihrem sich jeweils wandelnden Zwang zur Explizitheit. – Die Vorschläge zur Didaktik, die den Band abschließen. fügen sich in seinen Plan, Anregungen für die Benutzer der Materialien zu geben – ob es nun um Analyseregeln für den Romantext geht, um das Begreifen von Rezeptionsvorgängen (eigenen und fremden) oder eben um die Nutzung des hier Gesammelten für die schulische Literaturvermittlung.

Was die formale Einrichtung der beiden Bücher angeht, so habe ich, soweit tunlich, zu vereinfachen gesucht. Insbesondere der Roman *Stiller* wird grundsätzlich nach dem Abdruck in den *Gesammelten Werken* (Sigle: GW = *Gesammelte Werke in zeitlicher Folge.* 6 Bde. Hg. v. Hans Mayer unter Mitwirkung von Walter Schmitz. Frankfurt: Suhrkamp 1976. – Dort: Bd. III, S. 359–780) zitiert; wenn möglich wurden auch die Verweise auf sonstige Werke Frischs auf diese Ausgabe umgestellt. Zitatangaben aus den in unserer Sammlung abgedruckten Beiträgen wurden durch Querverweise (Abkürzung: i.d.B.) ergänzt oder ersetzt. Darüber hinaus markieren eckige Klammern (außer in längeren Zitaten) Einfügungen oder Streichungen, die der Herausgeber vorgenommen hat. Einzelne kleinere Versehen in Texten und Anmerkungen habe ich stillschweigend berichtigt.

Mir bleibt die angenehme Pflicht, allen zu danken, die meine Arbeit an diesen Bänden förderten, besonders Elisabeth Bauer, Wolfgang Frühwald, Renate Laux, Bernhard Lorenz, Helmut Schödel und Marianne Wünsch für anregende Gespräche und gute Ratschläge; Max Frisch bin ich wie je verpflichtet für viele wertvolle Hinweise.

München, Dezember 1977 *Walter Schmitz*

Drucknachweise

Bänziger, Hans. »›Der Steppenwolf‹ und ›Stiller‹. Zwei Fremdlinge innerhalb der bürgerlichen Welt.« In: H. B. *Zwischen Protest und Traditionsbewußtsein. Arbeiten zum Werk und zur gesellschaftlichen Stellung Max Frischs.* Bern: Francke 1975. S. 21–39 [gekürzt].

Bauer, Elisabeth. »Max Frischs ›Stiller‹. Vorschläge zur Erarbeitung im Unterricht.« [Originalbeitrag.]

Böschenstein, Hermann. *Der neue Mensch. Die Biographie im deutschen Nachkriegsroman.* Heidelberg: Rothe 1958. S. 104–110.

Braun, Karlheinz. Die epische Technik in Max Frischs Roman »Stiller« als Beitrag zur Formfrage des modernen Romans. Frankfurt: Johann Wolfgang Goethe-Universität, Diss. 1959. S. 23–25, 27, 31–32, 36, 48–49 und 58; 81–90, 120–134, 136–154.

Butler, Michael. *The Novels of Max Frisch.* London: Wolff 1976. S. 55–59 [Isidor; gekürzt]; 82–87 [Rolf]. [Aus dem Englischen übers. v. Walter Schmitz.]

Demetz, Peter. *Die süße Anarchie. Skizzen zur deutschen Literatur seit 1945.* Ullstein Buch. Frankfurt: Ullstein 1973 (1. Aufl. 1970). S. 15–18.

Dürrenmatt, Friedrich. »›Stiller‹, Roman von Max Frisch. Fragment einer Kritik.« In: F. D. *Theaterschriften und Reden.* Zürich: die Arche 1966. S. 261–271. – Auch in: ÜMF S. 7–15.

Frisch, Max. »Konfrontation mit Julika. Aus dem Roman ›Stiller, Aufzeichnungen im Gefängnis‹.« In: »Neue Unternehmungen jüngerer Schweizer Autoren.« *Neue Züricher Zeitung* Nr. 2348 v. 26. 9. 1954, Bl. 4. [Einleitung zu einem *Stiller*-Vorabdruck.]

– »Kleine Erinnerung.« *Neue Zürcher Zeitung* Nr. 2148 v. 29. 11. 1934, Bl. 8. – Auch in: GW I, S. 76–79.

– »Rip van Winkle.« In: *Tagebuch 1966–1971.* Frankfurt: Suhrkamp 1972. S. 428–430. – Auch in: GW VI, S. 398–400.

– »Amerikanisches Picknick.« *Süddeutsche Zeitung* Nr. 200 v. 31. 8. 1951. S. 3.

– [Antwort]. In: »Meine stärksten Eindrücke. Weihnachtsumfrage der Neuen Zeitung.« *Die Neue Zeitung* (München) Nr. 299 v. 25. 12. 1954.

– »Spuren meiner Nicht-Lektüre.« [Originalbeitrag; geschrie-

ben 1976.]
Frühwald, Wolfgang. »Parodie der Tradition. Das Problem literarischer Originalität in Max Frischs Roman ›Stiller‹.« [Originalbeitrag.]
Gontrum, Peter. »The Legend of Rip van Winkle in Max Frisch's ›Stiller‹.« *Studies in Swiss Literature.* Brisbane: Univ. of Queensland/Australia, Dpt. of German 1971. S. 97–102. [Aus dem Englischen übers. v. Renate Laux.]
Harris, Kathleen. »Stiller: Ich oder Nicht-Ich?« *German Quarterly* 41, 1968. S. 690–697 [gekürzt].
Hedin, Sven. »Ein nordamerikanisches Märchen.« In: S. H. *Von Pol zu Pol (letzte Folge). Durch Amerika zum Südpol.* 4. Aufl. Leipzig: F. A. Brockhaus 1915. S. 75–85 [1. Aufl. 1913].
Helmetag, Charles H. »The Image of the Automobile in Max Frisch's ›Stiller‹.« *Germanic Review* 47, 1972. S. 118–126. [Aus dem Englischen übers. v. Elisabeth Bauer u. Renate Laux.]
Hinderer, Walter: »Ein Gefühl der Fremde. Amerikaperspektiven bei Max Frisch.« In: Siegrid Bauschinger et al. (Hg.). *Amerika in der deutschen Literatur.* Stuttgart: Reclam 1975. S. 354–360 [gekürzt].
Jens, Walter. »Nachwort.« In: M. F. *Erzählungen des Anatol Ludwig Stiller.* suhrkamp texte 5. Frankfurt: Suhrkamp 1961. S. 50–57. – Auch in: ÜMF S. 16–23.
Karmasin, Helene/Walter Schmitz/Marianne Wünsch. »Kritiker und Leser: Eine empirische Untersuchung zur ›Stiller‹-Rezeption.« [Originalbeitrag.]
Kieser, Rolf. *Max Frisch. Das literarische Tagebuch.* Frauenfeld: Huber 1975. S. 87–93.
Kohlschmidt, Werner. »Selbstrechenschaft und Schuldbewußtsein im Menschenbild der Gegenwartsdichtung. Eine Interpretation des ›Stiller‹ von Max Frisch und der ›Panne‹ von Friedrich Dürrenmatt.« In: Albrecht Schaefer (Hg.). *Das Menschenbild in der Dichtung.* Beck'sche Schwarze Reihe 34. München: Beck 1965. S. 174–193. – Auch in: Schau S. 36–46. – W. K. *Konturen und Übergänge. Zwölf Essays zur Literatur unseres Jahrhunderts.* Bern: Francke 1977. S. 173–183 [gekürzt].
Links, Roland. »Nachwort.« In: M. F. *Stiller.* Berlin (DDR): Volk und Welt 1975. S. 539–564.

Lusser-Mertelsmann, Gunda. »Selbstflucht und Selbstsuche. Das ›Psychoanalytische‹ in Frischs ›Stiller‹.« [Originalbeitrag.]
– »Die Höhlengeschichte als symbolische Darstellung der Wiedergeburt.« [Originalbeitrag.]
Manger, Philipp. »Kierkegaard in Max Frisch's Novel ›Stiller‹.« *German Life and Letters* 20, 1966/67. S. 119–131. [Aus dem Englischen übers. v. Walter Schmitz.]
Marti, Kurt. »Das zweite Gebot im ›Stiller‹ von Max Frisch.« *Kirchenblatt für die reformierte Schweiz* 113, 1957. S. 371–374.
– *Die Schweiz und ihre Schriftsteller – die Schriftsteller und ihre Schweiz.* Polis Zeitbuchreihe 28. Zürich: EVZ-Verlag 1966. S. 75–76.
Mayer, Hans. »Anmerkungen zu ›Stiller‹.« In: H. M. *Dürrenmatt und Frisch.* opuscula 4. Pfullingen: Neske 1963. S. 38–54. – Auch in: H. M. *Zur deutschen Literatur der Zeit. Zusammenhänge, Schriftsteller, Bücher.* Reinbek: Rowohlt 1967. S. 189–204. – ÜMF S. 24–42.
Musgrave, Marian E. »The Evolution of the Black Character in the Works of Max Frisch.« *Monatshefte* 66, 1974. S. 117–122. [Aus dem Englischen übers. v. Renate Laux.]
Nizon, Paul. *Diskurs in der Enge. Aufsätze zur Schweizer Kunst.* Zürich: Benziger 1973. S. 53–54. [1. Aufl. – Bern: Kandelaber 1970.]
Reich-Ranicki, Marcel. »Über den Romancier Max Frisch.« *Die Neue Rundschau* 74, 1963. S. 272–284. – Auch in: M. R.-R. *Deutsche Literatur in West und Ost. Prosa seit 1945.* München: Piper 1963. S. 81–100 [gekürzt].
Schimanski, Klaus. Max Frisch. Heldengestaltung und Wirklichkeitsdarstellung in seinem Werk. Leipzig: Karl-Max-Universität, Diss. 1972. S. 111–117.
Schmitz, Walter. »Zur Entstehung des Romans ›Stiller‹.« [Originalbeitrag.]
Stauffacher, Werner. »Langage et mystère. A propos des derniers romans de Max Frisch.« *Etudes germaniques* 20, 1965. S. 331–345. – Auch in: Schau S. 338–349 [gekürzt]. [Aus dem Französischen übers. v. Kitty Ausländer.]
Steinmetz, Horst. *Max Frisch: Tagebuch, Drama, Roman.* Kleine Vandenhoeck Reihe 379. Göttingen: Vandenhoeck & Ruprecht 1973. S. 34–60.
White, Andrew. »Max Frisch's ›Stiller‹ as a Novel of Alienation

and the ›nouveau roman‹.« *Arcadia* 2,1967. S. 288–304. [Aus dem Englischen übers. v. Elisabeth Bauer u. Renate Laux.]

Wünsch, Marianne. »›Stiller‹: Versuch einer strukturalen Lektüre.« [Originalbeitrag.]

Ergänzende Bibliographie

Auf folgende Sammelbände wird mit Sigle verwiesen:

Schau Albrecht Schau (Hg.). *Max Frisch – Beiträge zur Wirkungsgeschichte.* Materialien zur Deutschen Literatur 2. Freiburg: Becksmann 1971.

ÜMF Thomas Beckermann (Hg.). *Über Max Frisch.* edition suhrkamp 404. Frankfurt: Suhrkamp 1971.

ÜMF II Walter Schmitz (Hg.). *Über Max Frisch II.* edition suhrkamp 852. Frankfurt: Suhrkamp 1976.

Jurgensen
Manfred Jurgensen (Hg.). *Frisch. Kritik – Thesen – Analysen. Beiträge zum 65. Geburtstag.* Bern: Francke o.J. [1977].

ÜMF II enthält eine umfassende Bibliographie der Primär- und Sekundärliteratur.

Bänziger, Hans. *Frisch und Dürrenmatt.* 6. Aufl. Bern: Francke 1971 (1. Aufl. 1960).
Zum *Stiller* S. 73–88: Essayistische Darstellung bes. des »theologischen« Gehalts, der Eheproblematik und der Schweizkritik; nützliche Hinweise auf literarische Zusammenhänge, Parallelen in Frischs Werk und die Sekundärliteratur.

Bonnin, Gunther. »Stiller – Swiss Don Quichotte.« In: *Studies in Swiss Literature.* Brisbane: Univ. of Queensland/Australia, Dpt. of German 1971. S. 103–106.
Zu den Geschichten im *Stiller*, insbesondere der Höhlengeschichte als verschlüsselter Darstellung von Stillers Wahl zwischen zwei Lebensentwürfen; Quellennachweis. Die Gesellschaft vereitelt Stillers Entwurf.

Burghard, C. »Ein ›Bestseller‹: Max Frisch ›Stiller‹. Über psychopathische Entwicklung und Schizophrenie.« *Die Medizinische* 35, 1955. S. 3–15.
Psychiatrische Analyse Stillers; er ist und wird nicht schizophren, allenfalls kann man »von retrograder Amnesie sprechen« (S. 4). Aber Stiller wird geheilt und entwickelt sich zum »Durchschnittsmenschen« (S. 22–23).

Butler, Michael. »Das Problem der Exzentrizität in den Romanen Max Frischs.« *Text und Kritik* 47/48, 1975. S. 13–26.
Vgl. i. d. B. S. 144, Anm. 7a.

Butler, Michael. »The Ambivalence of ›Ordnung‹: The Nature of the ›Nachwort des Staatsanwaltes‹ in Max Frisch's ›Stiller‹.« *Forum for Modern Language Studies* 12, 1976. S. 149–155.
Entspricht dem Auszug aus B.s Monographie, i. d. B. S. 195–200.

Cock, Mary E. »›Countries of the Mind‹: Max Frisch's Narrative Technique.« *The Modern Language Review* 65, 1970. S. 820–828.
Zum *Stiller* bes. S. 821–823 die Erläuterung von »nine main categories of subject matter« (S. 821); außerdem zur Entwicklung von Frischs »characteristic ›dual‹ narrative technique« (S. 825), die Bewußtes und Unbewußtes simultan schildert.

Cunliffe, William G. »Existentialist Elements in Frisch's Works.« *Monatshefte* 62, 1970. S. 113–122. – Deutsch in: ÜMF II, S. 158–171.
Zum *Stiller* bes. S. 166–170: Stillers erste Flucht war – im »Zeitalter der Reproduktion« – ein zu naiver Versuch, das authentische Leben zu gewinnen. Die an Kierkegaard geschulte Analyse Rolfs im »Nachwort« dient letztlich nur dazu, »die verhängnisvolle Unsicherheit« (S. 170) zu beleuchten, zu der Stiller bei seiner Suche verdammt ist. Stillers Situation ähnelt der des Clamence in Camus' Roman *La Chute (Der Fall)*.

Dahms, Erna. *Zeit und Zeiterlebnis in den Werken Max Frischs. Bedeutung und technische Darstellung.* Quellen und Forschungen zur Sprach- und Kulturgeschichte der germanischen Völker N. F. 67. Berlin: de Gruyter 1976.
Das Gesamtwerk erfassende, umfangreiche, aber etwas zusammenhanglose Typologie, die »Formen des Zeiteinbruchs«, »Folgen des Zeiterlebnisses«, »Versuche der Zeitüberwindung«, die Wirksamkeit dieser Kategorien in der Figurengestaltung und dem Formgerüst ebenso einbezieht wie Stellungnahmen Frischs zum Thema »Zeit«.

Deschner, Karlheinz. »Max Frisch. ›Stiller‹ und andere Prosa.« In: K. D. *Talente, Dichter, Dilettanten. Überschätzte und unterschätzte Werke in der deutschen Literatur der Gegenwart.* Wiesbaden: Limes 1964. S. 125–155.
D.s Totalverriß der deutschen Nachkriegsliteratur bezieht auf S. 129–143 auch den *Stiller* ein: »Was diesen Roman entwertet, ist seine zwar durchaus geläufige und polierte, aber völlig poesielose Diktion, eine längst vorgeformte, unpersönliche Prosa, die nicht selten sogar die ausgelaugtesten Floskeln konserviert.« (S. 134) – »Es fehlt ihm jede Größe.« (S. 141)

Ehrhardt, Marie-Luise. »Auf der Suche nach Identität oder die Gartenlaube für Männer. Eine Bemerkung zum Werk von

Max Frisch.« In: Hermann Horn (Hg.). *Entscheidung und Solidarität. Festschrift für Johannes Harder.* Wuppertal: Hammer 1973. S. 201–204.

Kritik der »Bildnistheorie«: »Die Forderungen also, mit sich selbst identisch zu werden und sich kein Bildnis zu machen [...], schließen einander aus [...] Die Identitätskrise bietet die ideale Möglichkeit zur Flucht vor sich selbst.« (S. 203)

Emmel, Hildegard. »Parodie und Konvention: Max Frisch.« In: H. E. *Das Gericht in der deutschen Literatur des 20. Jahrhunderts.* Bern: Francke 1963. S. 120–150.

Zum *Stiller* S. 142–150: Der Staatsanwalt als »positive Gestalt« und »Stimme der Gesellschaft«; Rolf durchleidet die Eheprobleme, vor denen Stiller nur ausweicht.

Emrich, Wilhelm. »Zerstörung und Aufbau der Person in der modernen Literatur.« In: W. E. *Geist und Widergeist. Wahrheit und Lüge der Literatur. Studien.* Frankfurt: Athenäum 1965. S. 46–65.

Stiller als Beispiel für die »Zerstörung der Person« (S. 60–62): »Scharf hat Max Frisch jene pseudochristliche Haltung gestaltet, die die Welt unverwandelt in ihren Krisen und Katastrophen dahintreiben läßt und vergebens auf ein Wunder aus dem Jenseits hofft.« (S. 62)

Frühwald, Wolfgang, u. Walter Schmitz. *Max Frisch. Andorra/Wilhelm Tell.* Reihe Hanser Literatur-Kommentare 9. München: Hanser 1977.

S. 51–52 zur Bewußtseinsreise bei Frisch am Beispiel der Höhlengeschichte.

Grimm, Reinhold, u. Carolyn Wellauer. »Max Frisch. Mosaik eines Statikers.« In: Hans Wagener (Hg.). *Zeitkritische Romane des zwanzigsten Jahrhunderts.* Stuttgart: Reclam 1975. S. 276–300.

»Veränderung« als Wert existiert für Frisch nicht: »Es herrscht in Frischs Entwicklung trotz der scheinbaren Komplexität seines Schaffens [...] eine eigentümliche Stagnation oder Beharrung im Wandel.« (S. 291) »Verfahren und Haltung einer paradoxen Attacke, die schon im Ansatz zurückweicht [...], machen nicht bloß im *Stiller,* sondern im gesamten Romanschaffen Frischs und sogar in seiner Dramatik die Besonderheit dieser kritischen Zeit und Gesellschaftsdarstellung aus.« (S. 280) »Versagen und Scheitern treten hier gleichsam auf der Stelle.« (S. 285) »Das Allgemeine und Gesellschaftlich-Politische wird so gut berücksichtigt, wie das Besondere und Individuelle. Woran es im geschichtlichen Bereich fehlt, ist deren Vermittlung.« (S. 289) »Die Schweiz ist das Grundmodell der bürgerlichen Gesellschaft im großen. Im kleinen ist es die Institution der bürgerlichen Ehe.« (S. 281–282) »Das grundsätzliche Scheitern bei Frisch ist demnach [...] ein mehrfaches. Es spiegelt, weit übers Private der jeweils Betroffenen hinaus, ein Versagen sowohl der Ehe und Gesellschaft als auch der Kräfte, die sich gegen sie aufzulehnen wagen.« (S. 285) »Max Frischs bürgerliche Romanhelden [...] sind Heimkehrer ins einfache Leben.« (S. 295)

Heißenbüttel, Helmut. »Max Frisch oder Die Kunst des Schreibens in dieser Zeit.« ÜMF S. 54–68.

Grundlegende Beobachtungen zu Frischs Schreibweise, zum Verhältnis von Individuum und Gesellschaft in seinen Werken u. ä.

Henning, Margrit. *Die Ich-Form und ihre Funktion in Thomas Manns ›Doktor Faustus‹ und in der deutschen Literatur der Gegenwart.* Studien zur deutschen Literatur 2. Tübingen: Niemeyer 1966.

Bes. S. 159–171 u. d. T.: »Der Ich-Erzähler als Medium der Verfremdung in Max Frischs *Stiller*.« – Es gibt zunächst »keinen eindeutig fixierten Ich-Erzähler [...], den man White oder Stiller nennen könnte« (S. 162); aber der fortschreitenden Selbsterkenntnis des Erzählers gemäß löst sich die Trennung zwischen diesem und Stiller auf. Parallel wandeln sich seine Ausdrucksmöglichkeiten »von der Wiedergabe vorgeformter Geschichten bis zum Selbstbekenntnis« (S. 189).

Hillen, Gerd. »Reisemotive in den Romanen von Max Frisch.« *Wirkendes Wort* 19, 1969. S. 126–133.

Über *Stiller* S. 127–130; Radikalisierung der aus *Bin oder Die Reise nach Peking* bekannten Problematik; eine christlich inspirierte Deutung (wie sie Rolf im »Nachwort« versucht) wird ebenso abgewiesen wie Hans Mayers Reproduktionsthese. »Das Problem ist [...] ein existentielles. [...] Selbstwerdung und Kommunikation [...] werden bei Frisch getrennt. Erst der Brückenschlag, um den Stiller sich so verzweifelt bemüht, mißlingt.« (S. 130)

Hoffmann, Charles W. »The Search for Self, Inner Freedom and Relatedness in the Novels of Max Frisch.« In: Robert R. Heitner (Hg.). *The Contemporary Novel in German. A Symposium.* Austin: University of Texas Press 1967. S. 91–113.

Typisierende Deutung der gescheiterten Suche in Frischs psychologischen Romanen; zum *Stiller* bes. S. 103–106: Im Lauf des 1. Teils nimmt sich Stiller als »Mörder« Julikas an; im 2. Teil versucht er, sie wieder zu erwecken: »After failing to be Pygmalion he tries to be Christ.« (S. 106) Stiller ist der typische Mensch der Moderne, »unable to believe in any higher instance outside of himself and so forced to take on the role of his own Saviour.« (S. 106)

Holl, Oskar. *Der Roman als Funktion und Überwindung der Zeit.*

Zeit und Gleichzeitigkeit im deutschen Roman des zwanzigsten Jahrhunderts. Abhandlungen zur Kunst-, Musik- und Literaturwissenschaft 49. Bonn: Bouvier 1968.

Zum *Stiller* S. 168–186; detaillierte Liste der »chronologischen Reihenfolge der Ereignisse« S. 170–182. – Widerspiel von didaktischem Gehalt (wie ihn das Motto formelhaft ausdrückt) und vielschichtiger Form (wie sie das »bewußte Verhüllen der Zeitstruktur« [S. 183] anzeigt). Im 2. Teil »ist Stiller ›wahrhaft Stiller‹, d. h. der Gefangene eines außenstehenden Betrachters.« (S. 186)

Honsza, Norbert. *Zur literarischen Situation nach 1945 in der BRD, in Österreich und in der Schweiz.* Acta Universitatis Wratislavensis 214. Breslau 1974.

Zum *Stiller* S. 94–97; Zusammenfassung des Forschungsstandes.

– »Auf der Suche nach neuer Ich-Erfahrung. Zur Kommunikativität und Applikation der Prosa von Max Frisch.« Jurgensen S. 67–80.

Verfehlt den im Titel versprochenen Fluchtpunkt methodischer Reflexion; S. 68–73 Kompilation von Belanglosigkeiten, Allgemeinplätzen und Zitaten zum *Stiller.*

Jurgensen, Manfred. *Max Frisch. Die Romane.* 2. Aufl. Bern. Francke 1976 (1. Aufl. 1972).

»Textnahe Auslegung« (S. 9) des *Stiller* S. 62–100 (mit Gliederungsversuch). Das Ehethema integriert die »gedanklichen Leitmotive dieses Romans« (S. 62). Die Ehe »wird zum direkten Ausdruck des Verhältnisses von Liebe und Identität« (S. 62), dazu tritt als Nebenthema die Verbindung von »existentieller Angst« und »überpersönlicher Lebensangst« (S. 93). Im Aufbau des Romans lösen sich »dargestelltes Erlebnis und spekulative Reflektion« (S. 63) ab und spiegeln einander. »Endlich aber erweist sich der gesamte Roman als eine in dichterischer Einbildungskraft gestaltete Reflektion.« (S. 63) Weitere anregende Einzelbeobachtungen z. B. zur paradoxen Erzählsituation (S. 64) sowie zum »ichdramatischen Menschen« Stiller und dem »epischen Typ« Julika (S. 66).

Kaiser, Joachim. »Max Frisch und der Roman. Konsequenzen eines Bildersturms.« *Frankfurter Hefte* 12, 1957. S. 876–882.

Grundlegende Gedanken zu Ästhetik und Gehalt von *Stiller* und *Homo faber.*

Kjaer, Joergen. »Max Frisch, Theorie und Praxis.« *Orbis Litterarum* 27, 1972. S. 264–295.

Wichtige und gründliche Studie; Ergebnisse:
»1. Es gibt einen fundamentalen Widerspruch im non-fiktiven Werk Frischs zwischen einerseits existentialisch-ethisch klingenden Prokla-

mationen, die den Einzelnen zur persönlichen Entscheidung und Verantwortlichkeit auffordern, und andererseits ausgesprochen apologetisch-defensorischen Formulierungen, wo Frisch auf die Funktion des Schreibens in seinem eigenen Leben zu sprechen kommt, Formulierungen, die eine moralische Unverbindlichkeit apologieren, aber dadurch zugleich ausdrücken und aufdecken.

2. Es gibt im *Stiller* einen Widerspruch zwischen einem primären ästhetischen Immoralismus (einer Romantik der Lebenspotenz und des euphorischen Erlebnisses) und einem sekundären ethischen (religiösen), aber – bei Lichte betrachtet – seichten und in sich brüchigen ethischen Existentialismus, welcher letztere den fragwürdigen (und epigonalen) Ästhetizismus »moralistisch deutbar« machen soll. Diese Fragwürdigkeit des ethischen Existentialismus wird an der Abstraktheit und den Inkonsequenzen in zentralen Begriffen und an mehreren zentralen Stellen nachzuweisen versucht, z. B. dem Begriff der Selbstannahme (resignativer Charakter der Selbstannahme, das Paradoxon des Sich-selber-als-nichtig-annehmen-Wollen), Brüchigkeit der Selbstüberforderungstheorie, Stillers »Entwicklung« und Rolfs widerspruchsvolle Interpretation dieser Entwicklung.

3. Statt diese grundsätzliche (und katastrophale) Widersprüchlichkeit begrifflich zu erfassen, hat die damals erschienene Forschung die Widersprüchlichkeit in dem wissenschaftlichen Diskurs reproduziert. (Die später erschienene Forschung unterscheidet sich in diesem Punkt nicht von der damaligen.)

4. Die aus psychologischer (und existenzphilosophischer) Sicht evidente, aber in der Forschung nicht behandelte Problematik der betrügerischen Umdeutung der Selbstflucht, der moralischen Unverbindlichkeit als Wahrheits-, Freiheits- und Selbstsuche wird herausgearbeitet. In diesem Zusammenhang wird dargetan, daß der Engel nicht als Ausdruck einer höheren Wahrheit, wie es Frisch suggeriert, unkritisch hingenommen werden darf, sondern als Ausdruck von Stillers falschem Streben nach Schuldlosigkeit gedeutet werden muß.

5. Es wird auf einen auffälligen Unterschied zwischen dem Hörspiel *Rip van Winkle* und *Stiller* aufmerksam gemacht, der die Auffassung von der ethisch-existentialistischen Schicht in *Stiller* als sekundär und apologetisch untermauert.

6. Die augenfällige Pervertierung des existentiellen Gehalts der Bildnisproblematik, die darin besteht, daß die Problematik hauptsächlich von seiten des Opfers dargestellt wird und daß nur ausnahmsweise und am Rande die Verantwortung des Opfers (Stiller, Andri) für seine Bildnisse erwähnt wird, wird auseinandergesetzt, wobei sich die Bildnislehre als apologetisches Manöver, das das eigene moralische Versagen entschuldigen soll, entlarvt.« [Selbstreferat J. K.]

Köpke, Wulf. »Max Frischs Stiller als Zauberberg-Parodie.« *Wirkendes Wort* 27, 1977. S. 159–170.

Höchst anregende Fortführung von Hans Mayers Reproduktionsthese. Stiller als parodistisch-inverser Bildungsroman (belegt mit erstmals genauem Nachweis der Anspielungen auf den *Zauberberg*), als »ausdruck des menschen im gefängnis der literatur als bildung« (S. 169), als Nachweis einer mißglückten Zurücknahme (die in Stiller/Whites Geschichten versuchte »anti-sublimierung« landet nicht im »Leben«, sondern in der Trivialliteratur). »Zauberberg-orte« und »Zauberberg-situationen« (S. 163): beide der Zeit entrückt und demgemäß in der Schweiz angesiedelt – »in der parodie des Zauberberg-motivs steckt die essenz der satire auf die Schweiz« (S. 169).

Kurz, Paul Konrad. »Identität und Gesellschaft. Die Welt des Max Frisch.« In: P. K. K. *Über moderne Literatur II*. Frankfurt: Knecht 1969. S. 132–189.

Nach Themenkreisen (»Sehnsucht nach dem Paradies«, »Ausbruch aus der Ehe«, »Kritik an der Gesellschaft«, »Wiederholung und Wahl« u. a.) gegliederte Überschau von Frischs Gesamtwerk; S. 164–174 zum *Stiller:* »Frisch widerlegte objektiv Stillers subjektiven Anspruch, aus seinem Ich-›Gefängnis‹ aus bloß eigener Kraft ausbrechen zu können und zu wollen.« (S. 174) Rolf deutet Stillers Konflikt im ganzen richtig, freilich zu begrifflich, »fast katechetisch« (S. 174) – er verflacht so die differenzierten Einsichten Kierkegaards.

Lengborn, Thorbjürn. *Schriftsteller und Gesellschaft in der Schweiz. Eine Studie zur Behandlung der Gesellschaftsproblematik bei Zollinger, Frisch und Dürrenmatt.* Frankfurt: Athenäum 1972.

Umfassende, materialreiche Darbietung; im ganzen als Hintergrundsinformation zum *Stiller* wichtig, speziell der Vergleich Stiller – Jürg Reinhardt (S. 131–134) u. die Ausführungen zur Schweizkritik (S. 158–160); vgl. auch i. d. B. S. 34, Anm. 13 u. 14.

Liersch, Werner. »Wandlung einer Problematik.« *Neue deutsche Literatur* 1958, H. 7. S. 142–146. – Auch in: ÜMF, S. 77–83.

Frisch begreift das »Künstler-Gesellschaft«-Thema Thomas Manns als Teil der umfassenderen Problematik »Intellektueller–Gesellschaft«. Im *Stiller* »gibt Frisch zu verstehen, daß die Konformität die einzige Lebensform ist, die die bürgerliche Gesellschaft heute dem Künstler gestattet«. (S. 80)

Lusser-Mertelsmann, Gunda. *Max Frisch. Die Identitätsproblematik in seinem Werk aus psychoanalytischer Sicht.* Stuttgarter Arbeiten zur Germanistik 15. Stuttgart: Akademischer Verlag Hans-Dieter Heinz 1976.

Sorgfältige literaturpsychologische Studie zu Frischs Gesamtwerk, schwerpunktmäßig zum *Stiller*. Themen: »Geschlechterproblematik«, »Rollenproblematik«, »Identität und Gesellschaft«, »Sprache und Form« (»Selbstentfremdung«, »Selbstreflexion«, »Scheitern«). Vgl. i. d. B. S. 594–616.

Merrifield, Doris Fulda. *Das Bild der Frau bei Max Frisch.* Freiburg: Becksmann 1971.

Eng dem Romantext verhaftete Kurzporträts von Julika (als Neurotikerin; Hinweise aus C. G. Jung und Adler – S. 51–63) und Sibylle (S. 64–70), »zweifellos die sympathischste und lebendigste Frauengestalt, die Frisch geschaffen hat« (S. 64). – Im Schlußteil der Arbeit werden die »Erlebnismuster« in den Beziehungen zwischen den Geschlechtern in Frischs Werk rekonstruiert.

Milanowska, Halina. »Der Erzählstandpunkt als Mittel zur Bestimmung des Erzählers im Roman ›Stiller‹ von Max Frisch.« *Studia Germanica Posnaniensa* 1, 1971. S. 91–103.

Vorwiegend nacherzählender Versuch, den Erzählstandpunkt im *Stiller* zu erhellen; folgt in den Ergebnissen weitgehend den Arbeiten von Henning und Braun.

Neis, Edgar. *Erläuterungen zu Max Frisch. Stiller. Homo faber. Gantenbein.* Königs Erläuterungen 148. Hollfeld, Obfr.: Bange o. J.

Anspruchslose Zitatcollage aus dem Romantext und der Sekundärliteratur, vor allem zum »Gang der Handlung« und den Hauptpersonen.

Petersen, Carol. *Max Frisch.* Köpfe des XX. Jahrhunderts 44. Berlin: Colloquium Verlag 1974 (1. Aufl. 1966). – Erw. Übers. ins Englische: C. P. *Max Frisch.* Modern Literature Monographs. New York: Ungar 1972.

Zum *Stiller* S. 66–70 (engl.: S. 77–82): der Roman ist ein »Kompendium des modernen Lebens überhaupt« (S. 70), außerdem »fast ein Schelmenroman« (S. 70); Stiller nimmt sich selbst an, wie es das »sanfte Gesetz« (S. 69) – das äußere und das innere des eigenen Lebens – verlangt.

Pfanner, Helmut F. »Stiller und das ›Faustische‹ bei Max Frisch.« *Orbis Litterarum* 24, 1969. S. 201–215. – Auch in: Schau S. 47–58.

Von *Stiller* S. 669 angeregte Deutung: »Im *Stiller* erscheint der ›faustische‹ Konflikt als die Dialektik von Wollen und Vermögen der Hauptfigur« (S. 48). – »Faust und Stiller erfahren in entscheidenden Augenblicken ihres Lebens, daß ihr Streben [...] in der Welt der erfahrbaren Wirklichkeit auf unüberwindliche Grenzen stößt.« (S. 53) »Weil nach Stillers Abstieg in die Höhle [funktional eine Parallele zu

Fausts Gang zu den Müttern – S. 53], also nach seinem Bekanntwerden mit dem eigenen Unterbewußtsein, der Grund für seine krankhafte Selbstentfremdung aufgedeckt ist, kann der Autor nun rasch hintereinander die Stufen seiner Heilung vom ›faustischen‹ Streben, d. h. in der Symbolsprache des Romans, den Weg in die Freiheit darstellen.« (S. 55)

Salyámosy, Miklós. »Anatol Stillers Spanienerlebnis.« *Annales Universitatis Scientiarum Budapestinensis, Sectio Philologica Moderna* 5, 1974. S. 4–10.

Sorgfältige Nachzeichnung der Technik von Spiegelung und Verweisung, mit der das Spanienerlebnis in die Textur des Romans eingearbeitet ist.

Schenker, Walter. *Die Sprache Max Frischs in der Spannung zwischen Mundart und Schriftsprache.* Quellen und Forschungen zur Sprach- und Kulturgeschichte der germanischen Völker N. F. 31. Berlin: de Gruyter 1969.

Grundlegende Arbeit; erhellende Bemerkungen zum Stil des *Stiller* z. B. S. 77–79 (stilistischer Perspektivismus u. Sprachscheu), S. 115–116 (Rollensprache).

Schmitz, Walter. *Max Frisch. Homo faber. Materialien, Kommentar.* Reihe Hanser Literatur-Kommentare 5. München: Hanser 1977.

S. 88–89 über *Stiller* als Komplementärroman zum *Homo faber.*

Shantz, Anna M. Max Frisch's Novel ›Stiller‹ Compared with Hermann Hesse's Novel ›Steppenwolf‹. Bryn Mawr College, Diss. 1973.

Stäuble, Eduard. *Max Frisch. Gesamtdarstellung seines Werkes.* 4. Aufl. St. Gallen: Erker 1971 (1. Aufl. 1957).

Feuilletonistisch-einführende Darstellung des Problemgehalts im *Stiller* auf S. 163–175 u. 183–191; St. macht auf einige wichtige Parallelen zu den *Schwierigen* und *Bin* aufmerksam.

Stemmler, Wolfgang. Max Frisch, Heinrich Böll und Sören Kierkegaard. München, Diss. 1972.

Zur »Selbstwahl« im *Stiller* S. 48–76; Detailmodifikationen an Mangers Deutung, z. B. Einführung des Kierkegaardschen »Diesseitswunder«-Begriffs in die Interpretationssprache; Polemik gegen Hans Mayers Deutung der Motti.

Stromšik, Jiří. »Das Verhältnis von Weltanschauung und Erzählmethode bei Max Frisch.« *Philologica Pragensia* 13, 1970. S. 74–94. -Auch in: ÜMF II, S. 125–157.

Zu Frischs Erzählmethode als Spiegelung »des grundlegenden ontologischen Dualismus, der zugleich als Problem, Stoff und Katalysator, ja manchmal Hauptdeterminante« sein Werk durchzieht.

Völker-Hezel, B. »Fron und Erfüllung. Zum Problem der Arbeit bei Max Frisch.« *Revue des langues vivantes* 37, 1971. S. 7–43.

Materialreiche Untersuchung, zum *Stiller* bes. S. 21–25: »verhängnisvolle Übereinstimmung von Beruf und Leben« bei Stiller (S. 22), »komisch-tragische Diskrepanz zwischen beruflichem Erfolg und privatem Versagen« bei Rolf (S. 23), Beruf als Interim (»privater Luxus« – S. 24) bei Sibylle.

Weisstein, Ulrich. »›Stiller‹: Die Suche nach der Identität.« ÜMF II, S. 245–265. (Auszug aus: U. W. *Max Frisch.* Twayne's World Authors Series 21. New York: Twayne 1967).

Gut gegliederte und weiterführende Zusammenfassung des damaligen Forschungsstandes. Beziehung des *Stiller* zur Tagebuchskizze *Schinz* und dem *Rip van Winkle*-Hörspiel; Stillers größter Fehler ist die Selbstüberforderung, aber der Schluß des Romans ließe sich positiv im Sinne Kierkegaards deuten (anders: Hans Mayer).

Wintsch-Spiess, Monika. *Zum Problem der Identität im Werk Max Frischs.* Zürich: Juris 1965.

Versuch, die Wirkung der Kategorie »Zeit« bei Frisch durch Vergleich mit Goethe und Proust zu klären und daraus die Identitätsproblematik abzuleiten. – S. 81–93 zu »Stillers Problem der Identität«. Stiller muß »in seiner Person [...] beide Valenzen von Wahrheit versöhnen: der Stiller, als der er einst lebte und als den ihn seine Umwelt auf Grund seines Verhaltens nahm, der ihm heute fremd, ein Objekt ist, und der neue Stiller, als der er heute fühlt und erlebt, der Stiller als empfindendes Subjekt, müssen beide zu einer umfassenden Person verschmelzen«. (S. 91) Die Forderung nach »Identifizierbarkeit« (für die andern) löst die Krise der Identität (mit sich selbst) aus (vgl. S. 92).

Wolfschütz, Hans. Die Entwicklung Max Frischs als Erzähler von »Mein Name sei Gantenbein« aus gesehen. Salzburg, Diss. 1972.

Vergleich des *Stiller* mit dem *Gantenbein* auf S. 354–372 mit wichtigen Bemerkungen zur »Rip van Winkle«-Geschichte u. zum »Nachwort«.

Zeller-Cambon, Marlies. »Max Frischs Stiller und Luigi Pirandellos Mattia Pascal: Die Odyssee zu sich selbst.« Jurgensen S. 81–96.

Sorgfältiger Nachweis vieler motivischer Ähnlichkeiten und einiger Unterschiede. Thematischer Kern beider Romane: »die Fahrt nach innen im abenteuerlichen Bild des Außen auf der Suche nach Selbstverwandlung.« (S. 89) Rechtfertigung des Vergleichs mit der »Wesensverwandtschaft beider Autoren in ihrer Nähe zur Romantik«

(S. 81) u. der »Zugehörigkeit [...] zu einer politischen, soziologischen und sprachlichen ›Enklave‹.« (S. 83) Projektion auf die philosophiegeschichtlichen Vorbilder Kierkegaard und Pascal.

Zimmermann, Werner. »Max Frisch: ›Stiller‹.« In: W. Z. *Deutsche Prosadichtungen unseres Jahrhunderts. Interpretationen für Lehrende und Lernende.* Bd. 2. Düsseldorf: Schwann 1969. S. 115–165.
Aufarbeitung früherer Ergebnisse (vor allem der Arbeiten von Braun und Wintsch-Spiess) zu didaktischer Verwertung. S. 163–165: Aufgaben zur Erschließung und Einordnung des Romans.

Wie mir Professor Gerhard P. Knapp mitteilt, wird im Frühjahr 1978 ein von ihm herausgegebener Sammelband (*Max Frisch. Aspekte des Prosawerks*. Studien zum Werk Max Frischs I. Bern/Frankfurt/Las Vegas: Peter Lang) erscheinen, worin den *Stiller* die folgenden Originalbeiträge betreffen:

Cunliffe, W. Gordon. »Die Kunst, ohne Geschichte abzuschwimmen. Existentialistisches Strukturprinzip in ›Stiller‹, ›Homo faber‹ und ›Mein Name sei Gantenbein‹.«

Mayer, Sigrid. »Die Funktion der Amerikakomponente im Erzählwerk Max Frischs.«

Pickar, Gertrud Bauer, »Kann man schreiben, ohne eine Rolle zu spielen? Zur Problematik des fingierten Erzählers in ›Stiller‹.«

Stine, Linda J. »Chinesische Träumerei – amerikanisches Märchen: Märchenelemente in ›Bin‹ und ›Stiller‹.«

Außerdem ist seit geraumer Zeit angekündigt:

Naumann, Helmut. *Der Fall Stiller. Antwort auf eine Herausforderung. Zu Max Frischs »Stiller«.* Teil I. Rheinfelden: Schäuble.

Über die Autoren

(soweit bio-biblographische Angaben zu ermitteln waren).
V = Veröffentlichungen in Auswahl

B

Hans Bänziger, 1917 in Romanshorn geboren, Studium der Germanistik und allgemeinen Geschichte in Zürich, Professor für deutsche Literatur am Bryn Mawr College, Pennsylvania. V: *Heimat und Fremde,* 1958; *Zwischen Protest und Traditionsbewußtsein.* Arbeiten zum Werk und zur gesellschaftlichen Stellung Max Frischs, 1975.
Otto Basler, geboren 1912, literarischer Mitarbeiter an mehreren Schweizer Blättern. Mit Th. Mann und H. Hesse eng befreundet.
Elisabeth Bauer, Studium der Germanistik und Anglistik in München. Arbeitsgebiete: Literatur der 20er Jahre, Literaturdidaktik und Textlinguistik.
Heinz Beckmann, geboren 1907, Studium der Literatur- und Kunstgeschichte. Redakteur der Wochenzeitung *Rheinischer Merkur.* V: *Godot und Hiob, Thornton Wilder, Hat das Theater ausgespielt?*
Wolfgang Böhme, 1919 in Gablonz/Neiße geboren, Jurist und Theologe, Mithrsg. und Schriftleiter der Kulturzeitschrift *Zeitwende* und der Zeitschrift *Diskussionen.* V: *Die sieben Tage Gottes. Über Grundfragen der menschlichen Existenz, Das Kamel und das Nadelöhr. Über Wohlstand und Christentum.*
Hermann Böschenstein, 1900 in Stein am Rhein geboren, Studium der Philosophie, Geschichte und Archäologie in Zürich, München, Kiel, Königsberg und Rostock. Seit 1931 Dozent für Germanistik an der University of Toronto, Canada. Bücher über Goethe in England, Hermann Stehr, Keller.
Helmut M. Braem, 1922–1977, Schriftsteller und Übersetzer. V: *Über Eugene O'Neill,* 1965, *Edward Albee,* 1968, 1970 Theodor-Wolff-Preis (Kultur).
Karlheinz Braun, 1932 in Frankfurt/M. geboren, Studium der Literaturwissenschaft und Philosophie in Frankfurt und Paris, Leiter der neuen bühne an der Universität Frankfurt 1953–1959, Leiter der Theaterabteilung des Suhrkamp Verlages 1959–1969, Mitbegründer und Geschäftsführer des Verlages der Autoren 1969–1976. Ab 1977 geschäftsführender Direktor am Schauspiel

Frankfurt.
Michael Butler, geboren 1935, Studium der Germanistik und Romanistik in Cambridge, Oxford und an der FU Berlin, Dozent für Germanistik an der University of Birmingham. V: *The Novels of Max Frisch,* 1976.

C

Cesare Cases, 1920 in Mailand geboren, Studium in Zürich, Promotion in Philologie an der Universität Mailand, lehrt gegenwärtig dt. Literatur an der Universität von Turin. V: *Saggi et note di letteratura tedesca,* 1963.

D

Charlotte König-von Dach, 1913 in Lyss, Kanton Bern, geboren, Studium der Germanistik und allg. Geschichte in Bern und Wien, von 1945 bis 1965 in der Redaktion der Tageszeitung *Der Bund*, seit 1965 freie Mitarbeiterin des *Bund* (Literatur und Kulturgeschichte). V als Hrsg.: *J. V. Widmann, Briefwechsel mit H. Feuerbach und Ricarda Huch,* 1965, *C. J. Burckhardt, Memorabilien,* 1977.
Peter Demetz, geboren 1909, Professor f. deutsche und vergleichende Literaturwissenschaft an der Yale University, New Haven/Conn. V: *René Rilkes Prager Jahre, Marx, Engels und die Dichter, Formen des Realismus: Theodor Fontane.*
Friedrich Dürrenmatt, 1921 in Konolfingen, Kanton Bern, geboren, Studium der Literatur, Philosophie und Naturwissenschaften. Seit 1947 freier Schriftsteller, Erzählungen, Dramen, Hörspiele, Übersetzungen, Drehbücher, Inszenierungen.

F

Christian Ferber, geboren 1919, Studium in München und Münster, Verlagsbuchhändler, später Redaktionsmitglied erst der *Neuen Zeitung,* dann der *Welt.* V: Romane, Erzählungen, Satiren, Hör- und Fernsehspiele. Lebt als reisender Korrespondent in England.
Erich Franzen, 1892–1961, Studium der Rechtswissenschaft in Lausanne, Berlin, Bonn, Heidelberg, ging 1937 in die USA, wo er an versch. Universitäten Sozialwissenschaften lehrte, kehrte 1951 nach Deutschland zurück. V: *Testpsychologie,* 1958, *Formen des modernen Dramas,* 1961.
Dieter Fringeli, geboren 1942 in Basel; seit 1972 Lehrbeauftrag-

ter für neuere deutsche Literatur an der ETH Zürich, der Universität Lausanne und an der Universität of Southern California (Los Angeles). V: Gedichte, Anthologien deutschschweizerischer Literatur, Studien zur »tragischen Literaturgeschichte« in der Schweiz (*Dichter im Abseits*, 19741 *Von Spitteler zu Muschg*, 1975).

Wolfgang Frühwald, geboren 1935, Studium der Fächer Germanistik, Geschichte, Geographie an der Universität München, Dozent und Professor an den Universitäten Bochum, Erlangen, Münster, Trier, ordentlicher Professor für Neuere deutsche Literaturgeschichte an der Universität München. Arbeitsgebiete: Geistliche Prosa des Mittelalters, Literatur der dt. Romantik, moderne dt. Literatur. Buchveröffentlichungen über Clemens Brentano, J. von Eichendorff, Ernst Toller, Sprache der politischen Werbung.

G

Rudolf Goldschmit, 1924 in Heidelberg geboren, Studium der Germanistik, Geschichte und Philosophie in Basel, Heidelberg und München. Seit 1964 Feuilletonchef der *Süddeutschen Zeitung,* München.

Peter B. Gontrum, 1932 in Baltimore geboren, Studium der Germanistik und Anglistik am Haverford College, an der Princeton University und Universität München. Seit 1972 Professor für Germanistik an der University of Oregon. Aufsätze über Hesse, Dürrenmatt, Frisch.

H

Robert Haerdter, 1907 in Mannheim geboren, Studium der Geschichte und Soziologie in Berlin, Wien, Heidelberg. 1945 Mitbegründer und bis 1958 Mitherausgeber der *Gegenwart.* Seit 1966 bei den *Stuttgarter Nachrichten* und freier Journalist. V: *Tagebuch Europa,* 1967, *Signale und Stationen,* 1974.

Kathleen Harris, geboren 1927 in Huddersfield/England, Studium in Leeds, Besançon, Göttingen, Promotion 1961. Hochschullehrerin in den USA und in Kanada, gegenwärtig freiberuflich tätig. V: »Die Sprache der menschlichen Beziehungen bei Max Frisch«, in: *Dichtung, Sprache, Gesellschaft,* Frankfurt/Main 1971 u. a.

Edwin Hartl, geboren 1906 in Wien, Studium der Philosophie. Bis 1970 hauptberuflich als Sozialarbeiter tätig (Jugendamtsleiter). Seit Kriegsende intensive publizistische Tätigkeit für Rundfunk und Fernsehen, für Tageszeitungen, Wochen- und Monatsschriften.

Sven Hedin, 1865–1952, schwed. Asienforscher, entdeckte den Transhimalaja.

Gerhard F. Hering, 1908 in Rogasen/Posen geboren, Studium in Heidelberg bei Gundolf und Jaspers und in Berlin. 1950–52 Direktor der Otto-Falckenbergschule, München, 1952–54 Chefdramaturg und Regisseur am Württ. Staatstheater, Stuttgart, 1961–71 Intendant des Hess. Landestheaters, Darmstadt. V: *Von Herder zu Hofmannsthal,* Essays 1948.

Hermann Hesse, 1877–1962. Das Werk Hesses, ausgezeichnet mit dem Nobelpreis 1946, erscheint im Suhrkamp Verlag.

Walter Hinderer, geboren 1934 in Ulm, Studium der Germanistik, Philosophie, Geschichte, Anglistik in Tübingen und München. Seit 1971 Professor für Neuere Deutsche Literatur an der University of Maryland bei Washington. V: *Ludwig Börne, Menzel der Franzosenfresser* (Hrsg.) 1969, *Deutsche Reden* (Hrsg.) 1973, *Sickingen-Debatte* (Hrsg.) 1974, *Elemente der Literaturkritik: Acht Versuche,* 1976, *Büchner Kommentar,* 1977.

Karl August Horst, 1913–1973. Studium bei Ernst Robert Curtius. Romane, Erzählungen, Lyrik, Essays, Übersetzungen. Mitarbeiter des *Merkur* u.a. V: über Ina Seidel, *Kritischer Führer durch die deutsche Literatur der Gegenwart, Literatur des 20. Jahrhunderts.*

I

Kurt Ihlenfeld, 1901–1972, Studium der Theologie und Kunstgeschichte in Halle und Greifswald, Hrsg. der Zeitschrift *Eckart,* ab 1949 freier Schriftsteller in Berlin, 1952 Fontanepreis für den Roman *Wintergewitter.*

J

Walter Jens, geboren 1923, Studium an den Universitäten Hamburg, Freiburg, seit 1964 Professor für allg. Rhetorik an der Universität Tübingen. V: *Statt einer Literaturgeschichte,* ²1962, *Dt. Literatur der Gegenwart. Themen/Stile/Tendenzen,* 1961, *Republikanische Reden,* 1976.

K

Helene Karmasin, geboren 1935, ist in der psychologischen

Marktforschung tätig; seit 1967 Leiterin des mit dem Österreichischen Gallup-Institut affilierten Institutes für Motivforschung. V: *Einführung in Methoden und Probleme der Umfrageforschung.* Wien/Köln: Böhlau 1977.

Thilo Koch, 1920 in Canena b. Halle/Saale geboren, Studium an der Universität Berlin, 1960–64 Amerika-Korrespondent des Dt. Fernsehens. V: *5 Jahre der Entscheidung – Deutschland nach dem Kriege 1945–1949,* 1969, *Die Goldenen 20er Jahre,* 1970, *Deutschland war teilbar – die 50er Jahre,* 1972.

Werner Kohlschmidt, 1904 in Weimar geboren, Studium der Germanistik, Theologie und Kunstgeschichte. Dozent in Göttingen (1938–40) und Freiburg (1941–44), o. Professor in Kiel (1944–53), Ordinarius f. neuere dt. Literatur in Bern (ab 1953). Bücher über Goethe, die Romantik, Gotthelf, Rilke.

Karl Korn, 1908 in Wiesbaden geboren, 1932 Lektor für Deutsch an der Universität Toulouse, 1934 Redakteur am *Berliner Tageblatt,* 1937 *Neue Rundschau* (S. Fischer Verlag, Berlin), 1950–73 Mithrsg. und Redakteur für Feuilleton und Kulturpolitik der *Frankfurter Allgemeinen Zeitung.* V: *Sprache in der verwalteten Welt,* 1958, *Lange Lehrzeit,* 1975.

L

Roland Links, 1931 in Kotzman, UdSSR, geboren, seit 1940 in Deutschland. Ausbildung als Germanist in der DDR. Seit 1954 Lektor im Verlag Volk und Welt. Bücher über Döblin, Tucholsky.

Friedrich Luft, 1911 in Berlin geboren, Studium in Berlin und Königsberg. Seit 1955 Rezensent bei der *WELT.* V: *Stimme der Kritik,* 1965, *Luftsprünge,* Essays, 1965.

Gunda Lusser-Mertelsmann, geboren 1947, Studium der Germanistik und Romanistik, Promotion zum Dr. phil. 1975 mit einer Dissertation über Max Frisch. Zur Zeit als Lehrerin und freie Radiomitarbeiterin tätig.
V: »Geschlechterproblematik und Identität im Werk Max Frischs.« In: *Psychoanalytische Textinterpretationen* (Hg. J. Cremerius), 1974; *Max Frisch. Die Identitäts-Problematik in seinem Werk aus psychoanalytischer Sicht,* 1976.

M

Philipp Manger, geboren 1930, Studium an der Universiteit van Amsterdam und University of Canterbury, Christchurch, Neu-

seeland, Senior Lecturer in German an der University of Canterbury. Arbeiten über Hofmannsthal, Christa Wolf.
Kurt Marti, 1921 in Bern geboren, Studium der Theologie, evang. Pfarrer in Bern, Schriftsteller. V: *Gedichte am Rand,* 1963, *Grenzverkehr.* Essays, 1976, *Politisches Tagebuch,* 1977.
Hans Mayer, 1907 in Köln geboren, Studium Jura, Geschichte, Philosophie, 1935–45 Emigration nach Frankreich und in die Schweiz, lehrte von 1948–63 Literaturgeschichte in Leipzig, 1965 Professor für dt. Literatur und Sprache an der TU Hannover, seit 1973 emiritiert. V: *Georg Büchner und seine Zeit, Thomas Mann, Brecht in der Geschichte, Außenseiter.*
Marian E. Musgrave, 1962 in Cleveland, Ohio, geboren, sozialpsychologische Diss. über John Donne. Direktorin für »Black World Studies«. Aufsätze über den Rassismus (»Class, Caste and Racial Bias in American Schools and Colleges«, 1971), und Probleme der »Black Literature« (»Deutsche und Deutschland in der schwarzen und weißen amerikanischen Literatur des 20. Jahrhunderts«, 1976).

N

Paul Nizon, 1929 in Bern geboren, Studium der Kunstgeschichte, Archäologie und dt. Literatur in Bern und München. V: *Canto,* 1963; *Stolz,* 1972 u. a.

R

Marcel Reich-Ranicki, 1910 in Wloclawek, Polen, geboren. Seit 1960 Literaturkritiker der *ZEIT* und *Frankfurter Allgemeinen Zeitung.* V: *Dt. Literatur in West und Ost,* 1963, *Literarisches Leben in Deutschland. Kommentare und Pamphlete,* 1965, *Lauter Verrisse,* 1970, *Zur Literatur in der DDR,* 1974.
Max Rychner, 1897–1965, 1922–31 Redakteur der *Neuen Schweizer Rundschau,* Zürich, 1939–62 literarischer Leiter der *Tat,* Zürich. Aufsätze zur Literatur in zahlreichen Veröffentlichungen, Gedichte.

Sch

Paul Schallück, 1922 in Warendorf/Westf. geboren, 1976 in Köln gestorben. Studium der Fächer Philosophie, Germanistik, Theaterwissenschaft in Münster und Köln. Theaterkritiker, freier Schriftsteller, zuletzt Chefredakteur der Zeitschrift *Dokumente.*

Romane, Erzählungen, Essays, Arbeiten für Funk und Fernsehen.
Klaus Schimanski, 1936 in Frödau/Ostpreußen geboren, Studium der Germanistik/Slavistik an der Karl-Marx-Universität, Leipzig, danach Lehrer, externe Promotion, seit 1976 Invalidenrentner. V: Max Frisch: Heldengestaltung und Wirklichkeitsgestaltung in seinem Werk. Eine Untersuchung zu Problemen und Möglichkeiten d. Literatur unter den gesellschaftl. Bedingungen des staatsmonopolistischen Kapitalismus, Diss. 1972.
Walter Schmitz, geboren 1953 in Cochem, Studium Germanistik, Lingiustik, Klass. Philologie an den Universitäten Trier, Georgetown (Washington, D. C.) und München, Mitarbeit bei der Herausgabe von Max Frisch, *Gesammelte Werke in zeitlicher Folge.* Kommentare und Sammelbände zu Werken Frischs.
Franz Schonauer, 1920 geboren, Studium der Literaturwissenschaft, Geschichte und Philosophie. Literaturkritiker und wissenschaftl. Mitarbeiter am Inst. für Publizistik der FU Berlin. V: *Stefan George, Deutsche Literatur im 3. Reich,* sowie zahlreiche Beiträge in Sammelwerken.

St

Emil Staiger, 1908 in Kreuzlingen geboren, Studium der Theologie und Philosophie an den Universitäten Genf, München und Zürich. 1943 Ordinarius an der Universität Zürich, 1951 Gastprofessur an der Universität in New York und Berkeley. V: *Annette von Droste-Hülshoff,* ^{2}1962; *Grundbegriffe der Poetik,* ^{7}1966; *Die Kunst der Interpretation,* ^{2}1957; *Stilwandel,* 1963; *Spätzeit. Studien z. dt. Literatur,* 1973. Hrsg. d. Goethe-Gedichte 1952–59. Übersetzer von Sophokles, griech. Lyrik, Poliziano.
Werner Stauffacher, geboren 1921, romanistisch-germanistisches Studium an der Universität Genf, Mithrsg. der *Gesammelten Werke* Carl Spittelers, *Carl Spittelers Lyrik,* 1950, *Carl Spitteler. Biographie,* 1973. Seit 1953 Professor für neuere Germanistik an der Universität Lausanne.
Horst Steinmetz, geboren 1934, seit 1970 o. Professor für neuere dt. Literatur an der Universität Leiden (Niederlande). V: *Die Komödie der Aufklärung,* ^{2}1971, *Lessing – ein unpoetischer Dichter,* 1969, *Eduard Mörikes Erzählungen,* 1969.

T

Kurt Lothar Tank, 1910 in Berlin geboren, Studium der neueren Geschichte in Berlin. Redakteur des Kulturteils des *Deutschen Allgemeinen Sonntagsblatts.* V: *Günter Grass,* 1963, *Sylter Lesebuch,* 1973.
Hans Trümpy, 1891–1974, Jurastudium in Zürich, seit 1937 Chefredakteur der *Glarner Nachrichten.* Erzählungen und Gedichte.

U

Siegfried Unseld, 1924 in Ulm geboren, promovierte 1951 an der Tübinger Universität mit einer Arbeit über Hermann Hesse. 1955 International Seminar der Harvard University, Cambridge/Mass. 1952 Eintritt in den Suhrkamp Verlag. Seit 1959/1963 Verleger des Suhrkamp und Insel Verlags. V: *Hermann Hesse, eine Werkgeschichte,* 1973; *Begegnungen mit Hermann Hesse,* 1975; *Peter Suhrkamp. Zur Biographie eines Verlegers,* 1975; als Hrsg. *Hermann Hesse – Peter Suhrkamp. Briefwechsel 1945–1959,* 1969; *Der Marienbader Korb,* 1976.

W

Rudolph Wahl, in Köln geboren, 1961 gestorben, Studium der Geschichte in Berlin, Mitarbeiter am *Münchner Merkur.* Bücher über Kaiser Friedrich Barbarossa (1941) und Kaiser Friedrich II. (1948), Cleopatra (1956), *Das Mittelalter endet erst jetzt* (1957).
Werner Weber, 1919 in Huttwil/Emmental geboren, Studium der Germanistik, Geschichte, Philosophie an der Universität Zürich, 1946–1973 Redakteur der *Neuen Zürcher Zeitung,* Chef der Abteilung für Literatur und Wissenschaft. Seit 1973 o. Prof. f. Literaturkritik an d. Univ. Zürich. Prosa- und Essay-Veröffentlichungen.
Andrew L. White, 1933–1975, Studium an der University of Oxford, promovierte 1959 in Germanistik an der Universität München, wo er später Anglistik lehrte. 1962 University of Lybia, 1967 Columbia University of New York.
Marianne Wünsch, 1942 in Gablonz/CSSR geboren, Studium der Germanistik, Anglistik und Kunstgeschichte in München und Dublin, Dr. phil.; ist als wiss. Assistentin in München tätig. V: *Der Strukturwandel in der Lyrik Goethes,* 1975; ferner zur Literatur der Jahrhundertwende und zur Literaturtheorie.

Personenregister

Der Teil I des Registers enthält die Namen aller im Text (nicht im Inhaltsverzeichnis, in den Drucknachweisen, in Titeln, Zitaten und Bücherlisten zu einzelnen Aufsätzen) genannten Personen, außer den Verfassern von Sekundärliteratur zu Max Frischs Werk. Diese wurden im Teil II des Registers zusammengefaßt. Namen aus Anmerkungen wurden dann nicht aufgenommen, wenn die Anmerkung nur den Beleg zu einem Textzitat, dessen Verfasser dort schon angegeben war, bietet. Auf einige allgemein bekannte Zitate, Werktitel und typenhafte Gestalten der Weltliteratur verweist das Register unter dem entsprechenden Verfassernamen, auch wenn dieser nicht im Text erscheint (z. B. »Don Quichote« unter »Cervantes«).

Erster Band

Zweiter Band

Alphabetisches Gesamtverzeichnis der suhrkamp taschenbücher